A CABALA

Papus

A CABALA

TRADIÇÃO SECRETA DO OCIDENTE

Texto Integral da Segunda Edição Especial de 1903 Ampliada,
com Tabelas e Ilustrações

Obra precedida de uma carta de Adolphe FRANCK e
de um estudo de Saint-Yves d'ALVEYDRE

Edição publicada originalmente em 1903, acrescida de novos textos
de LENAIN, Éliphas LÉVI, Stanislas de GUAITA, dr. Marc HAVEN,
SÉDIR, J. JACOB, SAÏR e de uma tradução completa do Sepher Yetzirah,
seguida de reimpressão parcial de um tratado cabalístico do rabino DRACH

Tradução
Rolando Roque da Silva

Editora
Pensamento
SÃO PAULO

Título do original: *La Cabbale, Tradition secrète de l'Occident*

Copyright © 1892, Georges Carre Editeur, Librairie Generale Des Sciences Occultes, Bibliotheque Chacornac, Deuxième Édition, 1903, Paris.

Copyright da edição brasileira © 2005, 2022 Editora Pensamento-Cultrix Ltda.

2ª edição 2022.

Todos os direitos reservados. Nenhuma parte deste livro pode ser reproduzida ou usada de qualquer forma ou por qualquer meio, eletrônico ou mecânico, inclusive fotocópias, gravações ou sistema de armazenamento em banco de dados, sem permissão por escrito, exceto nos casos de trechos curtos citados em resenhas críticas ou artigos de revista.

A Editora Pensamento não se responsabiliza por eventuais mudanças ocorridas nos endereços convencionais ou eletrônicos citados neste livro.

Editor: Adilson Silva Ramachandra
Gerente editorial: Roseli de S. Ferraz
Preparação de originais: Adriane Gozzo
Gerente de produção editorial: Indiara Faria Kayo
Editoração eletrônica: Join Bureau
Revisão: Luciane H. Gomide

Dados Internacionais de Catalogação na Publicação (CIP)
(Câmara Brasileira do Livro, SP, Brasil)

Papus, 1865-1916
  Cabala: tradição secreta do ocidente / Papus; tradução Rolando Roque da Silva. – 1. ed. – São Paulo: Editora Pensamento, 2021.

"Texto Integral da Segunda Edição Especial de 1903 Ampliada, com Tabelas e Ilustrações".

Título original: La cabbale
ISBN 978-85-315-2177-5

1. Cabala 2. Ocultismo I. Silva, Rolando Roque da. II. Título.

21-90982   CDD-135.4

Índices para catálogo sistemático:
1. Cabala: Ocultismo 135.4
Maria Alice Ferreira – Bibliotecária – CRB-8/7964

Direitos reservados
EDITORA PENSAMENTO-CULTRIX LTDA
Rua Dr. Mário Vicente, 368 – 04270-000 – São Paulo – SP – Fone: (11) 2066-9000
http://www.editorapensamento.com.br
E-mail: atendimento@editorapensamento.com.br
Foi feito o depósito legal.

SUMÁRIO

Papus – Doutor Gérard Encausse 9
Prefácio à segunda edição 11
Introdução 13
    Carta do sr. Adolphe Franck ao autor 13
    Carta do autor ao sr. Adolphe Franck 14
Carta do autor ao Marquês de Saint-Yves d'Alveydre 17
Notas sobre a Tradição Cabalística por Saint-Yves d'Alveydre 19
Adendo à Segunda Edição (Janeiro de 1977) 29

PRIMEIRA PARTE
As Divisões da Cabala

Cap. I. – A tradição hebraica e a classificação das obras que a
        ela se referem 33
    § 2. – A Massorá 35
    § 3. – A Mishná 37
    § 4. – A Cabala 41

SEGUNDA PARTE
Os Ensinamentos da Cabala

Elementos da Cabala em dez lições
   cartas de Éliphas Lévi 55
Novas noções sobre a Cabala, por Sédir 71
Resumo metódico da Cabala 87
   Cap. I. – Exposição preliminar – divisão do assunto 89
   Cap. II. – O alfabeto hebraico 95
   Cap. III – Os nomes divinos 105
   Cap. IV. – As *Sephiroth* – As tabelas das correspondências 141
   Cap. V. – A filosofia da Cabala 163
   Cap. VI. – Comunicação feita à Sociedade Psicológica de Munique
      na sessão de 5 de março de 1887, por C. de Leiningen 185

TERCEIRA PARTE
Os Textos

   § l. – O *Sepher Yetzirah* 205
Cap. I. – Exposição geral 209
Cap. II. – As *Sephiroth* ou as dez numerações 213
Cap. III. – As 22 letras (*Resumo geral*) 215
Cap. IV. – As três mães 219
Cap. V. – As sete duplas 221
Cap. VI. – As doze simples 223
Cap. VII.
   § 1. – Quadro das correspondências 225
   § 2. – Derivados das letras 225
   § 3. – Resumo geral 227
   § 4. – Observações 228
   § 5. – As 50 portas da Inteligência 232
   § 6. – Os 32 caminhos da Sabedoria 235
   § 7. – A data do *Sepher Yetzirah* 238
   § 8. – Resumos do *Zohar* (Notas sobre a origem da Cabala) 247
   § 9. – A Cabala prática: os 72 gênios correspondentes aos 72 nomes.
      Segundo LENAIN 263

QUARTA PARTE
Bibliografia Resumida da Cabala

Cap. I. – Introdução à bibliografia da Cabala 297
    § 1. – Prefácio 297
    § 2. – Principais bibliografias cabalísticas 298
    § 3. – Nossas fontes 302
Cap. II. – Classificação por idiomas 305
    § 1. – Obras em língua francesa 305
    § 2. – Obras em língua latina 309
    § 3. – Obras em língua alemã 318
    § 4. – Principais tratados em língua hebraica 319
    § 5. – Obras em língua inglesa 322
    § 6. – Obras em língua espanhola 324
Cap. III. – Classificação por ordem das matérias 325
    § 1. – Tratados concernentes à Mischna 325
    § 2. – Tratados concernentes ao Targum 326
    § 3. – Tratados concernentes ao Talmude 326
    § 4. – Tratados concernentes à Cabala em geral 327
    § 5. – Tratados concernentes às *Sephiroth* 332
    § 6. – Tratados concernentes ao *Sepher Yetzirah* 333
    § 7. – Tratados concernentes à Cabala prática 333

APÊNDICE

Periódicos que geralmente se ocupam ou se ocuparam da Cabala 337
Índice alfabético dos autores citados na bibliografia 339
Índice alfabético das obras citadas na bibliografia 343
Bibliografia das obras concernentes à Cabala, pelo dr. Marc Haven 353
Bibliografia 355
A Cabala dos hebreus, pelo rabino Drach 567
    § 1. – A lei escrita e as duas leis orais, uma legal, a outra mística
        ou cabalística 372
    § 2. – Principais doutores da Cabala. O *Zohar* 374
    § 3. – Tratados e livros complementares do *Zohar* 375
    § 4. – Regra para citar o *Zohar* 375

Ideia Verdadeira da Cabala. Seu uso na Sinagoga.................................... 377
    § 1. – A emanação da Cabala e as dez *Sephiroth* ou esplendores.
        Os três esplendores supremos 378
    § 2. – Os sete esplendores compreendidos sob a denominação
        conhecimento ou os atributos divinos..................................... 381
    § 3. – Os sete espíritos do Apocalipse, I, 4 383
    § 4. – As sete luzes resplandecentes no Apocalipse IV, 5, e os
        sete olhos de Jehovah, em Zacarias, IV, 10 384
    § 5. – A árvore cabalística e *Nolito tangere* 385
    § 6. – Resumos dos livros cabalísticos 387

POSFÁCIO: Papus e a Cabala.. 399
Ressurgimento da ordem Martinista de Papus 403

PAPUS – Doutor Gérard ENCAUSSE

Nascido em 13 de julho de 1865 em La Coruña, na Espanha, de pai francês (o químico Louis Encausse) e mãe espanhola originária de Valladolid, Gérard-Anaclet-Vincent Encausse passou a infância em Butte Montmartre, na grande Paris, onde os pais foram morar em 1869.

Foi excelente aluno e ingressou na Faculdade de Medicina. Brilhante externo dos hospitais, interrompeu a preparação ao internato para dedicar-se ao estudo aprofundado das chamadas "ciências ocultas". Assinou a maioria de seus escritos com o famoso pseudônimo PAPUS ("o médico da primeira hora"). Seu primeiro livro foi publicado em 1884, aos 19 anos. Quanto ao pseudônimo, foi extraído do *Nuctéméron* de Apolônio de Tiana, que ele conheceu graças a Éliphas Lévi, seu primeiro mestre (a título póstumo), cujas obras lera e meditara com particular zelo.

Dotado de considerável atividade, filósofo, erudito, autor apreciado e conferencista hábil e jovial, Gérard Encausse Papus – sobre o qual se disse, com razão, ter sido o "Balzac do Ocultismo" – mostrou-se um popularizador notável, estimado tanto na França quanto no exterior. A lista completa de suas publicações conta com *160 títulos*, exceto as inúmeras traduções de suas principais obras. Acrescentai a isso as qualidades de terapeuta (alopatia, homeopatia, medicina espiritual) e sua tão extraordinária quanto estranha "intuição", sua imensa bondade e seu constante desejo de auxiliar o próximo, seu ardente amor – após o encontro com o Mestre Philippe, de Lyon – a Nosso Senhor Jesus Cristo, sua humildade, e tereis, enfim, amigos leitores dessas linhas piedosamente consagradas ao meu saudoso pai, uma ideia do que foi esse homem bom, devotado e ativo, por ocasião de sua derradeira passagem por este mundo.

Médico-chefe de uma ambulância no *front* de combate em 1914 e 1915, dedicou-se por completo aos feridos, indistintamente, fossem eles franceses ou alemães. Extenuado e abalado moral e fisicamente; exaurido, por fim, por um trabalho considerável, sobreposto a intensa atividade intelectual e física de mais de trinta anos, ele foi enviado à retaguarda, depois hospitalizado e, após receber novo tipo de atribuição, devolvido à vida civil. Mas já era muito tarde! [...] Foi no dia 25 de outubro de 1916 que, indo consultar o confrade e amigo, o professor Emile Sergent, grande nome da medicina francesa, ele tombou logo após franquear a entrada do hospital, vencido por gravíssima moléstia pulmonar, e morreu no mesmo local em que iniciara a carreira médico-hospitalar (Hospital da Caridade), vítima do próprio espírito de sacrifício, de sentido do dever e de total abnegação com todos, crentes ou não, que se encontrassem angustiados física ou moralmente e cujos apelos, quer ao "bom doutor", quer ao filósofo (fundador e presidente da "Ordem Martinista") dotado de esplêndidas intuições, quer ao talentoso organizador e divulgador, quer ao *Adepto*, enfim, jamais se mostraram vãos.

Doutor Philippe Encausse

PREFÁCIO À SEGUNDA EDIÇÃO

Nosso estudo bastante elementar sobre a "Cabala" obteve êxito pelo qual não esperávamos, dado seu caráter eminentemente técnico. Hoje, uma nova edição faz-se necessária, e lhe dedicamos todo nosso cuidado no sentido de adaptá-la às pesquisas realizadas desde a precedente publicação.

Esforçamo-nos por estabelecer, primeiro, uma classificação tão clara quanto possível dos livros e das tradições das quais a Cabala não constitui senão uma seção e elaboramos, da melhor forma possível, uma bibliografia não completa, mas assaz extensa. Conservamos nesta nova edição, na íntegra, essas duas partes principais do nosso primeiro trabalho, mas acrescentamos a ele mais alguns elementos.

Na introdução, um trabalho de notável interesse de autoria do marquês de Saint-Yves d'Alveydre sobre a tradição cabalística restabelecida à luz do Arqueômetro.

Na segunda parte (ensino), apelamos à pena do mestre cabalista Éliphas Lévi, publicando seu curso de Cabala em dez lições; damos prosseguimento ao curso com um trabalho igualmente claro do jovem mestre Sédir, de modo a fornecer ao leitor uma ideia sintética dos ensinamentos cabalísticos. Depois disso, torna-se fácil compreender os capítulos seguintes, em especial o estudo de Stanislas de Guaita sobre as *Sephiroth*, que fizemos preceder da nossa chave para a construção do quadro sephirótico.

Na terceira parte, OS TEXTOS, há uma tradução nova de *SEPHER YETZI-RAH*, ou livro cabalístico da criação, com os comentários mais importantes, a qual nos parece, enfim, completa.

Pareceu-nos igualmente útil resumir nesta seção os elementos mais gerais de alguns textos relacionados quer ao *Zohar*, quer às outras seções da tradição escrita.

Por fim, completamos nossa bibliografia com a inclusão daquela tão importante estabelecida pelo dr. Marc Haven, cujos trabalhos são bem conhecidos e tão apreciados por todos os nossos leitores.

Ademais, fornecemos, nesta edição, os elementos da Cabala prática derivados da invocação dos gênios de acordo com os nomes divinos e uma reimpressão quase integral da brochura do rabino Drach,[*] cujo preço é altíssimo, ainda hoje, quando encontrada nos catálogos.

As figuras incluídas foram objeto de escolha bastante especial. Não esperamos, por meio delas, fazer de nossos leitores cabalistas, mas, sim, permitir-lhes compreender, com clareza, os ensinamentos da tradição ocidental que se resumem no cristianismo.

Somente a Cabala tem direito a esse título de "Tradição", cujo verdadeiro sentido certos sistemas filosóficos vagos desvirtuam.

Este ensaio é, a nosso ver, o meio de nos dirigirmos ao santuário do Iluminismo, no qual resplandecem as quatro letras do nome místico do Salvador dos Três Planos:

INRI: o Cristo, Deus feito carne cuja luz ilumina todo Espírito que afugenta o orgulho do Plano Mental.

PAPUS

---

[*] David Paul Drach, 1791-1868, bibliotecário francês, católico convertido ao judaísmo e autor de diversas obras sobre Cabala. (N. do Ed.)

INTRODUÇÃO

Paris, 23 de outubro de 1891.

CARTA

DO SR. ADOLPHE FRANCK AO AUTOR

"Senhor,

Aceito com o maior prazer a dedicatória que me haveis por bem oferecido em vossa obra sobre a Cabala, que não constitui um ensaio, como vos apraz denominá-la, mas um livro da maior importância.

Só pude percorrê-la rapidamente até o instante, contudo já a conheci o suficiente para vos dizer que, em minha opinião, é a publicação mais interessante, mais instrutiva e mais erudita já aparecida até este momento acerca desse obscuro assunto.

Não encontro nela a corrigir senão os termos demasiado lisonjeiros da carta que me foi endereçada no prefácio da obra.

Com rara modéstia, só pedis minha opinião em relação ao trabalho bibliográfico pelo qual se termina vosso estudo.

Eu não ousaria vos afirmar que não lhe falta absolutamente nada, uma vez que o quadro da Ciência Cabalística pode variar ao infinito, mas um trabalho bibliográfico tão completo quanto o vosso, não o encontrei em parte alguma.

Queira aceitar, Senhor, com as minhas felicitações e os meus agradecimentos, a certeza de meus sinceros sentimentos.

Ad. Franck."

Ao Senhor ADOLPHE FRANCK,
Membro do Instituto,
Professor honorário do colégio da França,
Presidente da Liga Nacional contra o Ateísmo.

"Meu caro Mestre,

Permitir-me-eis que vos dedique o modesto ensaio que ora publico sobre a questão da Cabala, de tamanha importância elucidativa para o filósofo?

Fostes o primeiro, não apenas na França, mas também na Europa, a publicar um trabalho considerável sobre a "filosofia religiosa dos hebreus", como vós mesmo a nomeais. Essa obra – que somente vós podíeis levar a bom termo, graças ao vosso perfeito conhecimento da língua hebraica, por um lado, e da história das doutrinas filosóficas, por outro – consolida, desde sua aparição, notável autoridade na matéria, merecendo, com justiça, as traduções e imitações produzidas após sua publicação. Algumas críticas alemãs que tencionaram vos corrigir no que se refere à vossa obra sobre a Cabala apenas conseguiram demonstrar a medida exata de sua própria insuficiência e parcialidade. A reedição de 1889 veio consagrar, com sucesso, a edição de 1843.

Contudo, se todos nós, que nos ocupamos hoje dessas questões, devemos profundo reconhecimento ao nosso decano e iniciador nesses estudos, como poderia eu, pessoalmente, vos agradecer a honra insigne que me concedestes encorajando meus esforços com a autoridade de vosso nome, ao declarar que sem ser místico, entretanto, antes preferis ver que os recém-vindos são enamorados dessas pesquisas a senti-los apóstolos das doutrinas desesperadoras, antifilosóficas e, ousemos dizê-lo, anticientíficas do positivismo materialista?

Na hora em que empunhamos o escudo da luta intelectual contra o materialismo, e em que todos os adeptos dessa doutrina, espalhados pelas faculdades de Medicina, pela imprensa e tanto nas camadas mais altas como nas mais baixas da sociedade, nos têm considerado *dilettanti*, clericais ou loucos, o presidente da Liga Nacional contra o ateísmo veio, afrontando todos os sarcasmos, nos cobrir da autoridade incontestável e incontestada de um filósofo profundo e defensor igualmente ardente do espiritualismo.

Vós nos mostrastes que esses sábios, eminentes, na maioria, por suas descobertas analíticas, estão sujeitos, pela própria especialização, a um estudo demasiado apressado da filosofia. Daí seu desprezo por um ramo do saber humano que seria o único a poder lhes fornecer essa síntese das ciências a que eles tanto aspiram possuir; daí suas conclusões materialistas; daí o *incognoscível* e todas as fórmulas que indicam a preguiça do espírito humano, inapto a um esforço sério e apressado em concluir, sem aprofundar o valor ou as consequências sociais de suas afirmações.

Ao lado da corrente oficial, das universidades religiosas ou laicas, das Academias de Ciências ou dos Laboratórios das Faculdades, sempre existiu uma corrente independente, em geral pouco conhecida e, portanto, bastante desprezada, formada de pesquisadores às vezes demasiado imbuídos de filosofia, às vezes demasiado enamorados do misticismo, mas curiosos e interessados em estudar!

Esses adeptos da Gnose, Alquimistas, discípulos de Jacob Boehme, de Martinez Pasqualis ou de Louis-Claude de Saint-Martin são, no entanto, os únicos que nunca negligenciaram o estudo da Cabala, até o momento em que o surgimento do vosso trabalho veio mostrar que tinham encontrado um encorajador e um mestre na pessoa de um dos mais eminentes representantes da Universidade. É na qualidade de admirador e discípulo pessoal de Saint-Martin e de suas doutrinas que tomo a liberdade de vos agradecer, em nome desses "independentes", o apoio precioso que encontraram em vossa pessoa, e, se eu ousasse, para encerrar, endereçar-vos uma prece, esta seria no sentido de vos ver interceder por eles junto aos dirigentes da nossa Universidade.

Há nas obras de Saint-Martin, nas de Fabre d'Olivet, de Wronski, de Lacuria e de Louis Lucas uma série de estudos sobre a psicologia, a moral e a lógica que julgo assaz profundos e que são, entretanto, pouco conhecidos.

Ora, seria pelo menos útil ver no programa da nossa Escola Normal Superior o *Traité des signes et des Idées*, de Saint-Martin, *Les missions*, de Saint-Yves d'Alveydre, ou *Les vers dorés de Pythagore*, de Fabre d'Olivet, bem como o sistema de psicologia que forma a introdução de sua *Histoire philosophique du genre humain*, ou, ainda, a parte filosófica da *Médecine nouvelle* ou do *Roman alchimique*, de Louis Lucas, sem falar da *Création de la réalité absolue*, de Wronski, talvez demasiado técnica e apresentada de maneira muito abstrata.

Vós me direis que esses autores são místicos, escritores cuja erudição deixa, por vezes, a desejar; mas é também um "místico" que reclama que eles sejam lidos antes para serem criticados, ao menos para melhor ter em conta as diversas linhas de evolução do espírito humano.

Qualquer que seja o acolhimento feito ao meu pedido, sempre vos serei grato, meu caro Mestre, por tudo o que fizestes pela nossa causa.

Não foi sem esforços nem sem lutas que pudemos progredir, e continuaremos nosso caminho como o começamos, respondendo com trabalho e obras a todos os ataques que se abatam sobre cada uma delas ou sobre qualquer uma de nossas personalidades. Na verdade, toda obra executada com boa-fé subsiste perfeitamente por longa data; mas o que resta após alguns anos das mais pérfidas calúnias? Um pouco de amargura e muita piedade no coração das vítimas, os maiores remorsos na alma dos caluniadores, e nada mais.

Porém, se as obras que subsistem perdem seu valor no decorrer do tempo como poder dinâmico, persiste um sentimento sagrado de que todos os que defenderem, mais tarde, a nossa causa haverão de sentir da mesma forma que nós hoje: o reconhecimento profundo por aquele que não hesitou, nos momentos mais difíceis, em encorajar nossos esforços, apoiando-os com todo o respeito e a autoridade ligados a um grande nome.

Aceitai, meu caro Mestre, a certeza da minha mais sincera consideração.

'PAPUS'"

Ao Marquês de SAINT-YVES D'ALVEYDRE

"Meu caro mestre,

Estou prestes a publicar uma nova edição do meu estudo sobre a 'Cabala', bastante elementar, sobretudo quando me reporto aos consideráveis trabalhos graças aos quais chegastes a reconstituir essa antiga síntese patriarcal da qual a Antiguidade apenas possuiu bosquejos.

Contudo, quando penso na senda de dor e de luta que Nosso Senhor dispôs ao longo de vossa existência de trabalho, quando penso na dilaceração sobre-humana de alma que precedeu a certeza da União eterna com vosso querido Anjo, imagino quão difícil não resulta iluminar de luz divina um século que não dispõe senão dessa via de Salvação.

No entanto, para solucionar essa questão técnica da 'Cabala', venho fazer apelo à precisão do Arqueômetro, a fim de resolver uma questão discutida há séculos, a qual, como tantas outras de ordem diversa, vossa admirável realização permite determinar de maneira definitiva.

Trata-se da ortografia da palavra que traduz exatamente o sentido e a origem da tradição secreta da qual a *Sepher Yetzirah* e o *Zohar* são as colunas luminosas.

Permite-me, pois, ser inteiramente indiscreto e, ao lado da definição precisa da palavra Cabala, Kabala ou Quabbala, deixai-me solicitar também ao Arqueômetro algumas noções verdadeiras sobre os dez nomes a cujo respeito os pitagóricos difundiram tantos erros. Agradeço por tudo que queirais me responder, para maior glória de Jesus Cristo, Nosso Senhor.

'PAPUS'"

NOTAS SOBRE
A TRADIÇÃO CABALÍSTICA

"Meu caro Amigo,

É com grande prazer que respondo à vossa amável carta. Nada tenho a acrescentar ao vosso extraordinário livro sobre a Cabala judaica. Ele foi classificado entre os mais conceituados pela eminente e tão meritória apreciação da parte do saudoso sr. Franck, do Instituto, o homem mais autorizado a emitir um julgamento sobre o assunto.

Vossa obra completa a dele, não apenas no tocante à erudição, mas também no que diz respeito à bibliografia e à exegese dessa tradição especial; e, uma vez mais, acredito que esse belo livro seja definitivo.

Porém, conhecendo meu respeito pela tradição e, ao mesmo tempo, minha necessidade de universalidade e de verificação em relação a todo o processo dos métodos atuais, e conhecendo, ademais, os resultados de meus trabalhos, não temeis, todavia, que eu amplie o assunto e, ao contrário, me solicitais ainda que o faça.

Não aceitei, efetivamente, se não a título de levantamento, os livros da Cabala judaica, por mais interessantes que sejam. Mas, uma vez inventariados, minhas pesquisas pessoais se voltaram em direção à universalidade anterior da fonte desses documentos arqueológicos, bem como às leis que possibilitaram a motivação desses fatos no espírito humano.

Entre os judeus, a Cabala provém dos caldeus, por Daniel e Esdras. Já entre os israelitas anteriores à dispersão das dez tribos não judias, ela adveio dos egípcios, por intermédio de Moisés.

Entre os caldeus e os egípcios, a Cabala sempre fez parte disso que todas as Universidades metropolitanas denominaram a Sabedoria, isto é, a síntese das ciências e das artes restituídas ao seu Princípio comum. Princípio esse que é a própria Palavra ou Verbo.

Certa preciosa testemunha da antiguidade patriarcal pré-mosaica declara essa sabedoria já perdida ou subvertida cerca de 3 mil anos antes de Nosso Senhor. Essa testemunha é Jó, e a antiguidade desse livro encontra-se assinada pela posição das constelações que ele menciona: "O que foi feito da Sabedoria, onde está, pois, ela?", pergunta esse santo patriarca.

Em Moisés, a perda dessa unidade anterior e o desmembramento da Sabedoria patriarcal aparecem indicados sob a denominação de divisão das línguas e de Era de Nimrod. Essa época caldeia corresponde à de Jó.

Outro testemunho da antiguidade patriarcal é o bramanismo. Ele conservou todas as tradições do passado, sobrepostas como as diferentes camadas geológicas da Terra. Todos os que o estudaram sob o ponto de vista moderno surpreenderam-se com sua riqueza documentária, além da impossibilidade com que se depararam seus possuidores de a classificar de modo satisfatório, tanto do ponto de vista cronológico quanto do ponto de vista científico. Sua divisão em seitas bramânicas, vixinuístas, xivaístas, para não mencionar outras, contribui ainda mais para essa confusão.

Não é menos verdadeiro que os brâmanes do Nepal fazem remontar aos primórdios da Kali Yuga a ruptura dessa antiga universalidade ou unidade primordial dos ensinamentos.

Essa síntese primitiva, *Jesus Rex Patriarcharum*, trazia bem antes do nome de Brahma o nome de Ishva-Ra, Jesus-Rei, conforme dizem nossas litanias.

É a essa síntese primordial que São João faz alusão no início do seu Evangelho; mas os brâmanes estão longe de suspeitar de que o seu Ishva-Ra seja, em verdade, nosso Jesus, Rei do Universo, como Verbo Criador e Princípio da Palavra humana. Sem isso, todos eles seriam cristãos.

O esquecimento da Sabedoria Patriarcal do Ishva-Ra data da época de Krishna, fundador do bramanismo, e sua Trimúrti. Ainda aqui, verificamos concordância entre os brâmanes, Jó e Moisés quanto ao fato e à época.

Após esses tempos babélicos, nenhum povo, nenhuma raça nem nenhuma Universalidade jamais possuiu algo além dos restos fragmentários da antiga

Universalidade dos conhecimentos divinos, humanos e naturais reconduzidos ao Princípio: o Verbo-Jesus. Santo Agostinho designa essa síntese primordial do Verbo sob o nome *Religio Vera*.

A Cabala rabínica, relativamente recente como texto redigido, era conhecida, por completo, nas fontes escritas ou orais, pelos adeptos judeus do primeiro século da nossa era. Seguramente, não apresentava segredos a um homem do valor e da ciência de Gamaliel, como tampouco deveria apresentar para seu primeiro e eminente discípulo, São Paulo, convertido em apóstolo do Cristo ressuscitado.

Ora, eis o que diz São Paulo na 1ª Epístola aos Coríntios, capítulo 2, versículos 6, 7 e 8:

> No entanto, é realmente de Sabedoria que falamos entre os perfeitos, Sabedoria que não é deste mundo nem dos príncipes deste mundo, votados à destruição.
> Ensinamos a Sabedoria de Deus, misteriosa e oculta, que Deus, antes dos séculos, de antemão destinou para a nossa glória.
> Nenhum dos príncipes deste mundo a conheceu, pois, se a tivessem conhecido, não teriam crucificado o Senhor da Glória.

Todas essas palavras, como o ouro e o diamante, são pesadas em quilates, e não existe uma sequer entre elas que não seja infinitamente precisa e preciosa. Elas proclamam a insuficiência da Cabala judaica.

Tendo assim esclarecido a Universalidade da questão que vos interessa, concentremos essa luz sobre esse fragmento, não obstante precioso da Sabedoria antiga, que é ou pode ser a Cabala judaica.

Antes de mais nada, precisemos o sentido da palavra Cabala.

Essa palavra tem dois sentidos, de acordo com a maneira de escrevê-la: como os judeus, com Q, isto é, com a vigésima letra do alfabeto assírio, que leva o número 100, ou com C, a décima primeira letra do mesmo alfabeto, que leva o número 20.

No primeiro caso, o nome significa Transmissão, Tradição, e a coisa permanece assim indefinida, pois o valor do transmissor determina o da transmissão; conforme valha quem a transmita, valerá a própria tradição.

Cremos que os judeus tenham transmitido com bastante fidelidade o que receberam dos sábios caldeus, por meio de escrita da reelaboração dos livros anteriores, por Esdras, ele mesmo guiado pelo grande Mestre da Universidade dos Magos da Caldeia, Daniel. Mas, sob o ponto de vista científico, isso pouco faz avançar a questão, pois ela remonta apenas a um inventário dos documentos assírios e, em seguida, à fonte primordial. No segundo caso, Ca-Ba-La significa o poder; La, XXII, CaBa, pois que C = 20, pois que B = 2.

Mas então a questão fica solucionada com exatidão, uma vez que se trata do caráter científico vinculado na antiguidade patriarcal aos alfabetos de 22 letras numerais.

Devem-se fazer desses alfabetos um monopólio de raça chamando-os de semíticos? Talvez, se se tratar, de fato, de um monopólio, mas não em caso contrário.

Ora, segundo minha pesquisa dos alfabetos antigos de Ca-Ba-La, de XXII letras, o mais oculto, o mais secreto, que com certeza serviu de protótipo não só a todos os demais do mesmo gênero como também aos signos védicos e às letras sânscritas, é o alfabeto ariano. É esse que me sinto imensamente feliz em vos comunicar; e eu o recebi pessoalmente de brâmanes eminentes que jamais sequer pensaram em me pedir seu segredo.

Ele se distingue dos outros ditos semíticos pelo fato de as letras serem morfológicas, isto é, falarem de maneira precisa por meio de formas, o que o torna, na realidade, um tipo absolutamente singular. Além disso, um estudo consciencioso levou-me a descobrir que essas mesmas letras são os protótipos dos signos zodiacais e planetários, o que também é de grande importância.

Os brâmanes nomeiam esse alfabeto de Vattan, e ele parece remontar à primeira raça humana, pois, pelas cinco formas-mãe rigorosamente geométricas, assina a si mesmo Adão, Eva e Adamah.

Moisés parece designá-lo no versículo 19 do capítulo II de seu *Sepher Barashith*. Além disso, esse alfabeto é escrito de baixo para cima; as letras agrupam-se de maneira a formar imagens morfológicas ou falantes. Os panditas apagam esses caracteres da lousa tão logo esteja terminada a lição dos gurus. Escrevem-no, também, da esquerda para a direita, como o sânscrito, portanto ao estilo europeu. Por todas as razões precedentes, esse alfabeto prototípico de todos os Kaba-Lim pertence à raça ariana.

Não se pode, pois, dar aos alfabetos desse gênero o nome de semíticos, já que, com ou sem razão, não constituem o monopólio das raças assim chamadas.

Porém, pode-se e deve-se chamá-los esquemáticos. E esquema não significa apenas sinal da Palavra, mas também Glória. É a essa dupla significação que é necessário prestar atenção, lendo a passagem de São Paulo já mencionada.

Ela existe igualmente em outras línguas, como o esloveno. Por exemplo, a etimologia da palavra *slave* é *slovo* e *slava*, que significam 'palavra' e 'glória'.

Esses sentidos já nos levam bastante alto. O sânscrito vem a corroborar essa altitude. *Sama,* também encontrada nas línguas celtas, significa 'similitude', 'identidade', 'proporcionalidade', 'equivalência'.

Veremos mais adiante as aplicações dessas significações antigas. Por ora, resumamos o dito anteriormente.

A palavra Cabala, tal qual a compreendemos, significa o 'Alfabeto dos XXII Poderes', ou o poder das XXII Letras desse Alfabeto. Esse gênero de alfabetos tem protótipo ariano ou jafético. Pode ser cognominado de alfabeto da Palavra ou da Glória.

Palavra e Glória! Por que essas duas palavras estão tão relacionadas em duas línguas antigas tão distantes quanto o esloveno e o caldeu? Isso se vincula à constituição primordial do Espírito humano em um Princípio comum, simultaneamente científico e religioso: o Verbo, ou seja, a Palavra cosmológica, e seus Equivalentes.

Jesus, em sua última e tão misteriosa prece, derrama nisso, como em tudo, decisiva luz sobre o mistério histórico de que tratamos aqui:

> "E agora, glorifica-me, Pai, junto de ti, com a Glória que eu tinha junto de ti antes que o mundo existisse."

O Verbo encarnado alude aí à Sua Obra, à Sua criação direta como Verbo criador, Criação designada como Mundo divino e eterno da Glória prototípica do Mundo astral e temporal, criado pelos Alahim com base nesse modelo incorruptível.

O Princípio criador é o Verbo, e a antiguidade em relação a isso se manifesta com voz unânime. Falar e criar são sinônimos em todas as línguas.

Entre os brâmanes, documentos anteriores ao culto de Bhrama representam ISOu-Ra, Jesus-Rei como Verbo criador.

Entre os egípcios, os livros de Hermes Trismegisto dizem a mesma coisa; e OShI-Ri é Jesus-Rei lido da direita para a esquerda.

Entre os trácios, Orfeu, iniciado nos Mistérios do Egito na mesma época que Moisés, escrevera um livro intitulado *Verbo Divino.*

E, quanto ao próprio Moisés, constatamos que o Princípio é a primeira palavra e o objeto da primeira frase de seu *Sepher.* Não se trata de Deus na Essência, IHOH, somente nomeado no sétimo dia, mas de Seu Verbo, criador da Héxade divina: BaRa-Shith. Bara significa 'falar' e 'criar'; Shith significa 'Héxade'. Em sânscrito, as mesmas significações: BaRa-Shath.

A palavra BaRa-Shith deu lugar a inúmeras discussões. São João arvora-se nela como Moisés, no início de seu Evangelho, e diz, em siríaco, língua cabalística de XXII letras: O princípio é o Verbo. Jesus dissera: Eu sou o Princípio.

O sentido exato encontra-se distante, fixado pelo próprio Jesus, corroborando toda a Universalidade pré-mosaica.

O precedente explana que as Universidades verdadeiramente antigas consideravam o Verbo criador como Incidência da qual a Palavra humana é a Reflexão exata, sempre que o processo alfabético se encaixe, de maneira precisa, no Planisfério Cósmico.

O processo alfabético, munido de todos os seus equivalentes, representa, então, o mundo eterno da Glória, e o processo cósmico, o mundo dos céus astrais.

É por isso que o Rei Profeta, eco de toda a antiguidade patriarcal, diz: *Coeli enarrant Dei Gloriam*. Ou, em português: O mundo astral relata o mundo da Glória divina. O Universo invisível fala através do visível.

Restam aqui, pois, dois pontos a determinar: primeiro, o processo cósmico das escolas antigas; segundo, o de seus alfabetos correspondentes.

Para o primeiro ponto, III formas-mãe: o centro, o raio ou diâmetro e o círculo; XII signos involutivos; VII signos evolutivos.

Para o segundo ponto, ao qual os antigos conferiam o primeiro lugar: III letras construtivas; XII involutivas; VII evolutivas.

Nos dois casos:

$$III + XII + VII = XXII = CaBa,$$

pronunciação de:

$$C = 20, B = 2, \text{ total } 22, \text{C.Q.F.D.}$$

Os alfabetos de 22 letras correspondiam a um zodíaco solar ou solar-lunar, armado de um setenário evolutivo.

Eram os alfabetos esquemáticos.

Os outros, utilizando o mesmo método, tornavam-se por 24 letras os horários dos precedentes; por 28 letras, seus lunários; por 30, seus Mensais solar-lunários; por 36, seus decânicos etc.

Nos alfabetos de 22 letras, a Real, a Emissiva do envio, a Remissiva do retorno, era o I, ou o Y, ou o J; e, pousada sobre o primeiro triângulo equilateral inscrito, ela devia formar, com duas outras, o nome do Verbo e de Jesus IShVa--(Ra), OShI-(Ri).

Por outro lado, todos os povos que abraçaram o cisma naturalista e lunar tomaram por Real a letra M, que comanda o segundo trígono elementar.

Todo sistema védico e, em seguida, o bramânico foram, mais tarde, regulamentados por Krishna, a partir do começo da Kali Yuga. Tal é a chave do *Livro das Guerras de IÊVÊ,* guerras da Real I ou Y contra a letra usurpadora M.

Vistes, meu caro amigo, as provas totalmente modernas, oriundas de simples observação e de experimentação científica, pelas quais a tradição mais antiga foi restabelecida e verificada por mim. Eu não diria, então, aqui, nada além do estritamente necessário à elucidação do fato histórico da Cabala.

Em consonância com os patriarcas que os precederam, os brâmanes dividiram as línguas humanas em dois grandes grupos: 1º) Devanágaris, línguas da cidade celeste ou da civilização reconduzidas ao Princípio cosmológico divino; 2º) Prácritas, línguas de civilizações selvagens, proscritas ou anárquicas. O sânscrito é uma língua devanágari, de 49 letras; o Veda, igualmente, com suas oitenta letras ou signos derivados do ponto de AUM, isto é, da letra M.

Essas duas línguas são cabalísticas no sistema particular, das quais a letra M forma o ponto de partida e de retorno. Mas foram, desde a origem e permanecem até nossos dias, articuladas com base em uma língua de templo de 22 letras, cuja Real primitiva era o I.

Todas as retificações tornam-se possíveis e fáceis graças a essa chave, para maior triunfo e glória de Jesus, Verbo de IÊVÊ, ou, dito de outro modo, a síntese primordial dos primeiros Patriarcas.

Os brâmanes atuais conferem ao seu alfabeto de 22 letras uma virtude mágica; mas essa palavra não significa, para nós, mais que superstição e ignorância.

Superstição, decadência e superposição de elementos arqueológicos e de fórmulas mais ou menos alteradas, que um estudo aprofundado pode, por vezes, como é aqui o caso, religar a um ensinamento anterior, científico e consciente, não metafísico nem místico.

Ignorância mais ou menos profunda dos fatos, das leis e do princípio que motivaram esse ensinamento primordial.

No mais, a escola lunar vedo-bramânica não é a única na qual a verdadeira ciência e sua síntese solar, a religião do Verbo, degeneraram em magia. Basta explorar um pouco a universalidade terrestre a partir da época babélica para ver uma decadência crescente atribuir, cada vez mais, caráter supersticioso e mágico aos alfabetos antigos.

Da Caldeia à Tessália, da Cítia à Escandinávia, dos kouas de FO-HI e dos musnads da antiga Arábia às runas dos varegues, pode-se observar a mesma degenerescência.

A verdade, nisso como em tudo, é infinitamente mais maravilhosa que o erro, e vós conheceis, caro amigo, essa admirável verdade.

Enfim, como nada se perde na Humanidade terrestre do mesmo modo que no Cosmo inteiro, o que foi é ainda e testemunha da antiga universalidade de que nos fala Santo Agostinho em suas *Retratações*.

Os brâmanes cabalizam com os 80 signos védicos, as 49 letras do sânscrito devanágari e as 19 vogais, semivogais e ditongos, isto é, com toda a Massorá de Krishna, sobreposta por ele ao alfabeto vattan ou adâmico. Os árabes, os persas, os *soubbas* cabalizam com seus alfabetos lunares de 28 letras, e os marroquinos, com o seu, ou koreish.

Os tártaros manchus cabalizam com seu alfabeto mensal de 30 letras. As mesmas observações podem ser feitas aos tibetanos, aos chineses etc., com as mesmas reservas quanto às alterações sofridas pela ciência antiga dos equivalentes cosmológicos da Palavra.

Resta saber em que ordem esses 22 equivalentes devem ser colocados, de maneira funcional, sobre o planisfério do Cosmo.

Tendes sob os olhos, caro amigo, cópia do modelo idêntico àquele legalmente depositado sob o nome de Arqueômetro.

Vós sabeis que as chaves desse instrumento de precisão para o uso dos altos estudos me foram fornecidas pelo Evangelho, por meio de certas palavras muito precisas de Jesus, a cotejar com as de São Paulo e de São João.

Permite-me agora resumir o que eu disse com o menor número de palavras possível. Todas as Universidades religiosas, asiáticas e africanas, munidas de alfabetos cosmológicos, solares, solar-lunares, horários, lunares mensais etc., se servem de suas letras de modo cabalístico.

Quer se trate de Ciência pura, de Poesia interpretando a Ciência ou de Inspiração divina, todos os livros antigos, escritos nas línguas devanágaris e não prácritas, não podem ser compreendidas senão por meio da Cabala dessas línguas.

Mas essas devem ser reconduzidas aos XXII equivalentes esquemáticos, e esses, às posições cosmológicas exatas.

A Cabala dos judeus é motivada por toda a constituição anterior do Espírito humano; mas precisa ser arqueometrada, isto é, medida por seu Princípio regulador, controlada pelo Instrumento de precisão do Verbo e da sua Síntese primordial.

Não sei, caro amigo, se estas páginas responderão à vossa afetuosa expectativa. Pude apenas resumir aqui capítulos inteiros em algumas linhas.

Peço-vos, portanto, que desculpeis as imperfeições e não vejais no que procede senão um testemunho da minha boa vontade e da minha velha amizade.

SAINT-YVES D'ALVEYDRE
10 de janeiro de 1901.

ADENDO À SEGUNDA EDIÇÃO
(Janeiro de 1977)

Para esta segunda edição de uma das obras mais reputadas de meu saudoso pai, o doutor Gérard Encausse ("Papus") (13 de julho de 1865-25 de outubro de 1916), julguei ser interessante aos leitores terem conhecimento da opinião de um escritor-editor especializado contemporâneo sobre a natureza das fontes às quais Papus se referiu quando publicou, em 1892, aos 27 anos, a primeira edição de *A Cabala*.

Encontrareis esse texto do sr. Daniel Béresniak em posfácio, à página 399. Convidamo-vos a recorrer a ele para melhor e mais completa compreensão deste texto de Papus.

Doutor Philippe Encausse
(janeiro de 1977)

PRIMEIRA PARTE

As Divisões da Cabala

CAPÍTULO I

A TRADIÇÃO HEBRAICA E A CLASSIFICAÇÃO DAS OBRAS QUE A ELA SE REFEREM

Àquele que, pela primeira vez, aborda o estudo da Cabala, jamais será suficiente esclarecer-se sobre o lugar exato necessário atribuir a obras puramente cabalísticas, como o *Sepher Yetzirah* e o *Zohar,* em comparação a outros tratados vinculados à tradição hebraica.

Sabe-se, de modo geral, que há na Cabala a exposição das regras teóricas e práticas da Ciência Oculta; contudo, nem sempre é fácil discernir a relação entre o texto sagrado propriamente dito e a tradição esotérica.

Todas essas dificuldades provêm da confusão instaurada no espírito quando se faz necessário *classificar* as imensas compilações hebraicas que chegaram até nós.

Empregaremos todo o esforço na exposição seguinte, no intuito de estabelecer uma classificação tão clara quanto possível das diversas obras que têm por objetivo fixar a tradição oral.

Não existe, pelo menos de nosso conhecimento, um trabalho assaz completo que resuma, em uma ou várias tabelas, os dados técnicos essenciais, completados por importante bibliografia.

Ao fim do nosso estudo, há a lista das obras modernas nas quais nos haurimos para nosso relato, e será possível compreender, então, reportando-se a essas obras, a dificuldade com que nos deparamos nessa tarefa. Em razão disso, não podemos ter a certeza de haver esgotado definitivamente essa questão, e estamos sempre dispostos a reconhecer os erros que possamos ter cometido neste estudo, se alguém mais autorizado que nós houver por bem assinalá-los.

Todos os que se encontram um pouco a par das coisas de Israel sabem que, ao lado da Bíblia, existiu, se não sempre, ao menos desde tempo bastante remoto, *uma tradição* destinada a prover os meios de explicar e compreender a Lei (a *Torá*) a certa classe de iniciados.

Essa tradição, transmitida quase unicamente por via oral durante longos anos, apoiava-se sobre dois pontos diferentes:

1º) Havia, em primeiro lugar, todo o referente ao *corpo material* da Bíblia. Do mesmo modo que encontraremos, na Idade Média, certas corporações dotadas de regras escritas e mantidas ocultas relacionadas à construção das catedrais, também a *construção* de cada exemplar da Bíblia hebraica estava submetida a regras fixas, que constituíam parte da tradição.

2º) Havia, além disso, tudo que dizia respeito ao *espírito* do texto sagrado. Os comentários e as interpretações apoiavam-se sobre duas importantes partes: de um lado, a Lei, conjunto das regras que determinam as relações sociais dos membros de Israel entre si, com seus vizinhos e a Divindade; do outro, a Doutrina Secreta, conjunto dos conhecimentos teóricos e práticos graças ao qual era possível conhecer as relações de Deus, do homem e do Universo.

Corpo material do texto sagrado, parte legislativa desse texto e parte doutrinária – tais são as três grandes divisões que fazem da tradição esotérica um todo completo, formado de corpo, vida e espírito.

Quando, de acordo com o comentário inscrito no início do *Sepher Yetzirah*, "visto o mau estado dos negócios de Israel", foi necessário tomar a decisão de escrever os diversos pontos dessa tradição oral, nasceram várias grandes obras, destinadas, cada qual, a transmitir parte da tradição.

Se o que precede for perfeitamente compreendido, se tornará mais fácil elaborar uma classificação mais clara dessas obras.

Tudo relacionado *ao corpo* do texto, as regras concernentes à maneira de ler e escrever a *Torá* (a lei), as considerações especiais sobre o sentido místico dos caracteres sagrados, foi fixado na Massorá (ou Mashore).

Os comentários *tradicionais* sobre a parte legislativa da *Torá* deram origem à *Mishná*, e as adições feitas *ulteriormente* a eles (que correspondem à nossa jurisprudência atual) deram origem à *Guemará* (Gemarah ou Gemmara). A reunião dessas duas frações da parte legislativa num só todo forma o *Talmude*. Isso para a parte legislativa.

A doutrina secreta compreendia duas divisões (a teoria e a prática), escalonadas em três graus: histórico, social e místico.

O conjunto dos conhecimentos encerrados nessas duas divisões constitui a **Cabala** propriamente dita.

A parte teórica única da Cabala foi fixada pela escritura e, sobretudo, pela impressão, e compreende dois estudos: 1º) o da *criação* e de suas leis misteriosas (*Bereshit*), resumido no *Sepher Yetzirah*; 2º) o mais metafísico da *essência divina* e dos modos de manifestação, que os cabalistas chamam de *Carro Celeste Yetzirah* (*Merkabah*), resumido no *Zohar*.

A parte prática da Cabala é apenas indicada em alguns manuscritos esparsos de grandes coleções. Em Paris, a Biblioteca Nacional possui um dos mais belos, cuja origem é atribuída a Salomão. Esses manuscritos, geralmente conhecidos sob o nome de clavículas, serviram de base a todos os velhos grimórios que percorrem o meio rural (*O Grande e o Pequeno Alberto, o Dragão Vermelho* e o *Enchiridion E*) ou aos que levam os padres à alienação mental pela feitiçaria (*Grimório de Honório*).

Entraremos em alguns pormenores acerca de cada uma das obras de que acabamos de falar; mas, antes disso, resumamos o que precede em um quadro, que permitirá abarcar tudo em um relance (ver p. 36).

§ 2. – A MASSORÁ

Poderemos, agora, abordar com mais minúcia cada uma dessas compilações, para melhor determinar seu caráter.

Massorá. A *Massorá* forma o *corpo* da tradição; trata de tudo que se relaciona à parte material da *Torá*.

A *M'sorah* consiste em dois pontos principais:

"1º) Ensina a maneira de ler as passagens duvidosas com a ajuda dos pontos e das vogais; de agrupar e pronunciar as palavras e as frases por meio dos acentos.

"2º) Abrange as consoantes e a parte exterior e material da Bíblia e fornece um registro dos hieróglifos expressos pela forma plástica da *Torá*, tais quais a

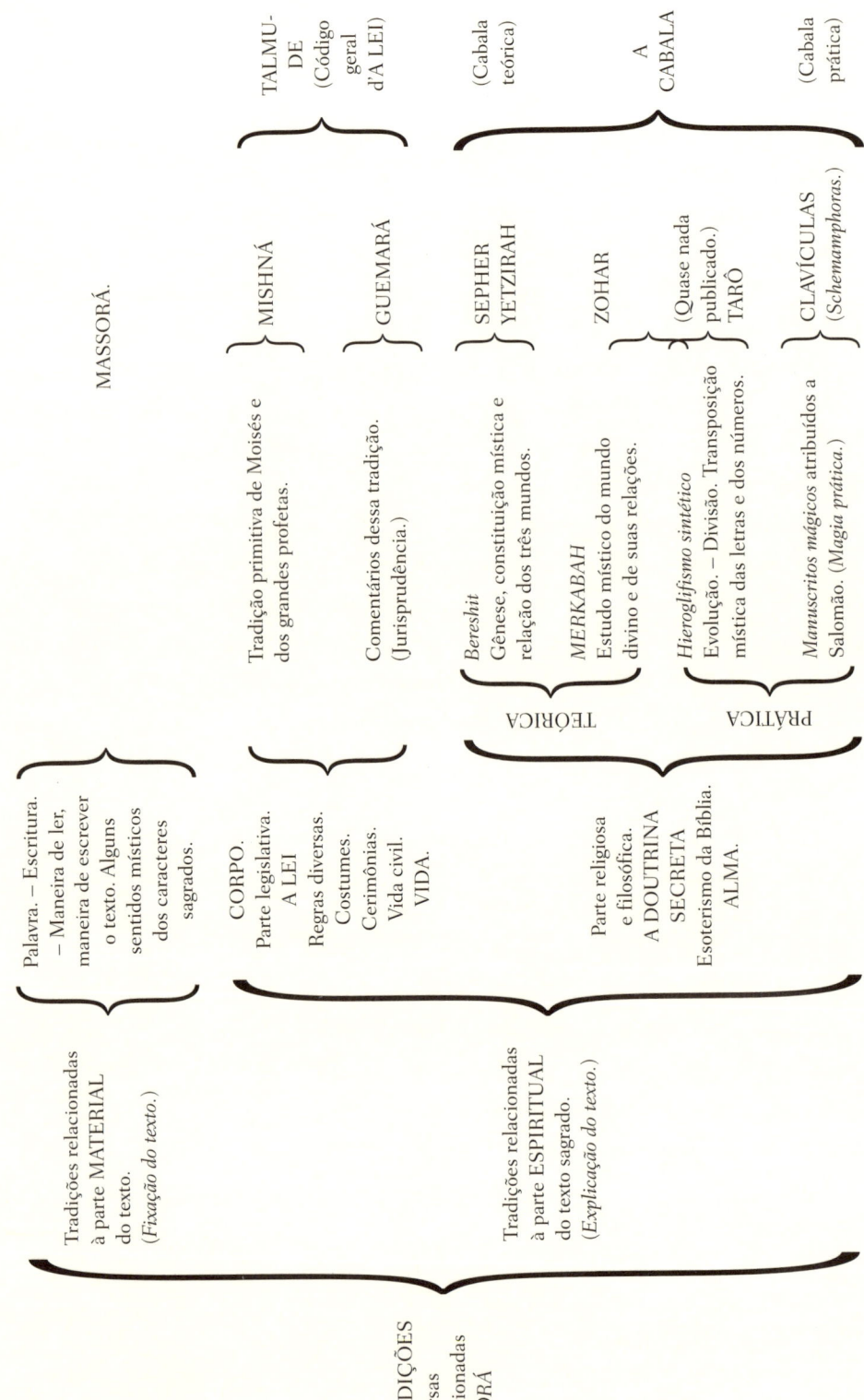

divisão dos livros, dos capítulos, dos versículos, a figura das letras etc., sem, não obstante, explicar o sentido desses hieróglifos."[1]

Ocultistas que se ocuparam especialmente da Cabala, como Saint-Yves d'Alveydre,[2] Fabre d'Olivet,[3] Claude de Saint-Martin,[4] afirmam ser a *mashore* o conjunto das fórmulas totalmente exotéricas destinadas a extrair da língua hebraica tudo o que possa esclarecer o sentido secreto da *Torá*.

Frequentemente, divide-se a *Massorá* em grande e pequena. A *Bíblia rabínica* foi impressa pela primeira vez na oficina de Daniel Bemberg, impressor de Veneza, em 1525, depois em Amsterdã (1724-1727).

Mishná.[5] A *Mishná* compreende seis seções (*sedarim*), que se dividem em 60 parágrafos ou tratados (*M'sachoth*); cada um desses tratados se subdivide novamente em capítulos (*Perakim*).

Damos aqui um resumo da *Mishná*, a fim de que o leitor possa ter uma ideia de seu conteúdo.[6]

§ 3. – A MISHNÁ

PRIMEIRA SEÇÃO

Das sementes, compreendendo onze capítulos

1º) Da prece e da bênção diária; 2º) dos confins do campo pertencentes aos pobres; 3º) dos frutos dos quais se recusa o dízimo, como se deve usá-los; 4º) dos heterogêneos ou dos animais que não devem ser acasalados; das sementes que não devem ser misturadas juntas na terra; dos fios que não podem ser tecidos conjuntamente; 5º) das relações do ano sabático; 6º) dos presentes ofertados ao sacerdote; 7º) do dízimo dos levitas; 8º) do segundo dízimo que o proprietário

---

[1] *Molitor*, p. 249.
[2] Eis no que consistiu a reforma pedagógica e primária de Esdras: ele substituiu os caracteres primitivos de Moisés pelos dos sacerdotes caldeus, com a respectiva notação à maneira assíria, que constitui a primeira mashore (*Mission des juifs*, p. 646).
[3] *La langue hébraique restituée*.
[4] *Le crocodile* (obras diversas).
[5] Além da Bíblia, os judeus ortodoxos reconhecem traduções que merecem, da parte deles, o mesmo respeito que os preceitos do *Pentateuco*.
[6] *Molit., op. cit.*, p. 17.

deve fornecer a Jerusalém; 9º) da cozinha dos sacerdotes; 10º) da proibição de comer dos frutos de uma árvore durante os três primeiros anos; 11º) das primícias e dos frutos que devem ser levados ao templo.

SEGUNDA SEÇÃO
Dos dias de festa, compreendendo doze capítulos

1º) Da relação do *Shabat*; 2º) dos bens sociais, isto é, de que toda a cidade é considerada única casa; 3º) da festa da Páscoa; 4º) dos siclos que cada um é obrigado a dar anualmente à Igreja; 5º) das funções nas festas propiciatórias; 6º) da festa dos tabernáculos; 7º) dos diferentes manjares proibidos nos dias de festa; 8º) do dia do ano-novo; 9º) dos diferentes dias de abstinência; 10º) da leitura do livro de Ester; 11º) dos meios dias de festa; 12º) do sacrifício anual; das três aparições em Jerusalém.

TERCEIRA SEÇÃO
Dos contratos de casamento e do divórcio, compreendendo sete capítulos

1º) Da permissão, da proibição de esposar a mulher de seu irmão; 2º) do contrato de casamento; 3º) dos noivos; 4º) da maneira de se divorciar; 5º) dos votos; 6º) das pessoas consagradas a Deus; 7º) das mulheres suspeitas de adultério.

QUARTA SEÇÃO
Dos danos causados, compreendendo dez partes

1º) Dos direitos pelos danos; 2º) dos direitos sobre os objetos achados, emprestados, dados em depósito; 3º) da venda, da compra, da herança, da caução e de outras relações sociais; 4º) da jurisdição em geral e das punições; 5º) dos quarenta golpes menos um; 6º) dos juramentos; 7º) das conclusões gerais, do direito e dos testemunhos; 8º) do que deve fazer o juiz se por engano efetuou falso julgamento; 9º) da idolatria e do comércio com os pagãos; 10º) provérbios morais.

QUINTA SEÇÃO
Das oferendas sagradas, compreendendo onze partes

1º) Das oferendas; 2º) das oferendas de farinha; 3º) dos primeiros nascidos; 4º) da imolação dos animais sãos ou doentes; 5º) da taxa sobre as coisas consagradas a Deus e de seu pagamento; 6º) da permuta da oferenda; 7º) da violação das coisas sagradas; 8º) dos 36 pecados pelos quais tem lugar a pena de extermínio; 9º) da oferenda diária; 10º) da construção do templo; 11º) das pombas e das rolas.

SEXTA SEÇÃO
Das purificações, compreendendo doze partes

1º) Dos móveis e da sua purificação; 2º) da tenda onde se encontra a morte; 3º) da lepra; 4º) das cinzas da vaca de purificação; 5º) das diferentes purificações; 6º) das abluções para a purificação; 7º) das menstruações; 8º) de que não se deve comer nada que seja impuro, a menos que se tenha espalhado em cima alguma coisa líquida; 9º) do fluxo seminal; 10º) da impureza até o pôr do sol daquele que fez uma ablução; 11º) da lavagem das mãos; 12º) da impureza conferida pela haste da fruta.

Gemurah. A *Gemurah* forma uma verdadeira compilação de *jurisprudência* baseada na *Mishná*. A reunião da *Mishná* e da *Gemurah* forma o *Talmude*.

A propósito dessas duas *compilações*, sinto o maior prazer pela oportunidade de assinar um trabalho de todo pessoal e de grande valor do autor da *Mission des juifs* (A missão dos Judeus): é a história dos diversos elementos da tradição a respeito do *Talmude* (p. 650 ss.).

Eis aqui um extrato dessa história:

O atravancamento de literatura casuística e escolástica, que desde o regresso do exílio substituiu a poderosa intelectualidade dos profetas e continuou a se multiplicar após a destruição do terceiro templo, durante dez séculos, está geralmente compreendido sob o nome de *Midrash*, comentário.

As duas principais rotas dessa floresta de papel denominam-se *Halachá* postura ou conduta da marcha; *Hagadá*, como é chamada, ou a lenda.

É nesse último capítulo que as comunidades esotéricas deixaram transpirar um pouco de sua ciência: Cabala. Shemata.

As primeiras compilações da *Halachá* são uma mistura inextricável do direito civil e canônico, de política nacional e metodismo individual, de leis divinas e humanas, enredadas e ramificando-se em infinitos pormenores.

Esta obra, aliás interessante de consultar sob vários pontos de vista, evoca os famosos nomes de Hilel, Akiva e Simon B. Gamaliel.

Mas sua redação final deve-se a Juda Hamassi, em 220 d.C.

Ela constitui a *Mishná*, que vem de *shana,* aprender; e seus suplementos são conhecidos como *Toseftah*, os *Boraitha*.

Os redatores do período mishnaico, após os Soferim de Esdras, são os Tannim, aos quais se sucederam os Amoraim.

As controvérsias e o desenvolvimento da *Mishná* por parte desses últimos formam a *Guemará*, ou o complemento.

Ela teve duas redações: a da Palestina, ou de Jerusalém, na metade do século IV, e a da Babilônia, no século V d.C.

A *Mishná* e a *Guemará* reunidas são conhecidas como TALMUDE, continuação e conclusão da reforma primária de Esdras.

Talmude. De acordo com o que precede, vê-se que o Talmude é formado da reunião das duas principais compilações relacionadas à parte *legislativa* da *Torá*.

O Talmude constitui, portanto, a própria *Vida* da tradição, condensada em diversos tratados. Além das duas compilações por nós citadas (*Mishná* e *Guemará*), o Talmude contém, se nos referirmos a outros autores além de Molitor, o conjunto de uma nova série de comentários (*Medrashim*) e outras adjunções (*Tosiftha*). Eis, em suma, a nomenclatura das compilações cuja reunião forma o Talmude:

Mishná
Guemará   } TALMUDE
Medrashim
Tosiftha

O leitor ansioso por posterior desenvolvimento poderá consultar, com proveito, a *Philosophie de la tradition*, de Molitor, sobretudo a *Mission des juifs*, de

Saint-Yves (pp. 653 ss.). Esta última obra contém a história bem redigida das vicissitudes do Talmude ao longo das idades.

§ 4. – A CABALA

Chegamos agora à parte superior da tradição, à Doutrina secreta ou *Cabala*, a verdadeira alma dessa tradição.

Consultando o quadro da página 36, pode-se observar que a parte teórica da Cabala é a única que conhecemos; a parte prática, ou mágica, ainda se mantém secreta, ou é apenas indicada em raros manuscritos.

1º – CABALA TEÓRICA

Mesmo essa parte teórica foi considerada, pelos autores que se ocuparam da questão, de maneira bastante diferente, do ponto de vista da classificação. Diremos algumas palavras acerca dos principais pontos desses trabalhos.

Um primeiro grupo de pesquisadores, o mais numeroso deles, seguiu a divisão fornecida pelos próprios cabalistas tradicionais. É esse o plano seguido por *Ad. Franck* em sua bela obra (1843), por Éliphas Lévi (1853) e por *Isidore Loeb* (autor do verbete "Cabala", na *Grande Enciclopédia*).

Os principais assuntos da especulação mística do tempo chamam-se *oeuvre du char* (obra do carro) (*maasse mercaba*), por alusão ao carro de Ezequiel, e *oeuvre de la création* (obra da criação) (*maasse Bereshit*).

A obra do carro, também denominada a grande obra (*dabar gadol*), compreende os seres do mundo sobrenatural, Deus, as Potestades, as ideias primeiras, enfim, a "família celeste", como são, por vezes, chamados; a obra da criação compreende a geração e a natureza do mundo terrestre.[7]

Eis aqui a divisão:

CABALA { Maasse Mercaba. – *Zohar* (*obra do carro*).
Maasse Bereshit. – *Sepher Yetzirah* (*obra da criação*).

---

[7] Isid. LOEB.

Outros escritores, como S. Munck,[8] dividem a Cabala da seguinte maneira:

CABALA
- 1ª *Simbólica.* { Cálculos místicos. – Ternura / Gematria. – Notarikon.
- 2ª *Positiva, dogmática.* { Anjos e demônios. / Divisões. / Transmigração das almas.
- 3ª *Especulativa e metafísica.* { *Sephiroth* etc.

Como se vê, *S. Munck* se aproxima da antiga divisão adotada por certos cabalistas, sobretudo por *Kircher*.

Mas, em nossa opinião, a divisão mais completa da Cabala é a de *Molitor*;[9] é ela que adotamos em nosso quadro geral da página 36, pois tem o mérito de responder, em linhas gerais, às divisões geralmente adotadas, completando-as pelo reconhecimento de uma parte prática.

CABALA
- Teoria
  - BERESHIT / *Sepher Yetzirah* { 1º grau / Lendas históricas / *Hagadá*
  - *Merkabah* / Zohar { 2º grau / Moral prática
- Prática
  - Nada ou quase nada escrito. / Manuscritos Mágicos / (*Clavículas*) { 3º grau / Mística / (*Magia prática*)

O ensinamento tradicional, trino como a natureza humana e suas necessidades, era, ao mesmo tempo, *histórico, moral* e *místico*; de modo que a escritura santa encerrava tríplice sentido, a saber: 1º) literal, histórico (*pashut*), que corresponde ao corpo e ao vestíbulo do templo; 2ª) moral (*drusch*), que corresponde à

---

[8] S. Munck, artigo *Kabbale* (*Dict. de la conversation*).
[9] J.-F. Molitor, *Philosophie de la tradition*, traduzido do alemão para o francês por Xavier Quris.

alma ou ao santuário; 3º) místico (*sod*), que representa o espírito e o santuário dos santuários.

O primeiro, formado de certos relatos extraídos da vida dos antigos patriarcas, era transmitido de geração a geração, como tantas lendas populares. Encontra-se disperso aqui e ali, na forma de glosa, nos manuscritos bíblicos e nas paráfrases caldaicas.

O sentido moral encarava tudo sob o ponto de vista prático, ao passo que o místico, elevando-se acima das relações com o mundo visível e efêmero, planava, sem cessar, na esfera do eterno.

O sentido místico obrigava a uma disciplina secreta, que exigia piedade de alma pouco frequente.

Era em razão dessas duas condições que um discípulo podia ser iniciado, sem levar em conta nem a idade nem a condição, pois acontecia, por vezes, de o pai instruir os filhos quando ainda muito jovens.

A essa alta tradição, dá-se o nome de *Cabala* (em hebreu, KIBBEL, reunir). Essa palavra encerra, além do objeto exterior, a aptidão da alma para conceber as ideias sobrenaturais.

A Cabala dividia-se em duas partes: a teórica e a prática.

1º) Tradições patriarcais sobre o santo mistério de Deus e das pessoas divinas.

2º) Sobre a criação espiritual e a queda dos anjos.

3º) Sobre a origem do caos e da matéria e a renovação do mundo nos seis dias da criação.

4º) Sobre a criação do homem visível e sua queda e os caminhos divinos que conduzem à sua reintegração.

Dito de outro modo, ela tratava:

Da obra da criação (*Maasse-Yetzirah*).

Do carro celeste (*Merkabah*).

A obra da criação está contida no *Sepher Yetzirah*.

Fizemos a primeira tradução francesa desse livro, publicada em 1887. Posteriormente, uma nova tradução, mais elaborada, graças a originais mais completos, foi realizada por *Mayer Lambert*.[10] Não podemos deixar de recomendar entusiasticamente esse trabalho de grande seriedade. Lamentamos nele apenas a ausência de bibliografia, que teria sido de extrema utilidade a todos.

A fim de permitir que o leitor complete nossa tradução da melhor maneira possível, que se encontra mais adiante, neste volume, fornecemos aqui um quadro que resume os desenvolvimentos complementares do *Sepher Yetzirah*. Modificamos as relações dos planetas e dos dias da semana, relações que nos parecem defeituosamente estabelecidas em razão de uma aproximação mal compreendida entre a ordem dos planetas e a dos dias. O relógio egípcio fornecido por Alliette (Etteila) permite perceber perfeitamente a origem desse equívoco.

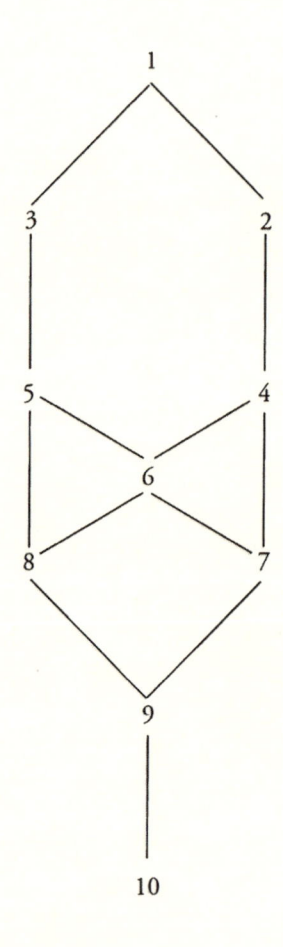

---

[10] MAYER LAMBERT, *Commentaire sur le Sepher Yesira ou Livre de La Creation*, de autoria de Gaon Saadya de Fayoum, publicado e traduzido por Mayer Lambert, aluno diplomado da École Pratique des Hautes Études, professor do seminário israelita (Paris, Bouillaud, 1891).

QUADRO DAS RELAÇÕES DE ACORDO COM O *SEPHER YETZIRAH*

	LETRAS	UNIVERSO	ANO	HOMEM	MUNDO MORAL
א	Aleph AR	Atmosfera	Temperado (prim./out.)	Peito	Regra do Equilíbrio
מ	Mem ÁGUA	Terra	Inverno	Ventre	Bandeja do Desmerecimento
ש	Schin TERRA	Céu	Verão	Cabeça	Bandeja do Merecimento
ב	Beth	Saturno	Sábado SÁBADO	Boca	Vida e Morte
ג	Ghimel	Júpiter	Domingo QUINTA-FEIRA	Olho direito	Paz e Desgraça
ד	Daleth	Marte	Segunda TERÇA-FEIRA	Olho esquerdo	Sabedoria e Insensatez
כ	Caf	Sol	Terça-feira DOMINGO	Narina direita	Riqueza e Pobreza
פ	Pé	Vênus	Quarta SEXTA-FEIRA	Narina esquerda	Cultura e Solidão
ר	Resch	Mercúrio	Quinta QUARTA-FEIRA	Orelha direita	Graça e Feiura
ת	Tau	Lua	Sexta SEGUNDA-FEIRA	Orelha esquerda	Domínio e Servidão
ה	He	Áries	Março	Fígado	Visão e Cegueira
ו	Vau	Touro	Abril	Bile	Audição e Surdez
ז	Zain	Gêmeos	Maio	Baço	Olfato e Ausência de Olfato
ח	Het	Câncer	Junho	Estômago	Palavra e Mutismo
ט	Teth	Leão	Julho	Rim direito	Deglutição e Fome
י	Yod	Virgem	Agosto	Rim esquerdo	Coito e Castração
ל	Lamed	Libra	Setembro	Intestino abstinente	Atividade e Impotência
נ	Nun	Escorpião	Outubro	Intestino obstinado	Marcha e Claudicação
ס	Samech	Sagitário	Novembro	Mão direita	Cólera e Irritação do Fígado
ע	Ain	Capricórnio	Dezembro	Mão esquerda	Riso e Irritação do Baço
צ	Tsade	Aquário	Janeiro	Pé direito	Pensamento e Furor do Coração
ק	Caph	Peixes	Fevereiro	Pé esquerdo	Sono e Langor

A obra do carro celeste está contida no *Zohar*. Não dispondo de tempo livre para fazer aqui uma tradução francesa desse livro (já traduzido para o latim e o inglês), nos contentaremos em publicar o excelente resumo feito por *Isidore Loeb* na *Grande Enciclopédia* (verbete *Cabala*).

O *Zohar* é um comentário cabalístico do Pentateuco; não temos a certeza de o possuir na forma primitiva; é possível que várias pessoas tenham nele trabalhado. É uma vasta compilação na qual entraram, com as ideias do redator ou redatores, outras obras, mais ou menos antigas, como o *Livro do Segredo*, a *Grande Assembleia*, a *Pequena Assembleia*, o *Livro das tendas celestes*, o *Pastor fiel*, o *Discurso do jovem* e outros.

As teorias fundamentais já estão, em grande parte, no livro de Azriel. Dele, aqui damos uma análise, que bastará para tornar conhecida, *grosso modo*, toda a Cabala.

ANÁLISE DO *ZOHAR*
por Isidore Loeb[11]

Deus é a fonte da vida e o criador do Universo, mas Ele é infinito (*en sof*), inacessível, incompreensível, desconhecido (*aïn* nada, coisa nenhuma, para nossa inteligência); é o grande problema (*mi*, quem?); Ele seria profanado se estivesse em relação direta com o mundo; entre Ele e o mundo, situam-se as dez *Sephiroth*, por meio das quais Ele criou o mundo, que são os instrumentos (*kélim*), os canais (*cinnorot*) pelos quais Sua ação se transmite ao mundo das Faces (ver mais adiante). O conjunto de dez *Sephiroth* forma o homem prototípico. Adão superior ou Adão eterno (ou, ainda, Pré-Adão), que é o macrocosmo, o tipo intelectual do mundo material. Entre os cabalistas, as *Sephiroth* são representadas, em geral, pelo desenho da página 44, que representa a árvore das *Sephiroth*.

Seus nomes, seguindo os números de ordem do desenho, são: 1, coroa (*kether*); 2, sabedoria (*chokmah*); 3, inteligência (*binah*); 4, graça (*chesed*); 5, justiça (*din*); 6, beleza (*tiphareth*); 7, triunfo (*netzach*); 8, glória (*hod*); 9, base (*yesod*); 10, realeza ou reino (*malkuth*). As nove primeiras *Sephiroth* dividem-se em tríades, contendo cada qual dois princípios opostos e um princípio de conciliação. É a Balança do Livro da Criação. A primeira tríade (números 1, 2, 3) representa os atributos metafísicos de Deus ou, se desejarmos, o mundo inteligível; a segunda (números 4, 5, 6), o mundo moral; a terceira (números 7, 8, 9), o mundo físico; a

---

[11] *Grand Encyclopédie*, verbete *Cabbale*.

última (número 10) é apenas o resumo e conjunto de todas as outras: é a *harmonia* do mundo. Nesse mundo das *Sephiroth*, a função mais importante é desempenhada pela primeira *Sephirah* (nº 1), a Coroa, que criou as outras *Sephiroth* e, por conseguinte, o mundo inteiro. Ela é o Metraton da antiga cabala, uma espécie de demiurgo. Como é quase tão inapreensível e imaterial quanto o próprio Deus, é também chamada, às vezes, *infinito* ou *nada* (*en sof, aïn*); é, em todos os casos, o *ponto primeiro* (sem dimensão material nenhuma), a matéria-prima, a Face santa, a longa face, e todas as demais *Sephiroth* juntas são apenas a pequena Face. Ela é, portanto, a Vontade de Deus, a menos que a Vontade não esteja no próprio Deus e idêntica a Ele. A tríade cuja primeira *Sephirah* constitui a cabeça é o Plano do Universo, a tríade do mundo; as sete *Sephiroth* seguintes são inferiores a essas três; não são senão as *Sephiroth* da execução (a construção, como dizem os cabalistas). Consideradas sob outro ponto de vista, as *Sephiroth* dividem-se em *Sephiroth* da direita (números 2, 4, 7), da esquerda (números 3, 5, 8) e do meio (números 1, 6, 9).

As da direita representam o elemento masculino, considerado superior ao outro, melhor; é o princípio ativo que possui os atributos da bondade e da misericórdia; as da esquerda representam o elemento feminino, princípio passivo, e possui os atributos da reflexão concentrada, da justiça estrita; o grupo do meio é o da conciliação dos princípios opostos. As três unidades que o compõem representam, respectivamente, a partir do alto, o mundo inteligível, o mundo moral, o mundo sensível ou material. Nos outros escritos cabalísticos, são as três tríades, as do 1 a 9, que representam, respectivamente, esses três mundos, os quais correspondem às três partes da alma humana, tais quais as encontramos entre os neoplatônicos: a inteligência (*nous*), o coração (*psique*), a alma vegetativa (*physis*). A introdução dos sexos em Deus é um dos traços mais notáveis da Cabala. Nessa divisão das *Sephiroth* em tríades paralelas, indo do topo para baixo, distinguem-se também as tríades por cores, o que é igualmente digno de nota: o grupo da direita é branco; o da esquerda é vermelho; o do meio apresenta cor intermediária (azul, amarelo ou verde). Enfim, a *Sephirah* nº 6 está, de certo modo, ligada às *Sephiroth* laterais, formando combinações diversas.

As dez *Sephiroth* são como os *logoi*, ou ideias-mãe, do mundo. Compõem, em conjunto, um mundo que vem diretamente de Deus e que, por oposição aos mundos inferiores, dele procedem: é o chamado mundo da emanação (*acilut*). Por evoluções sucessivas, três outros mundos são formados provindos também das dez *Sephiroth*: 1) o mundo da criação (*beria*), também o mundo das esferas celestes; 2) o mundo da formação (*iecira*), também o mundo dos anjos ou dos espíritos que animam as esferas; 3) o mundo da terminação (*açigya*), que é o mundo material, o universo visível, a *casca* dos outros mundos. Deus experimentou muitos mundos antes do atual; o Talmude já conhecia os mundos criados e destruídos antes do mundo atual; esse mito representa a atividade perpétua da força criadora que produz incessantemente e jamais repousa, ou, então, a teoria do otimismo, segundo a qual esse mundo é o melhor dos mundos possíveis. Não obstante, esse mundo contém o mal, que é inseparável da matéria. O mal vem do enfraquecimento sucessivo da luz divina, que, por irradiação ou emanação, criou o mundo; é uma negação ou carência de luz, ou são as sobras e os resíduos dos mundos experimentados antes e avaliados como maus. Esses restos são as *cascas*; o mal é sempre representado por uma crosta; há mesmo um mundo do mal, povoado de anjos decaídos que são igualmente cascas (*Klipot, Kelipot ou Qliphoth*).

O homem terrestre é o ser mais elevado da criação, a imagem do Adão prototípico, o microcosmo. A tríade cósmica encontra-se, conforme vimos, nas três almas que o compõem, cuja sede é, respectivamente, no cérebro, no coração e no fígado. A alma humana é o resultado da união do rei (nº 6) e da rainha (nº 10), e, em razão de um de seus atributos mais notáveis, a rainha pode subir até o rei – o homem pode agir por suas virtudes sobre o mundo superior e melhorá-lo. Daí a importância da prece, por intermédio da qual o homem atua sobre as forças superiores para torná-las favoráveis; pela prece, ele as põe positivamente em movimento; é o seu estimulador. A alma é imortal, mas só atinge a ventura celeste quando se torna perfeita, e, para consegui-lo, é frequentemente obrigada a viver em diferentes corpos: essa é a teoria da metempsicose.[12] Pode mesmo lhe ocorrer de até descer do céu para se associar a outra alma em um mesmo corpo (*sod ha ibbur*), a fim de melhorar seu contato ou ajudar essa outra a se aperfeiçoar. Todas as almas foram criadas desde a origem do mundo, e, quando todas tiverem atingido o estado de perfeição, o Messias virá. O *Zohar*, como muitas outras obras da literatura judaica, chega a calcular a data da vinda do Messias.

2º CABALA PRÁTICA

2º A Cabala prática explicava:
A. O sentido espiritual da lei.

---

[12] A palavra *reencarnação* exprime com mais clareza essa ideia que metempsicose. A alma reencarna num corpo de homem, jamais num corpo de animal (P).

B. Prescrevia o modo de purificação que inseria a alma na divindade e fazia dela instrumento de oração, atuante na esfera do visível e do invisível.

É assim que ela é capaz de se aprofundar piedosamente na meditação dos nomes sagrados, sendo a escritura, de acordo com os cabalistas, a expressão visível das forças divinas, sob a figura das quais o céu se revela à terra.

Compreende-se facilmente por que nada, ou quase nada, tenha sido escrito, tampouco publicado, em relação a essa parte da Cabala.

Por isso, a crítica jamais deixou de dirigir suas farpas mais ácidas contra os cabalistas postulantes ao conhecimento mágico.

Deve-se reconhecer, porém, que a crítica, por se basear no ouvir dizer, dispunha de poucos elementos para um julgamento favorável.

A teoria da Cabala prática liga-se à teoria geral da magia; união das ideias e dos símbolos contidos na Natureza, no Homem e no Universo. Agir sobre símbolos significa agir sobre ideias e sobre seres espirituais (anjos); daí todos os processos de evocação mística.

O estudo da Cabala prática compreendia, primeiro, conhecimentos especiais sobre as letras hebraicas e as diversas mudanças que se lhes podia impor por meio de três operações conhecidas da maioria dos cabalistas (*Temurá, Gematria, Notaria*).

É importante conhecer esse ponto, uma vez que constitui a parte mais grosseira, a mais exotérica da Cabala prática; e, no entanto, vários críticos (sobretudo na Alemanha) desejaram enxergar no todo da Cabala apenas essa ciência de charadas, enigmas e anagramas, isso tudo por não haverem se esforçado para ir até o âmago da questão.

Por ser vital conhecer esse *hieroglifismo* especial, tomaremos emprestado do *Molitor* (*op. cit.*) alguns exemplos típicos sobre o tema.

Mencionamos anteriormente ser tão difícil escrever a *Torá* quanto lê-la. Na realidade, encontramos com frequência num vocábulo uma letra a mais ou a menos, às vezes uma em lugar de outra ou, ainda, as finais no lugar das mediantes, e vice-versa.

Além desse hieroglifismo plástico, a Bíblia encerra outro em que as palavras são consideradas, como tantas outras, cifras misteriosas.

Esse tipo de hieroglifismo pode ser *sintético* ou *idêntico*.

1º) Sintético quando uma palavra oculta várias outras que só podem ser descobertas por meio do *desenvolvimento*, da *divisão* ou da *transposição* de suas letras.

2º) Idêntico quando diversas palavras da Escritura exprimem a mesma coisa. Essa identidade fundamenta-se na relação misteriosa entre as letras, ou seja, sobre seu valor numérico, do qual achamos traços evidentes nos profetas. O *Mishná* denomina esse hieroglifismo *o perfume da sabedoria*.

Eis, agora, vários exemplos do hieroglifismo sintético:

1º) A *evolução* ou desenvolvimento das letras.

Davi, no testamento a seu filho Salomão, exclama: "Ele amaldiçoou-me com duras maldições" (Nimrezeth Nmrzth).

Ora, a palavra hebraica *Nimrezeth* encerra o conteúdo dessas explorações injuriosas feitas pelo profeta.

N *oeph*, adúltero.

M *oabi*, Moabita, pois descendia de Ruth.

R *ozeach*, assassino.

Z *ores*, violento.

T *hoeb*, cruel.

2º) A *divisão*.

Dividindo a palavra *B'reschit*, tem-se *Bara-Schith*, ele criou seis, ou seja, as seis forças fundamentais que presidem a obra misteriosa dos seis dias. Desfruta-se da mesma liberdade para a construção de frases e até de períodos inteiros.

3º) A *transposição*.

Deus disse no Êxodo: Enviarei diante de ti *M'lachi*, isto é, meu anjo; transpondo-se nessa palavra, tem-se o nome de Michel (Miguel), protetor do povo hebreu.

A mais notável dessas evoluções, chamada *Gilgul*, consiste na transposição regular das diferentes letras de uma palavra, como as do santo nome IEVE (*Jeová*). As doze mudanças misteriosas que podem ser operadas com as quatro letras desse nome representam o jogo contínuo desse poder primeiro, que faz sair a variedade da unidade.[13]

Emprego dos números

Além do hieroglifismo sintético que acabamos de mencionar, existe outro baseado na relação numérica das letras, pois cada uma delas representa certo valor.

---

[13] *Molitor*, p. 31, 32, 35 (ver, também, p. 123 para as mudanças de IEVE).

Os números formam três classes, cada qual contendo nove letras correspondentes. A primeira contém os números simples de 1 a 9, denominados pequenos números.

A segunda, que começa em 10 e termina em 90, encerra os números médios.

A terceira, formada do produto das unidades e das dezenas, constitui, apropriadamente falando, os grandes números.

Quanto ao milhar, o último grau da progressão numérica, pode-se reconduzi-lo facilmente à unidade = 1.000 = 1; eis por que esses dois números têm a mesma letra em hebraico: *Aleph*[14] (ver p. 45).

As letras são substituídas por números e alternativamente. E esses podem ser adicionados ou enumerados à parte, de modo livre.

Tomemos, por exemplo, a palavra ADAM $\frac{m \ d \ a}{40 \ 4 \ 1}$, cuja soma iguala 45 (40 + 4 + 1 = 45); se lhe extrairmos a raiz, obtemos 9.

Decorre daí uma afinidade entre as palavras cujo valor numérico seja o mesmo; por exemplo, *Achad* e *Ahabha*, cujo número correspondente é 13 e cujas palavras significam, a primeira, a *unidade*, e a segunda, *o amor*, precisamente o encarregado de reconstruir, hoje, a unidade destruída; além do mais, o 13 é o número do amor eterno simbolizado por Jacó e seus filhos, por Jesus Cristo e seus apóstolos; e o que há de admirável nisso é que, extraindo-lhe a raiz, chega-se à raiz 4 (1 + 3 = 4), que corresponde às quatro letras do santo nome de *IEVE*, princípio de vida e de amor.

A chave geral dessas tão curiosas evoluções que se aplicam às palavras e às letras é encontrada no livro hieroglífico e numeral, tão pouco conhecido quanto suas bases científicas, o TARÔ.[15]

A explicação mística desse Tarô formava a base do ensino oral da *magia prática*, que conduzia o cabalista iniciado ao dom da profecia. Nada, ao que sabemos, foi impresso sobre o assunto nos chamados livros *cabalísticos*. Nossas bibliotecas públicas possuem alguns manuscritos atribuídos a Salomão, traduzidos do hebreu para o latim e daí para o francês; esses manuscritos encerram, em parte, a reprodução, sob o nome de talismãs, das cartas do Tarô ou "chaves" e, em parte, a *explicação* e o uso dessas chaves. Conhecemo-las pelo nome de *Clavículas de Salomão*, ou *Schemamphoras*; deve-se reconhecer, também, que os dados fornecidos por esses manuscritos são bastante incompletos.

---

[14] A língua hebraica carece de nome próprio para expressar os números que ultrapassam 1.000. Assim, Ribbo, que significa 10 mil, tem a mesma raiz que Robh (multidão).

[15] Ver Éliphas Lévi, *Rituel de haute magie*, cap. XXI, e Papus, *Le tarot des bohémiens*.

De qualquer modo, torna-se necessário referir-se a eles para determinar com mais exatidão as divisões principais que podem ser estabelecidas nessa parte da tradição secreta dos hebreus. Para concluir, eis aqui a maneira pela qual dividiremos a Cabala.

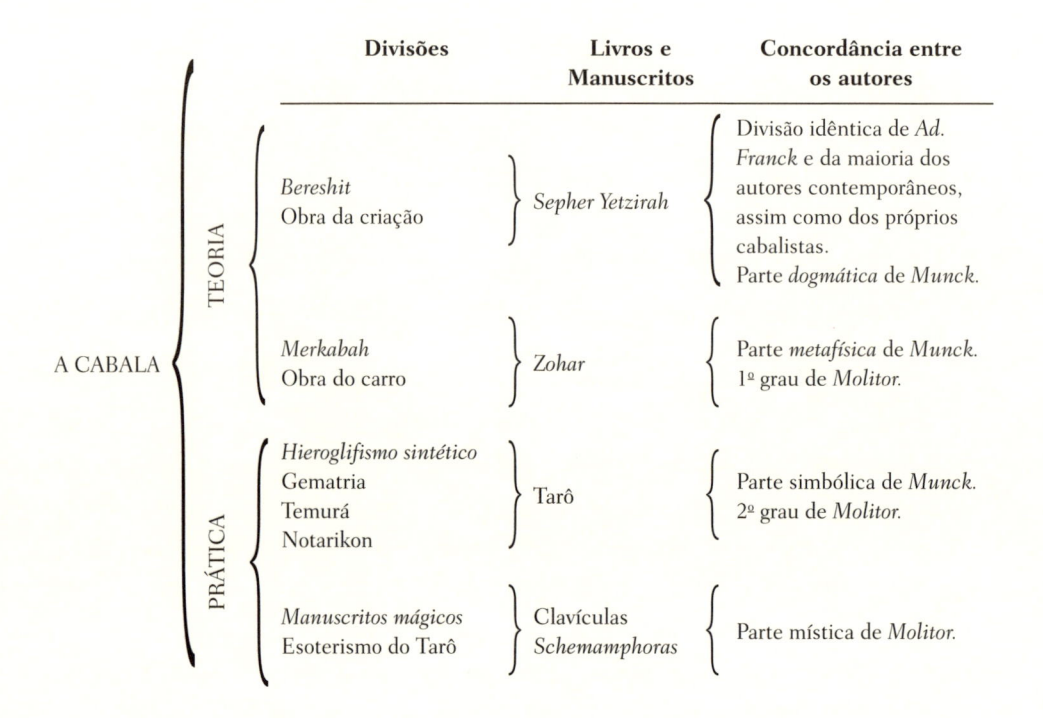

		Divisões	Livros e Manuscritos	Concordância entre os autores
A CABALA	TEORIA	*Bereshit* Obra da criação	*Sepher Yetzirah*	Divisão idêntica de *Ad. Franck* e da maioria dos autores contemporâneos, assim como dos próprios cabalistas. Parte *dogmática* de Munck.
		Merkabah Obra do carro	*Zohar*	Parte *metafísica* de Munck. 1º grau de *Molitor*.
	PRÁTICA	*Hieroglifismo sintético* Gematria Temurá Notarikon	Tarô	Parte simbólica de *Munck*. 2º grau de *Molitor*.
		Manuscritos mágicos Esoterismo do Tarô	Clavículas Schemamphoras	Parte mística de *Molitor*.

SEGUNDA PARTE

Os Ensinamentos da Cabala

OS ELEMENTOS DA CABALA EM DEZ LIÇÕES

Cartas de Éliphas Lévi[1]

PRIMEIRA LIÇÃO
PROLEGÔMENOS GERAIS

"Senhor e Irmão,

"Eu vos posso dar este título, uma vez que procurais a verdade na sinceridade do vosso coração e, para a encontrardes, estais disposto a fazer sacrifícios.

"Sendo a verdade a essência do que é, não é difícil encontrá-la: ela está em nós e nós estamos nela. Ela é como a luz, e os cegos não a veem.

"O Ser é. Isso é incontestável e absoluto. A ideia exata do Ser é verdade; seu conhecimento é ciência; sua expressão ideal é a razão; sua atividade são a criação e a justiça.

"Vós dizeis que desejaríeis crer. Para isso, é suficiente saber e amar a verdade. Pois a verdadeira fé é a adesão inabalável do espírito às necessárias deduções da ciência no infinito conjectural.

---

[1] Estas cartas nos foram gentilmente comunicadas por um discípulo de Éliphas Lévi, sr. Montaut. Apareceram na revista *Initiation*, em 1891.

אידסוף

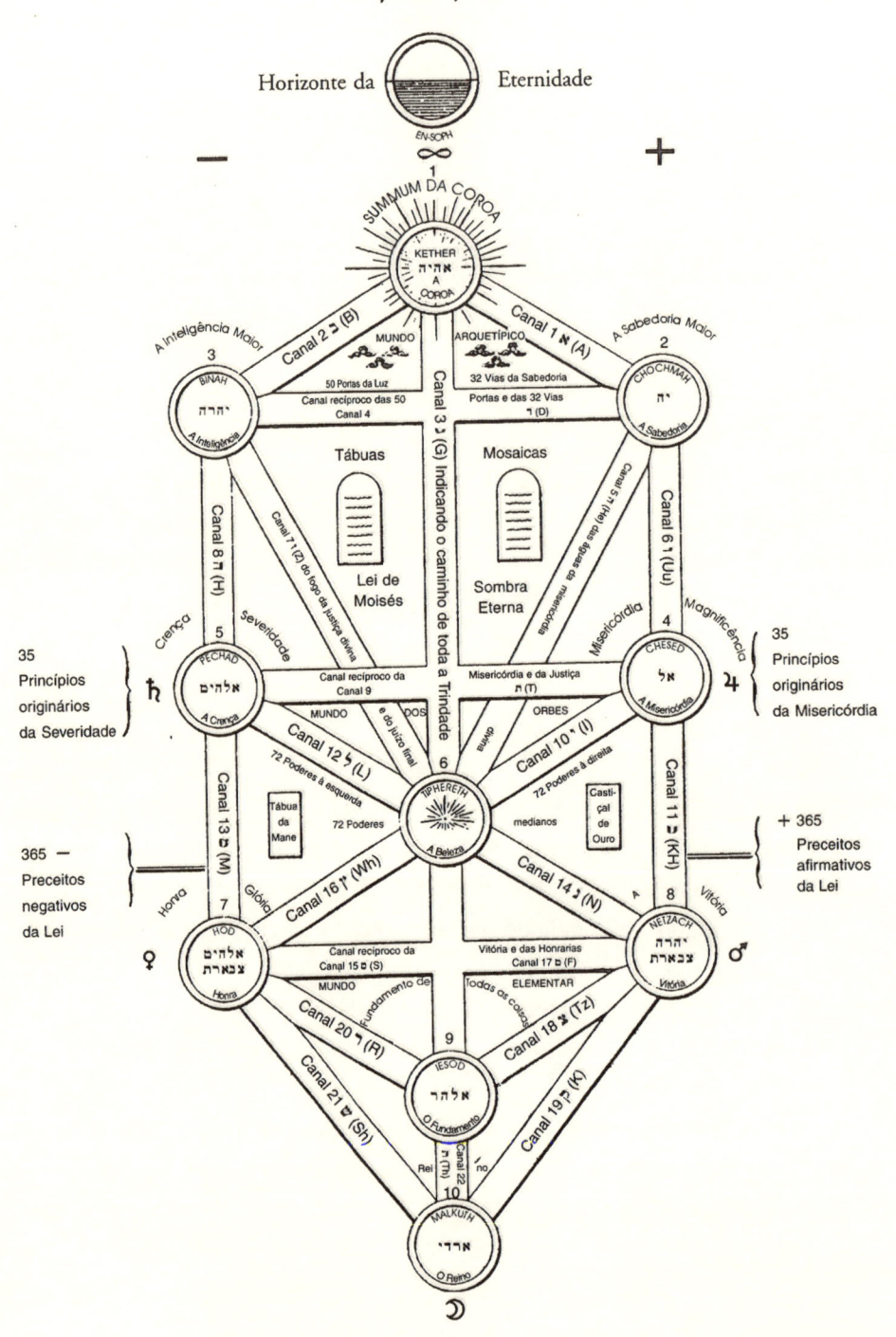

Horizonte da EN-SOPH Eternidade

−   +

∞
1
SUMMUM DA COROA

KETHER
אהיה
A COROA

A Inteligência Maior — Canal 2 ב (B) — MUNDO ARQUETÍPICO — Canal 1 א (A) — A Sabedoria Maior

3
BINAH
יהוה
A Inteligência

50 Portas da Luz
Canal recíproco das 50 Portas e das 32 Vias
Canal 4 ד (D)

32 Vias da Sabedoria

2
CHOCHMAH
יה
A Sabedoria

Canal 3 ג (G) Indicando o caminho de toda a Trindade

Tábuas
Lei de Moisés

Mosaicas
Sombra Eterna

Canal 8 ח (H) — Crença — Severidade
Canal 7 ז (Z) do fogo da justiça divina

Canal 5 ה (H) das penas da misericórdia
Canal 6 ו (Uu) — Magnificência — Misericórdia

35 Princípios originários da Severidade   ♄

5
PECHAD
אלהים
A Crença

Canal recíproco da Canal 9

Misericórdia e da Justiça
ט (T)

4
CHESED
אל
A Misericórdia

♃   35 Princípios originários da Misericórdia

MUNDO DOS ORBES

Canal 12 ל (L) 72 Poderes à esquerda
Canal 10 י (I) 72 Poderes à direita
e do juízo final

6
TIPHERETH
A Beleza

Tábua da Mane
72 Poderes medianos
Castiçal de Ouro

Canal 11 כ (KH)

365 − Preceitos negativos da Lei   ♀

Canal 13 מ (M) — Honra — Glória
Canal 16 ע (Wh)
Canal 14 נ (N)
Canal 15 ס (S)

+ 365 Preceitos afirmativos da Lei

7
HOD
אלהים צבאות
Honra

Canal recíproco da Canal 15 ס (S)

Vitória e das Honrarias
Canal 17 פ (F)

8
NETZACH
יהוה צבאות
Vitória   ♂

MUNDO Fundamento de Todas as coisas ELEMENTAR

Canal 20 ר (R)
Canal 18 צ (Tz)
Canal 21 ש (Sh)
Canal 19 ק (K)

9
IESOD
אלהי
O Fundamento

Canal 22 ת (Th) Rei / no

10
MALKUITH
ארדי
O Reino

☾

"Só as ciências ocultas conferem a certeza, porque se baseiam na realidade, não em sonhos.

"Fazem discernir em cada símbolo religioso a verdade e a mentira. A verdade é a mesma em toda parte, e a mentira varia segundo os lugares, os tempos e as pessoas.

"As ciências são em número de três: a Cabala, a Magia e o Hermetismo.

"A Cabala ou ciência tradicional dos hebreus poderia intitular-se 'matemáticas do pensamento humano'. É a álgebra da fé. Ela resolve todos os problemas da alma como equações, esclarecendo as incógnitas. Confere às ideias a nitidez e a rigorosa exatidão dos números; seus resultados são para o espírito a infalibilidade (relativa, todavia, na esfera do conhecimento humano) e para o coração a paz profunda.

"A Magia ou ciência dos magos teve como representantes na Antiguidade os discípulos e, talvez, os próprios mestres de Zoroastro. É o conhecimento das leis secretas e particulares da Natureza que produz as forças ocultas, os ímãs, quer naturais, quer artificiais, que podem existir fora mesmo do mundo metálico. Em suma, empregando uma expressão moderna, é a ciência do magnetismo universal.

"O Hermetismo é a ciência da Natureza oculta nos hieróglifos e nos símbolos do mundo antigo. É a pesquisa do princípio de vida por meio do sonho (para os que ainda não chegaram até ele) da execução da grande obra, a reprodução por parte do homem do fogo natural e divino que cria e regenera os seres.

"São essas, Senhor, as coisas que desejais estudar. Seu círculo é imenso, mas os princípios são tão simples que podem ser representados e contidos nas cifras dos números e nas letras do alfabeto. 'É um trabalho de Hércules que se assemelha a um jogo infantil', dizem os mestres da santa ciência.

"As condições para obter êxito nesse estudo são: grande retidão de julgamento e grande independência de espírito. É necessário desfazer-se de todo preconceito e de toda ideia preconcebida, e, por isso, Cristo dizia: 'Se não vos apresentardes com a simplicidade de uma criança, não entrareis em *Malkuth*, isto é, no reino da Ciência'.

"Começaremos pela Cabala, cuja divisão é: Bereshit, Merkabah, Gematria e Lemurah.

"Vosso na santa ciência."

SEGUNDA LIÇÃO
A CABALA – OBJETIVO – E MÉTODO

"O objetivo que se deve ter em mente ao estudar a Cabala é chegar à paz profunda através da tranquilidade do espírito e da paz do coração.

"A tranquilidade do espírito é efeito da certeza; a paz do coração advém da paciência e da fé.

"Sem a fé, a ciência conduz à dúvida; sem a ciência, a fé leva à superstição. As duas reunidas conferem a certeza, e, para uni-las, é preciso não as confundir jamais. O objeto da fé é a hipótese, e ela se torna certeza sempre que necessariamente fundamentada pela evidência ou pelas demonstrações da ciência.

"A ciência constata fatos. Da repetição dos fatos ela conjectura as leis. A generalidade dos fatos em presença dessa ou daquela força demonstra a existência dessas leis. As leis inteligentes são naturalmente desejáveis e dirigidas pela inteligência. A unidade das leis faz supor a unidade da inteligência legisladora. Essa inteligência, que somos forçados a imaginar de acordo com as obras manifestas, mas que nos é impossível definir, é o que chamamos Deus!

"Vós recebeis minha carta, eis um fato evidente; reconheceis minha letra e meus pensamentos e concluís daí que fui eu mesmo que vos escrevi. É uma hipótese razoável, mas a hipótese necessária é apenas a de que alguém escreveu esta carta. Ela poderá ser imitada, mas não tendes nenhuma razão para o supor. Se o supusésseis gratuitamente, criaríeis uma hipótese bastante duvidosa. Se pretendeis que a carta caiu do céu totalmente escrita, criais uma hipótese absurda.

"Eis, portanto, conforme o método cabalístico, a maneira pela qual se forma a certeza:

Evidência	
Demonstração científica	certeza
Hipótese necessária	
Hipótese razoável	probabilidade
Hipótese duvidosa	dúvida
Hipótese absurda	erro

"Não saindo desse método, o espírito adquire verdadeira infalibilidade, pois afirma o que sabe, crê no que deve necessariamente supor, admite as suposições razoáveis, examina as duvidosas e rejeita as absurdas.

"Toda a Cabala está contida no que os mestres chamam de 32 vias e 50 portas.

"As 32 vias são 32 ideias absolutas e reais ligadas às cifras dos dez números da aritmética e às 22 letras do alfabeto hebraico.

"Eis agora estas ideias:

NÚMEROS

1. Poder supremo	6. Beleza
2. Sabedoria absoluta	7. Vitória
3. Inteligência infinita	8. Eternidade
4. Bondade	9. Fecundidade
5. Justiça ou rigor	10. Realidade

LETRAS

Aleph – Pai	Lamed – Sacrifício
Beth – Mãe	Mem – Morte
Ghimel – Natureza	Nun – Reversibilidade
Daleth – Autoridade	Samech – Ser universal
He – Religião	Gnain – Equilíbrio
Vau – Liberdade	Phe – Imortalidade
Dzain – Prosperidade	Tsade – Sombra e reflexo
Cheth – Repartição	Koph – Luz
Theth – Prudência	Shin – Providência
Yod – Ordem	Resch – Reconhecimento
Caph – Força	Tau – Síntese

TERCEIRA LIÇÃO
USO DO MÉTODO

"Na lição precedente, só falei das 32 vias, mais adiante, indicarei as 50 portas.

"As ideias expressas pelos números e pelas letras são realidades incontestáveis. Essas ideias encadeiam-se e harmonizam-se como os próprios números. Pode-se proceder logicamente de um ao outro. O homem é filho da mulher, mas a mulher sai do homem da mesma forma que o número da unidade. A mulher explica a natureza; a natureza revela a autoridade, cria a religião que serve de base à liberdade e que torna o homem senhor de si mesmo e do Universo etc. Procurai um Tarô (creio que tendes um) e disponde-o em duas séries de dez cartas alegóricas numeradas de 1 a 21. Vereis todas as figuras que explicam as letras. Quanto aos números, de 1 a 10, neles encontrareis a explicação quatro vezes repetida com os símbolos do bastão, ou cetro do pai, da copa, ou delícias da mãe, da espada, ou combate de amor, e dos denários, ou fecundidade. O Tarô está no livro hieroglífico das 32 vias, e sua explicação sumária encontra-se no livro atribuído ao patriarca Abraão, denominado *Sepher Yetzirah*.

"O sábio Court de Gébelin foi quem primeiro adivinhou a importância do Tarô, que é a grande chave dos hieróglifos hieráticos. Nele encontramos os símbolos e os números das profecias de Ezequiel e de São João. A Bíblia é um livro inspirado, mas o Tarô é o livro inspirador. Foi também chamado a roda, *rota*, daí *tarô* e *torá*. Os antigos rosa-cruzes conheciam-no, e o marquês de Suchet o menciona em seu livro sobre os iluminados.

"Desse livro é que vieram nossos jogos de cartas. As cartas espanholas ostentam ainda os principais signos do Tarô primitivo, utilizados para o jogo do *hombre*, ou do homem, reminiscência vaga do uso primevo de um livro misterioso que continha as decisões reguladoras de todas as divindades humanas.

"Os mais antigos Tarôs eram medalhas de que mais tarde se fizeram talismãs. As clavículas ou pequenas clavículas de Salomão se compunham de 36 talismãs com 72 estampas análogas às figuras hieroglíficas do Tarô. Essas figuras alteradas pelos copistas são ainda hoje encontradas nas antigas clavículas manuscritas existentes em bibliotecas. Existe um desses manuscritos na Biblioteca Nacional de Paris e outro na Biblioteca do Arsenal. Os únicos manuscritos autênticos das clavículas são os que ostentam a série dos 36 talismãs com os 72 nomes misteriosos; os demais, por antigos que sejam, pertencem às fantasias da magia negra e só contêm mistificações.

"Vede, para a explicação do Tarô, o meu *Dogma e Ritual da Alta Magia*.[*]

"Vosso na santa ciência,

ÉLIPHAS LÉVI."

---

[*] São Paulo: Pensamento, 2017. (2ª ed.)

QUARTA LIÇÃO
A CABALA

I

"Senhor e Irmão,

"Bereshit quer dizer 'gênese'. Merkabah significa 'carro' por alusão às rodas e aos animais misteriosos de Ezequiel.

"O Bereshit e a Merkabah resumem a ciência de Deus e do mundo.

"Eu disse 'ciência de Deus' e, no entanto, Deus nos é infinitamente desconhecido. Sua natureza escapa por completo às nossas investigações. Princípio absoluto do ser e dos seres, não se pode confundi-lo com os efeitos que produz e pode-se dizer, ao afirmar com segurança sua existência, que ele não é o ser nem um ser. O que confunde a razão sem extraviá-la e nos afasta para sempre de toda idolatria.

"Deus é o único *postulatum* absoluto de toda ciência, a hipótese absolutamente necessária que serve de base a toda certeza, e eis como nossos antigos mestres estabeleceram sobre a ciência mesmo essa hipótese exata da fé: o Ser é. No Ser está a vida. A vida se manifesta pelo movimento. O movimento se perpetua pelo equilíbrio das forças. A harmonia resulta da analogia dos contrários. Existem, na natureza, lei imutável e progresso indefinido. Mudança perpétua das formas e indestrutibilidade da substância; eis o que encontramos ao observar o mundo físico.

"A metafísica apresenta leis e fatos análogos, quer na ordem intelectual, quer na ordem moral; de um lado, temos a *verdade* imutável; do outro, a fantasia e a ficção. De um lado, o bem, que é a verdade; do outro, o mal, que é falso; desses conflitos aparentes saem o juízo e a virtude. A virtude compõe-se de bondade e de justiça. Boa, a virtude é indulgente. Justa, é rigorosa. Boa porque é justa, e justa porque é boa, ela mostra-se, então, bela.

"Essa grande harmonia existente no mundo físico e no mundo moral, já que não pode haver uma causa superior a ela mesma, nos revela e nos demonstra a existência de uma sabedoria imutável, de um princípio, de leis eternas e de uma inteligência criadora infinitamente ativa. Sobre essa sabedoria e essa inteligência, inseparáveis uma da outra, repousa esse poder supremo que os hebreus denominam a coroa. A coroa, e não o rei, pois a ideia de um rei implicaria a de um ídolo.

Para os cabalistas, o poder supremo é a coroa do Universo, e a criação inteira é o reino da coroa ou, se preferirdes, o domínio da coroa.

"Ninguém pode dar o que não possui, e podemos admitir virtualmente na causa o que se manifestará no efeito.

"Deus é, pois, o poder ou a coroa suprema (Kether) que repousa sobre a sabedoria imutável (Chokmah) e a inteligência criadora (Binah); estão nele a bondade (Chesed) e a justiça (Geburah), que são o ideal da beleza (Tiphareth). Estão nele o movimento sempre vitorioso (Netzah) e o grande repouso eterno (Hod). Sua vontade é uma criação contínua (Yesod), e seu reino (Malkuth), a imensidade que povoa os universos.

"Detenhamo-nos aqui: nós conhecemos Deus!

"Vosso na santa ciência.

ÉLIPHAS LÉVI."

QUINTA LIÇÃO
A CABALA

II

"Senhor e Irmão,

"Esse conhecimento racional da divindade, escalonado sobre as dez cifras de que se compõem todos os números, vos oferece o método completo da filosofia cabalística. Esse método compõe-se de 32 meios ou instrumentos de conhecimento, que se denominam as 32 vias, e de 50 objetos aos quais a ciência pode ser aplicada e se denominam as 50 portas.

"A ciência sintética universal é, desse modo, considerada um templo ao qual levam 32 vias e no qual se entra por 50 portas.

"Esse sistema numérico, que bem poderia se chamar decimal, porque tem por base o número dez, estabelece, graças a analogias, uma classificação exata de todos os conhecimentos humanos. Nada é mais engenhoso nem mais lógico ou mais preciso.

"O número dez, aplicado às noções absolutas do ser na ordem divina, na ordem metafísica e na ordem natural, repete-se três vezes e fornece o trinta para fins de análise; acrescentai a silepse e a síntese, a unidade que se propõe inicialmente ao espírito e o resumo universal, e tendes as 32 vias.

"As 50 portas são uma classificação de todos os seres em cinco séries de dez cada uma, que açambarca todos os conhecimentos possíveis e irradia luz sobre toda a enciclopédia.

"Mas não é o bastante haver achado um método matemático exato; é necessário, para poder ser considerado perfeito, que esse método seja progressivamente revelador, isto é, que nos forneça meios de extrairmos exatamente todas as deduções possíveis para obter novos conhecimentos, bem como desenvolver o espírito sem nada deixar aos caprichos da imaginação.

"É o que se obtém pela Gematria e pela Temurá que constituem a matemática das ideias. A Cabala possui a geometria ideal, a álgebra filosófica e a trigonometria analógica. É assim que ela força, de certo modo, a Natureza a revelar-lhe seus segredos.

"Adquiridos esses altos conhecimentos, passam-se às últimas revelações da Cabala transcendental e estuda-se na *schememamphorasch* a fonte e a razão de todos os dogmas.

"Eis, Senhor e amigo, o que se trata de aprender. Vede se isso não vos assusta; minhas cartas são curtas, mas são resumos que dizem muito em poucas palavras. Abri longo intervalo entre minhas cinco primeiras lições para vos dar tempo para refletirdes sobre isso; posso escrever-vos mais frequentemente, se assim o desejardes.

"Acreditai-me, Senhor, com o ardente desejo de vos ser útil, vosso devoto na santa ciência.

ÉLIPHAS LÉVI."

SEXTA LIÇÃO
A CABALA

III

"Senhor e Irmão,

"A Bíblia deu ao homem dois nomes. O primeiro é Adão, que significa saído da terra, ou homem de terra; o segundo é Enos ou Henoch, que significa homem divino, ou elevado a Deus. De acordo com o Gênesis, foi Enos o primeiro a prestar homenagem pública ao princípio dos seres, e esse Enos, o mesmo que Henoch, foi, segundo se diz, elevado vivo ao céu após haver gravado em duas pedras, denominadas as colunas de Henoch, os elementos primitivos da religião e da ciência universal.

"Esse Henoch não é um personagem; é uma personificação da humanidade elevada ao sentimento da imortalidade pela religião e pela ciência. Na época designada pelo nome de Enos ou de Henoch, o culto de Deus aparece sobre a terra, e tem início o sacerdócio. Também aí começa a civilização com a escrita e os movimentos hieráticos.

"O gênio civilizador que os hebreus personificam em Henoch, os egípcios chamaram de Trismegisto, e os gregos, de Kadmos ou Cadmus, aquele que, aos acordes da lira de Anfião, viu se erguerem e se organizarem por si mesmas as pedras vivas de Tebas.

"O livro sagrado primitivo, aquele que Postel denomina de gênese de Henoch, é a fonte primeira da Cabala, ou tradição divina e humana, ao mesmo tempo, e, simultaneamente, religiosa. Aí transparece em toda simplicidade a revelação da inteligência suprema à razão e ao amor do homem, a lei eterna que regula a expansão infinita, os números na imensidade e a imensidade nos números, a poesia na matemática e a matemática na poesia.

"Quem acreditaria que o livro inspirador de todas as teorias e de todos os símbolos religiosos tenha sido conservado e chegado até nós em forma de um jogo composto de estranhas cartas? Nada, porém, poderia ser mais evidente, e foi Court de Gébelin, seguido de todos os que estudaram com seriedade o simbolismo dessas cartas, quem, no século passado, primeiro o descobriu.

"O alfabeto e os dez signos dos números, eis certamente o que há de mais elementar nas ciências. Ajuntai a isso os símbolos dos quatro pontos cardeais do céu ou das quatro estações e tereis completado o livro de Henoch. Mas cada signo representa uma ideia absoluta ou, se o quiserdes, essencial.

"A forma de cada cifra e de cada letra tem razão matemática e significação hieroglífica. As ideias, inseparáveis dos números, seguem, quando somadas, divididas ou multiplicadas etc., o movimento dos números, e deles adquirem sua exatidão. O livro de Henoch é, enfim, a aritmética do pensamento.

"Vosso na santa ciência.

ÉLIPHAS LÉVI."

SÉTIMA LIÇÃO
A CABALA
IV

"Senhor e Irmão,

"Court de Gébelin viu nas 22 chaves do Tarô a representação dos mistérios egípcios e atribuiu sua invenção a Hermes ou Mercúrio Trismegisto, também chamado Thaut ou Thoth. É certo que os hieróglifos do Tarô são encontrados nos antigos monumentos do Egito; e também que os signos desse livro, traçados em quadros sinópticos sobre estelas ou chapas metálicas semelhantes à chapa isíaca de Bembo, foram reproduzidos separadamente sobre pedras gravadas ou sobre medalhas, que se tornaram, mais tarde, amuletos e talismãs. Destarte, separavam-se as páginas do livro infinito em combinações diversas para ajuntá-las, transpô-las e dispô-las de maneiras sempre novas, a fim de obter os oráculos inesgotáveis da verdade.

"Possuo um desses talismãs antigos, que me foi trazido do Egito por um viajante amigo. Representa o binário dos Ciclos ou, vulgarmente, o 'dois de ouros'. É a expressão figurada da grande lei da polarização e do equilíbrio, que produz a harmonia pela analogia dos contrários; eis como esse símbolo é figurado no Tarô que possuímos e que se vende ainda em nossos dias: a medalha, que está um pouco apagada, é mais ou menos do tamanho de uma moeda de prata de cinco francos, porém mais espessa. Os dois ciclos polares estão nela figurados exatamente como no nosso Tarô italiano: uma flor de lótus com uma auréola ou um nimbo.

"A corrente astral, que separa e atrai ao mesmo tempo os dois focos polares, é representada, em nosso talismã egípcio, pelo bode de Mendes colocado entre as duas víboras análogas às serpentes do caduceu. No reverso da medalha, vê-se um adepto ou um sacerdote egípcio que, substituindo-se a Mendes entre os dois ciclos do equilíbrio universal, conduz, por uma avenida arborizada, o bode domesticado como simples animal, sob a vara do homem imitador de Deus.

"Os dez símbolos dos números, as 22 letras do alfabeto e os quatro signos astronômicos das estações resumem toda a Cabala.

"Vinte e duas letras e dez números fornecem as 32 vias do *Sepher Yetzirah*; quatro dão a *Merkabah* e o *schememamphorasch*.

"Isso é simples como um jogo infantil e complexo como os mais árduos problemas da matemática pura.

"É simples e profundo como a verdade e a natureza.

"Esses quatro signos elementares e astronômicos são as quatro formas da esfinge e os quatro animais de Ezequiel e de São João.

"Vosso na santa ciência.

ÉLIPHAS LÉVI."

OITAVA LIÇÃO
A CABALA

V

"Senhor e Irmão,

"A ciência da Cabala torna impossível a dúvida em matéria de religião, porque só ela concilia a razão com a fé, demonstrando que o dogma universal, embora diversificadamente formulado, mas no fundo e em toda parte sempre o mesmo, é a mais pura expressão das aspirações do espírito humano iluminado por uma fé necessária. A Cabala faz compreender a utilidade das práticas religiosas que, fixando a atenção, fortificam a vontade e projetam uma luz superior sobre todos os cultos. Ela prova que o mais eficaz de todos esses cultos é aquele que por meio de signos eficientes aproxima, de algum modo, a divindade do homem, fazendo que ele a veja, toque e, de certa maneira, incorpore-se a ela. É suficiente dizer que se trata da religião católica.

"Essa religião, tal como se apresenta ao vulgo, é a mais absurda de todas, porque é a mais bem *revelada*, palavra que emprego no verdadeiro sentido, *revelare*, revelar, ou melhor, velar de novo. Sabeis que no Evangelho é dito que, à morte do Cristo, o véu do Templo se dilacerou por inteiro, e todo o trabalho dogmático da Igreja, ao longo das idades, consistiu em tecer e bordar um novo véu.

"É verdade que os próprios chefes do santuário, por terem desejado ser príncipes, perderam, há muito, as chaves da alta iniciação. O que não impede que a letra do dogma seja sagrada e que os sacramentos sejam eficazes. Fundamentei nas minhas obras que o culto cristão-católico é a alta magia organizada e regularizada pelo simbolismo e pela hierarquia. É uma combinação de socorros oferecidos à fraqueza humana, a fim de afirmar sua vontade no bem.

"Nada foi negligenciado, nem o templo misterioso e sombrio, nem o incenso que acalma e exalta ao mesmo tempo, nem os cantos prolongados e monótonos que embalam o cérebro num semissonambulismo. O dogma, cujas fórmulas obscuras parecem o desespero da razão, serve de obstáculo à petulância de uma crítica inexperiente e indiscreta. Elas parecem insondáveis para melhor representarem o infinito. O próprio ofício, celebrado numa língua que a massa do povo não entende, amplia o pensamento de quem ora e lhe permite encontrar na oração tudo o que se relaciona às necessidades do espírito e do coração. Eis a razão pela qual a religião católica se assemelha a essa fênix da fábula que se sucede de século em século e renasce continuamente das cinzas; e esse grande mistério da fé é apenas um mistério da natureza.

"Eu aparentaria emitir um enorme paradoxo se dissesse que a religião católica é a única que pode ser chamada natural com justiça; e, não obstante, é verdade, uma vez que só ela satisfaz plenamente a essa necessidade natural do homem, que é o sentido religioso.

"Vosso na santa ciência.

ÉLIPHAS LÉVI."

NONA LIÇÃO
A CABALA

VI

"Senhor e Irmão,

"Se o dogma cristão-católico é totalmente cabalístico, pode-se dizer o mesmo desses grandes santuários do mundo antigo. A lenda de Krishna, tal como a relata o *Bhagavad Gita*, é um verdadeiro Evangelho, semelhante ao nosso, porém mais ingênuo e mais brilhante. As encarnações de Vishnu são em número de dez, como as *Sephiroth* da Cabala, e formam uma revelação mais completa que a nossa, de certo modo. Osíris, morto por Tífon, depois ressuscitado por Ísis, é o Cristo renegado pelos judeus, mais tarde glorificado na pessoa de sua mãe. A *Tebaida* é uma grande epopeia religiosa que deve ser posicionada ao lado do símbolo de Prometeu. Antígona é um modelo de mulher divina, tão puro quanto o de Maria. Em toda parte, o bem triunfa pelo sacrifício voluntário depois de ter sofrido, por algum tempo, os assaltos desregrados da força fatal. Mesmo os ritos são simbólicos e transmitem-se de uma religião à outra. As tiaras, as mitras, as sobrepelizes pertencem a todas as grandes religiões. Se se concluir, a partir daí, que todas elas são falsas, é a conclusão que será falsa. A verdade é que a religião é una como a humanidade, progressiva igual a ela e permanece sempre a mesma, embora se transforme continuamente.

"Se entre os egípcios Jesus Cristo chama-se Osíris, entre os escandinavos Osíris chama-se Balder. Ele é morto pelo lobo Jeuris, mas Voda ou Odin lhe restitui a vida, e as Valquírias lhe servem o hidromel no Valhala. Os escaldos, os druidas, os bardos cantam a morte e a ressurreição de Tarenis ou Tetenus, distribuem aos fiéis o agárico sagrado, como o fazemos com o buxo bento nas festas do solstício de verão, e prestam culto à virgindade inspirada das sacerdotisas da Ilha de Seyne.

"Podemos, portanto, com plena consciência e com toda razão, cumprir os deveres que nos impõe a religião materna. As práticas são atos coletivos e repetidos com intenção direta e perseverante. Ora, a execução de semelhantes atos é bastante útil, e eles nos fortificam a vontade da qual *são um tipo de ginástica* que nos faz atingir o fim espiritual a que aspiramos. As práticas mágicas e os passes magnéticos não têm outro objetivo além desse e produzem resultados análogos aos das práticas religiosas mais imperfeitas.

"Muitos são os homens que não dispõem da energia para fazer o que desejariam ou deveriam fazer. Há mulheres – e são muitas – que se consagram sem desencorajamento a trabalhos tão repugnantes e penosos quanto a enfermagem e o ensino! Onde encontram elas tanta força? Nas pequenas práticas repetidas. Rezam todos os dias seu ofício e seu rosário e fazem, de joelhos, a oração e seu exame particular de consciência.

"Vosso na santa ciência.

ÉLIPHAS LÉVI."

DÉCIMA LIÇÃO

A CABALA

VII

"Senhor e Irmão,

"A religião não é uma servidão imposta ao homem; é um socorro que lhe é oferecido. As castas sacerdotais procuram, em todos os tempos, explorar, vender e transformar esses socorros num jugo insuportável, e a obra evangélica de Jesus tinha por objetivo separar a religião do sacerdócio ou, pelo menos, recolocar o sacerdote em lugar de ministro ou de servidor da religião, devolvendo à consciência do homem toda liberdade e razão. Vede a parábola do bom samaritano e linhas preciosas como: a lei é feita para o homem e não o homem para a lei. Ai de vós que atais e impondes aos ombros dos outros fardos que não desejaríeis tocar nem sequer com a ponta dos dedos (etc. etc.). A Igreja oficial declara-se infalível no *Apocalipse,* que é a chave cabalística dos evangelhos, mas sempre houve no cristianismo uma igreja oculta, ou *jvanuita*, que, conquanto respeitando a necessidade da Igreja oficial, conserva do dogma uma interpretação completamente diferente da oferecida ao vulgo.

"Os templários, os rosa-cruzes, os franco-maçons de graus elevados, todos eles, antes da Revolução Francesa, pertenceram a essa Igreja que teve Martinez de Pasqually, Saint-Martin e mesmo a sra. Krudemer como apóstolos no século XVIII.

"O caráter distintivo dessa escola é evitar a publicidade e jamais se constituir em seita dissidente. O conde Joseph de Maistre, esse católico tão radical, era, mais que se crê, simpático à sociedade dos Martinistas e anunciava uma regeneração próxima ao dogma por meio de luzes que emanariam dos santuários do ocultismo. Existem ainda, agora, sacerdotes fervorosos iniciados na doutrina antiga, e um bispo, entre outros, que acaba de morrer, me solicitara informações cabalísticas. Os discípulos de Saint-Martin faziam-se chamar filósofos desconhecidos, e os de um mestre moderno, extremamente feliz por permanecer, todavia, ignorado, não têm necessidade de tomar nenhum nome, pois o mundo nem sequer imagina sua existência. Jesus disse que o fermento deve estar oculto no fundo da vasilha com a massa, a fim de trabalhar dia e noite em silêncio, até que a fermentação tenha invadido pouco a pouco toda essa pasta que deverá se tornar o pão.

"Um iniciado pode, pois, sinceramente e com simplicidade, praticar a religião em que nasceu, pois todos os ritos representam diversamente um só e mesmo dogma, mas não deve abrir o fundo de sua consciência senão a Deus, nem prestar contas de suas crenças mais íntimas a quem quer que seja. Como poderia o sacerdote julgar aquilo que o próprio Papa não compreende? Os sinais exteriores do iniciado são a ciência modesta, a filantropia sem ostentação, a igualdade de caráter e a mais inalterável bondade.

"Vosso na santa ciência.

ÉLIPHAS LÉVI."

NOÇÕES GERAIS SOBRE A CABALA
Por SÉDIR

A Cabala é uma das mais célebres doutrinas do Ocultismo tradicional; é a expressão da filosofia esotérica dos hebreus. Seu pai, ou melhor, seu fundador, é o patriarca Abraão, de acordo com os rabinos; e os livros fundamentais em que se encontra a exposição de todos os seus mistérios são os de Moisés. Os eruditos contemporâneos dão à Cabala uma antiguidade bem menor. Nicolas a faz remontar ao século I a.C.[2] Outros pretendem que tenha sido inventada no século XIII d.C., por R. Moïse de Léon, mas M. M. Franck, em seu famoso livro, considera-a bem anterior às compilações de *Mishná* e do *Talmude*. Essa é a opinião de todos os iniciados que escreveram sobre o assunto, e Fabre d'Olivet o expressa em excelentes termos quando diz:

> Parece, no dizer dos mais famosos rabinos, que o próprio Moisés, prevendo a sorte que teria seu livro e as falsas interpretações que lhe seriam dadas no decurso dos tempos, recorreu a uma lei oral, que deu de viva voz a homens de confiança, cuja fidelidade provara, encarregando-os de transmiti-la no segredo do santuário a outros homens, que, transmitindo-a por sua vez, de era em era, a fizessem chegar à

---

[2] *Encyclopédie des sciences réligieuses*, do verbete LICHTENBERGER, "Kabbale".

posteridade mais remota. Essa lei oral, que os judeus modernos se gabam de ainda possuir, chama-se Cabala, de palavra hebraica, que significa o que foi recebido, o que vem de algures ou, ainda, o que passa de mão em mão.[3]

Um estudo como esse destina-se a apresentar as teorias dos que não aceitam apenas os testemunhos arqueológicos, mas concedem sua confiança, sobretudo, à voz mais recôndita da Iniciação.

Como Moisés era iniciado egípcio, a Cabala deve oferecer uma exposição completa dos mistérios de Mizraim; contudo, não se deve esquecer de que Abraão teve muito a ver com a constituição dessa ciência; e, como o nome desse personagem simbólico e sua lenda indicam que ele representava um colégio de sacerdotes caldeus, pode-se dizer que a Cabala encerra também os mistérios de Mitra.

Não posso fornecer aqui as provas de tudo quanto adianto; seria necessário refazer toda a ciência da linguística e a história antiga: minha intenção – repito-o – é apenas expor brevemente, com a maior clareza possível, ideias pouco conhecidas.

Ensina a tradição que, antes da raça branca, três outras raças de homens apareceram sobre a terra; um cataclismo de água ou de fogo marcou a decadência de uma e o crescimento da que a sucedeu. Duas dessas raças viveram em continentes hoje desaparecidos e situados onde se estendem agora os oceanos Pacífico e Atlântico. Nas obras de Elisée Reclus e de Ignatius O'Donnelly, acham-se provas geográficas, geológicas, etnográficas e históricas que militam em favor dessa teoria. Sem entrar em detalhes quanto à história ideológica desses povos desaparecidos, basta-nos saber que, na época em que viveu o jovem hebreu salvo das águas, os templos de Tebas guardavam os arquivos sacerdotais dos atlantes e os da Igreja de Ram. Estes últimos eram uma síntese do esoterismo da raça negra, recolhida pela antiga Índia invadida pelos brancos. Por outro lado, Moisés recolheu nos templos de Jethro, último sobrevivente dos sacerdotes negros, os mistérios puros dessa raça. Assim, a tradição oral que o pastor dos hebreus deixou aos setenta, que ele próprio escolheu, compreendia o conjunto das tradições ocultas que a terra recebera desde sua origem.

Eis a razão por que a Cabala é emanacionista como o Egito, panteísta como a China; conhece como Pitágoras as virtudes das letras e dos números; ensina as artes psicúrgicas como os yogues hindus; revela as virtudes secretas das ervas, das pedras e dos planetas como os astrônomos da Caldeia e os alquimistas europeus.

---

[3] D'OLIVET, *Langue hébraïque restituée*, p. 92.

Eis por que os arqueólogos a confundiram com doutrinas muito posteriores e de extensão bem mais restrita que a sua.

Sabe-se, por uma passagem do Êxodo, que foi a Josué que Moisés confiou as chaves da tradição oral; mas estas se enferrujaram, como diz Saint-Yves, em decorrência dos terrores das guerras, das revoluções civis que se abateram sobre Israel até Esdras; foram, contudo, conservadas não pelos sacerdotes de Levi, mas no seio de comunidades laicas de profetas e videntes. Destes, os mais conhecidos hoje são os essênios. A leitura dos livros de Moisés era feita publicamente todos os sábados; os comentários que lhes foram dados, os *Targums*, a princípio apenas orais, foram escritos posteriormente; toda essa literatura casuística e escolástica acumulada desde a volta do exílio até a destruição do terceiro templo é chamada *Misdrahim* comentários. Distingue-se da *Halachá*, conduta ou postura da marcha, e na *Hagadá* se conta a Lenda.

É nessa última parte, afirma Saint-Yves,[4] que as comunidades esotéricas deixaram transpirar um pouco de sua ciência, *Shemata, Kabbala*. A última palavra, à que comumente se atribui o significado de Tradição, tem, entretanto, outra etimologia.

Faz-se geralmente derivar o termo do hebreu *québil*, que significa receber, recolher, e se traduz por tradição. Essa etimologia nos parece forçada e inexata. Acreditamos que a palavra hebraica *Kabbalah* seja de origem caldeu-egípcia, tendo o sentido de ciência ou doutrina oculta.

O radical egípcio *Khepp, Khop,* ou *Kheb, Khob*, significa ocultar, fechar, e *al*, ou *ol*, em egípcio, pegar: de maneira que essa palavra significaria a ciência inferida de princípios ocultos: *ex arcano*.[5]

Com base em Esdras, a interpretação dos textos esotéricos de Moisés, de tríplice que era, torna-se quádrupla, isto é, não mais solar, porém lunar, de certo modo politeísta. Daí a famosa palavra persa Paraíso, soletrada sem vogais: P. R. D. S., chave do ensino das sinagogas, bem diversa das chaves transmitidas por Moisés a Josué.

Esses quatro graus podem ser caracterizados de acordo com *Molitor*, como segue:

O mais inferior, *Pashut*, é o sentido literal; o segundo chama-se *Remmez*; é simples alegoria; o terceiro, *Derash*, é um simbolismo superior comunicado sob o selo do segredo; o quarto, *Sod*, o segredo, o mistério, a analogia, é indizível; só se faz compreender por revelação direta.

---

[4] *Mission des juifs*, p. 651.
[5] F.-S. CONTANCIN, *Encycl. du XIXe siècle*.

A Cabala teórica compreendia:

1º) As tradições patriarcais sobre o Santo Mistério de Deus e das pessoas divinas.

2º) Sobre a criação espiritual e os anjos.

3º) Sobre a origem do caos e da matéria e sobre a renovação do mundo, nos seis dias da criação.

4º) Sobre a criação do homem visível, sua queda e as vias divinas que conduzem à sua reintegração.

A obra da criação chama-se *Maasse Bereshit*.

O carro celeste chama-se *Maasse Mercabah*.

Resumiremos, segundo *Molitor*, a parte teórica referente à criação: a Cosmogonia.

A TRADIÇÃO ORAL NA IDADE DE TOHU

A essência de todo ser criado repousa sobre três forças; a força mediadora é o princípio vital das criaturas mantidas em sua identidade.

A criatura não existe como tal senão em virtude do princípio real, que se manifesta nela como tendência à individualização, para, partindo desse ponto, agir, mais tarde, em direção ao exterior.

Essa ação é completamente diferente da falsa, que separa a criatura da unidade divina.

O ato de onde provém a criatura não é, em essência primitiva, nada mais que instinto cego da natureza.

Essa contração negativa da criatura é tão somente uma ação que só encontra existência na própria continuidade e cresce até atingir seu ponto trópico.

A partir daí, cada criatura anseia pelo regresso ao princípio de que precede.

A revelação possui dupla ação, concordante com a da criatura denominada *Schiur Komah* (exteriorização do tipo).

A primeira produz o ser, conserva-lhe a vida, dá-lhe excentricidade própria (o Filho): é a criação.

A segunda concentra; é a Redenção, a revelação do Filho na plenitude e no amor (o Espírito), que tende a libertar a criatura de seu nada e se relaciona ao anseio que ela sente por se reunir a seu centro.

A perfeição da vida criatural está no momento em que sua existência própria coincide com o de sua união com Deus; para tanto, é necessário que ela renuncie voluntariamente à própria existência.

A beatitude, para ela, é a fusão dessa dupla alegria entre o Ser e o não Ser.

A vida compreende três mundos, *Mercabah,* o carro:

1. *N'schammah,* o Interno; o espírito; compreende as inteligências tão próximas a Deus que nelas a ação excêntrica da criatura é vencida pelo divino, de sorte que se tornam altas potências, capazes de se aprofundar livremente n'Ele.

2. *Rouach,* o intermediário; hierarquia de seres invisíveis, canais; a alma.

3. *Nephesch,* o exterior ou revelado, o corpo da criação, em que a ação excêntrica atinge o apogeu.

Cada criatura possui, por sua vez, os três: um *N'schammah,* que a liga à sua raiz superior, em que ela existe num ideal elevado; e um *Nephesch,* que dá à criatura existência particular. Esses dois mundos vivem, respectivamente, em duas correntes de forças:

Or Hajaschor: a luz que se extraliga, ou involutiva.

Or Hachoser: a luz refletida, evolutiva.

A vida aspira sem cessar à unidade; os seres elementares não são suscetíveis a nenhuma vida espiritual; ascendem, mas não podem evoluir; em nenhum deles o exterior se vem a perder no interior, nem o real no ideal.

O ser que coroará o conjunto e lhe dará, ao mesmo tempo, a elevada iniciativa é o homem, que participa dos três mundos; lente que concentra os seres para reverter sobre o mundo um facho de glorificação. Deus serve-se do homem para atrair a criatura ao coração do seu amor.

O homem representa a direção concêntrica da vida.

O homem interior e espiritual é *Zeelan Alohim.*

O homem exterior e corporal é *D'muth Alohim.*

O anjo, ao contrário do homem, tende a revelar o ideal sob a forma do real.

O grande homem tem três partes, doze órgãos e setenta membros. O desenvolvimento de suas partes é a história da criação e de sua união com Deus. Após o que a raça sacerdotal e o mundo inteiro, em seguida, entrarão no amor eterno.

A dupla vocação da criatura é:

1º) Construir livremente sua unidade.

2º) Responder às condições de sua existência e ao vislumbre infinito do amor eterno.

Essa união do indivíduo e do infinito só é executada pela vontade que reside na alma e tem duas fases:

Schimusch Achorajin, União por trás – estado exteriorizado da criatura ao sair de Deus, perdida no todo.

Siwug Panim Al Panim, União frontal – glorificação que lhe é concedida pela vida sobrenatural e a assimila a Deus.

A criatura aproxima-se sem jamais alcançar o infinito: *Ain Soph*, que o homem não pode compreender senão em sua manifestação exterior ou em seu esplendor *S'phiroth*; essas dez são apenas três pessoas.

Adão tem dupla missão (preceitos positivos e negativos):

1ª) Cultivar o jardim do Éden.

2ª) Preservar-se da influência das trevas.

Se o homem tivesse obedecido, a união entre os dois *Adão*, o criatural e o divino, teria se conservado por toda a eternidade; e o mesmo teria se processado em toda natureza. Uma vez consolidado em Deus, *Adão* teria prosseguido, sem egoísmo, seu desenvolvimento excêntrico (Cf. Fabre d'Olivet, *Caim*): essa saída não teria sido outra coisa senão a contração da consciência do nada absoluto da criatura, noção pela qual terá ainda que passar. O Verbo teria vindo tornar interior o cultivo do jardim, seguido do Espírito Santo, para proclamar o grande *Sabbat*.

Mas a serpente fez nascer no coração do homem o amor da criatura; o equilíbrio dos polos da vida foi perturbado; o princípio de contração entorpeceu-se pouco a pouco; e o de expansão tornou-se caótico. (Cf. Boehme, *Passage de la lumière aux ténèbres.*)

A medida de graça e de misericórdia, *middath-hachesed et Rachmim*, foi convertida em medida de rigor, *middath hadin*.

O homem que resiste aos meios de retorno que a graça lhe oferece é lançado para sempre numa órbita sem fim, para fora do círculo da harmonia.

Resumamos tudo isso:

As atividades do Ser supremo estendem-se progressivamente, debilitando-se em todos os planos da criação.

Mas, ao passo que no *Sepher* o decrescimento nos modos de existência ou de manifestação do Ser se opera em três momentos, o *Zohar*, coligando mais de perto o princípio geral de seu sistema, desdobra o segundo, que no *Sepher* se compõe de pensamento e palavra, e nos fala de quatro mundos diferentes e sucessivos. É, em primeiro lugar, o mundo das emanações *ôlam essicuth* do verbo *'assul*, que significa *emanare ex alio et se ab illo separare certo modo*, isto é, o trabalho interior pelo qual o possível (*ain = nihil*) se torna real (as 32 vias da sabedoria).

É, a seguir, o mundo da criação (*olam beria*, do verbo *bara*, que significa sair de si mesmo = *excidit*); isto é, o movimento pelo qual o espírito, saindo do isolamento, se manifesta como espírito em geral, sem que nele se revele, ainda, o menor traço de individualidade.

O *Zohar* designa esse mundo como o pavilhão que serve de véu ao ponto indivisível e que, embora seja de luz menos pura que o ponto, é ainda demasiado puro para ser enxergado.

O terceiro mundo é o da formação.

Olam Yetzirah, ou virtude *Jatsar, fingen* (formar, que possui o mesmo sentido passivo de *formari*), isto é, o mundo dos espíritos puros dos seres inteligíveis ou o movimento pelo qual o espírito geral se manifesta ou se decompõe numa multidão de espíritos individuais.

Enfim, o quarto mundo é o da produção (*Olam assija,* do verbo *assa,* fazer *conficere*), ou seja, o universo ou o mundo sensível. O *Sepher* descrevera como fora feita a evolução do ser por "um movimento que desce sempre", desde o mais alto até o mais baixo grau da existência. Ele não fala do que viria a suceder-se.

O *Zohar* nos ensina que o movimento de expansão do Ser é seguido do movimento de concentração sobre si mesmo. Esse movimento de concentração é mesmo a tendência definitiva de todas as coisas. As almas (espíritos puros) tombadas do mundo da formação no da produção reingressarão em sua pátria primitiva quando tiverem desenvolvido todas as perfeições, cujos germes indestrutíveis carregam em si mesmas. Se necessário, haverá diversas existências. É o que se denomina círculo da transmigração.[6]

Segundo a Cabala, e de acordo com a tradição geral do ocultismo, o ser humano é composto de três partes: corpo, alma e espírito. Em conformidade com a lei da criação indicada pelo sistema das *Sephiroth,* cada uma dessas partes é reflexo da outra e encerra uma imagem das duas restantes; essas subdivisões ternárias podem acossar-se, segundo a doutrina dos rabinos iniciados, até os mais ínfimos detalhes fisiológicos e nos movimentos mais sutis do ser psíquico. Ao contrário do que pensam os teólogos católicos ou do que dizem os filósofos e os heresiarcas gnósticos, por falta de compreensão sobre o verdadeiro sentido dos textos que tinham sob os olhos, essa divisão ternária encerra em si a noção da existência de Deus e da imortalidade da alma, e encontra-se expressa em todas as letras dos livros de Moisés, mais particularmente no *Sepher*.

A parte inferior do ser humano chama-se, em hebraico, *Nephesh*; a parte mediana, *Rouach*; e a parte superior, *Neshamah*. Cada um desses centros é extraído, por assim dizer, do plano correspondente do Universo: *Nephesh* percebe o mundo físico, alimenta-se das suas energias e aí deposita suas criaturas; *Rouach* faz o mesmo em relação ao mundo astral; e *Neshamah*, em relação ao mundo

---

[6] *Encyclopédie* de LICHTENBERGER.

divino. Todas as partes do homem encontram-se, assim, em intercâmbio contínuo com as partes do Universo que lhes correspondem, bem como as outras partes do próprio homem. Um quadro faria compreender melhor essas correspondências.

Essas três partes fundamentais do homem, diz o cabalista contemporâneo Carl de Leiningen,[7] não são completamente distintas e separadas entre si; deve--se, ao contrário, representá-las como passando de uma à outra gradualmente, da mesma forma que ocorre com as cores do espectro, que, conquanto sucessivas, não podem ser distinguidas por completo porque estão fundidas umas nas outras.

Desde o corpo, isto é, o mais íntimo poder de *Nephesh,* ascendendo através de *Rouach,* até o grau mais elevado de *Neshamah,* são encontradas todas as gradações, da mesma maneira que se passa da sombra à luz pela penumbra; e, reciprocamente, desde as partes mais elevadas do espírito até as mais materiais, as físicas, todas as nuances da radiação são percorridas, do mesmo modo que se passa da luz à escuridão, graças a essa união interior, a essa fusão das partes uma na outra, o número Nove se perde na Unidade para produzir o homem, espírito corporal que une em Si os dois mundos.

Aproximando essas explicações outrora fornecidas por *Molitor,* vemos surgir a analogia do Homem, do Universo e de Deus, teoria que se encontra em todas as tradições. O quadro a seguir nos dará uma ideia mais clara disso.

Esse quadro, adaptação do esquema das *Sephiroth,* nos conduz a uma rápida menção da parte prática da tradição.

A Cabala prática tem por base a seguinte teoria: as letras hebraicas correspondem estritamente às leis divinas que formaram o mundo.

10	O Geral	O Particular	O Concreto
Neshamah	9 *Jechidad*	8 *Chaijah*	7 O conhecimento
Rouach	6 O qualitativo	5 O exterior	4 O quantitativo
Nephesh	3 O princípio	2 A força efetuante	1 A matéria efetuada

[7] *Le Sphinx,* abril de 1887.

Cada letra representa um Ser hieroglífico, uma Ideia e um Número. Combinar letras é, portanto, conhecer as leis ou as essências da Criação. Ademais, esse sistema de 22 letras, que corresponde à trindade divina, aos planetas e ao zodíaco: 3 + 12 + 7 = 22, desenvolve-se de acordo com dez modos, que são as dez *Sephiroth*. Esse sistema, ao qual o pitagorismo muito emprestou, foi caracterizado por Éliphas Lévi, como segue:

> A Cabala, ou ciência tradicional dos hebreus, poderia intitular-se matemática do pensamento humano. É a álgebra da fé. Ela resolve, como equações, todos os problemas da alma, esclarecendo as incógnitas. Dá às ideias a nitidez e a rigorosa exatidão dos números; seus resultados são para o espírito a infalibilidade (relativa à esfera do conhecimento humano) e para o coração a paz profunda.[8]

Mas não é o bastante ter encontrado um método matemático exato; é necessário, para ser perfeito, que esse método seja progressivamente revelador, isto é, que nos forneça meios de extrair, com exatidão, todas as deduções possíveis, para obtermos conhecimentos novos e desenvolvermos o espírito sem deixar nada aos caprichos da imaginação.

É o que se obtém pela *Gematria* e pela *Temurá*, que são a matemática das ideias. A Cabala possui sua geometria ideal, sua álgebra filosófica e sua trigonometria analógica. É assim que, de certo modo, força a Natureza a revelar-lhe seus segredos.

Adquiridos esses altos conhecimentos, passa-se às últimas revelações da Cabala transcendental e estuda-se na *scheinhamphorash* a fonte e a razão de todos os dogmas.[9]

Não faço mais que citar os mestres da ciência, pois não me é lícito fornecer outra coisa além de generalidades; apenas começamos a descobrir os horizontes dessa ciência, muito mais complexa e densa do que geralmente se acredita. Para prová-lo, só necessitamos das linhas que se seguem, escritas por um dos mais competentes cabalistas contemporâneos:

"Há duas espécies de Cabala, e devo insistir na diferença que as separa. Uma, a Cabala literal, é a entrevista por todos os filólogos, analisada e classificada por alguns deles. É ela que, pelo aspecto preciso e matemático, perturbou a

---
[8] ÉLIPHAS LÉVI, *Initiation*, dezembro de 1890, p. 195.
[9] ÉLIPHAS LÉVI, *Initiation*, janeiro de 1891, p. 306-07.

imaginação de muitos e ainda permanece no estado de ciência morta, de esqueleto empilhado em meio à massa terrível de estudos talmúdicos. Não há *rabino*, por ignorante que seja, que não conheça dela alguns fragmentos; é a Cabala que se exalta nas mesas comunitárias, que se inscreve nos talismãs dos feiticeiros, nos amuletos pergaminhados dos judeus e mesmo, ó escárnio!, se arrasta em meio às convenções tipográficas entre editores de obras hebraicas. Essa Cabala só permaneceu viva pelas ideias que exprimia, e antigamente, na época do *Zohar*, e mesmo no tempo da Nova Cabala, no século XVII, toda uma mística especial e delicada, dotada de língua ee símbolos próprios, expressava-se por seu intermédio.

"Os que estudaram os livros do *Zohar* e os tratados dos cabalistas de todas as épocas sabem quanta paciência, quantos esforços são necessários, a princípio, para penetrar no sentido de seus símbolos, precisar sua origem e, em seguida, seguir em suas aproximações dadas pelos sábios cabalistas.

"Alguns raros eruditos entre os judeus, alguns espíritos de elite, possuem essa ciência que exige longa aprendizagem e é mais rude que a de Wronski, mais difusa que a mística espanhola, mais complexa que a análise gnóstica; e para penetrá-la são necessários dez anos de estudo e isolamento; é preciso viver só para isso e nisso. É preciso que o pensamento, fixado incessantemente nesse ponto, a ele se ligue tão fortemente que nada possa dele destacá-lo, e que esses esforços sejam, por fim, coroados pelo apoio protetor de algum gênio, evocado pelo constante apelo e pelo mérito do trabalhador. Essa Cabala, certamente, assim compreendida e estudada, merece toda a atenção e todo o trabalho dos que a tal ponto queiram chegar; contudo, na maior parte das vezes, detidos desde o início pela distração ou pela lassidão, os pesquisadores marcam passo, se desencorajam e permanecem eruditos superficiais, aptos, é verdade, a jogar poeira nos olhos dos ignorantes, mas incapazes e pouco dignos de interesse.

"Um cabalista deve ler frequentemente uma obra rabínica qualquer, dar sua explicação na própria língua da mística judaica, ou seja, apoiando-a em textos tomados de obras que constituam autoridade em tais matérias, fornecendo-lhe luzes pessoais advindas da própria reflexão e de suas pesquisas. Um estudante teria, então, 80 anos, uma vez que uma existência inteira mal bastaria para esse labor, para essa evolução. E o mestre? Onde estará ele?

"Essa grande e nobre ciência, que é a ciência da Cabala, não deve ser profanada nem ridicularizada pela ignorância orgulhosa, e é de todo lamentável ver ignorantes recitarem algumas palavras de *Molitor*, repetir algumas fórmulas de Franck, tanto quanto o seria ver crianças juntar, pelas pontas, uma fração, um círculo e uma equação trigonométrica e ouvi-las gritar que sabem matemática.

"Que fazer, então? Existe, pois, outra Cabala? Sim, e vou demonstrá-lo aqui. Há outra ciência teológica além da escola oficial, pois sempre houve heréticos e místicos; há outra mística além da do *Talmude* e outras interpretações além das da *Torá,* uma vez que houve, entre os próprios cabalistas, tantos mestres proscritos, perseguidos, que, finalmente, se passaram para o cristianismo. De um lado e de outro do mundo cristão e do mundo judaico saíram homens que romperam todas as amarras e libertaram-se de todo constrangimento para investigar individualmente a verdade da melhor forma que puderam. Os Guillaume Postel, os Keuchlin, os Khunrath, os Nicolau Flamel, os Saint-Martin, os Fabre d'Olivet. Quem são eles? Eis aí os mestres da Cabala como os via Stanislas de Guaita e que, da mesma forma que ele, souberam, de verdade, dá-la a conhecer e a ensinar. Esses homens foram rudes conquistadores em busca do tosão de ouro, recusando qualquer título, qualquer sanção dos contemporâneos, falando do alto, porque aí se encontram situados, e contando apenas com as honrarias que se obtêm por parte dos próprios descendentes. Tais títulos são os únicos, pois, como ensinam a tradição e a simbólica egípcia, somos nós mesmos que devemos nos julgar. O rio passa, aparecemos nus, pois deixamos nossas vestes de mortos com nossos sonhos, então, a cada um segundo, suas obras vivas: Nosso Deus é o Deus dos vivos, e não o dos mortos."[10]

Essa prática cabalística pode ser intelectual ou mágica. Quando é intelectual, tem por chave as *Sephiroth*. Não forneceremos aqui um estudo delas; basta-nos saber que sua lei é a mesma dos números; dela se encontrará excelente explicação no *Tratado Elementar de Ciência Oculta,* de Papus.

Daremos dela duas adaptações: uma emprestada dos treinamentos psicúrgicos e outra da psicologia e da ética, segundo Khunrath.

O tema a seguir refere-se ao exercício do poder taumatúrgico; seus elementos serão encontrados na *Apodictique messianique,* de Wronski, cujo sistema é exclusivamente cabalístico.

A Cabala, segundo Boehme, é uma espécie de magia; reside na sexta forma, o som; seu centro é o *Tetragrammaton,* que contém as forças verdadeiras pelas quais o inteligível age no sensível. Nesse lugar, encontra-se a Lei de Moisés, cujas transgressões recebem castigo eterno.

---

[10] MARC HAVEN, Stanislas de Guaïta, cabalista, *Initiation,* janeiro de 1898, pp. 33 a 36.

	Vigília	
Letargia		Êxtase
Sono		Exaltação
	Sonho	
Catalepsia		Epilepsia
	Sonambulismo	
	Taumaturgia	

A Cabala é também a ciência das mutações possuídas pelos anjos, quer pelos anjos do Fogo, quer pelos anjos da Luz, porque eles podem converter seus desejos em formas, por meio da imaginação. É a beatitude da Ciência.[11]

Isso se refere à parte mágica dessa ciência.

Eis, agora, dados sobre a reintegração do homem:

> Os cabalistas chamam ao pecado uma casca: a casca, dizem eles, forma-se como uma excrescência que se enruga no exterior pela seiva, que se fixa em lugar de circular, então a casca seca e cai. Do mesmo modo, o homem, chamado a cooperar na obra de Deus e a concluir-se a si mesmo, aperfeiçoando-se pelo ato de sua liberdade, se permitir que se fixe nele a seiva divina que deve servir para desenvolver suas faculdades para o bem, executa um progresso retardatário, degenera e tomba como uma casca morta. Mas, segundo os cabalistas, nada chega ao mal na natureza; o mal é sempre absorvido pelo bem; as cascas mortas podem ainda ser úteis quando amontoadas pelo lavrador, que as queima e se aquece ao seu calor, depois faz de suas cinzas um adubo nutritivo para a árvore, ou, então, em se putrefazendo ao pé da árvore, elas a alimentam e retomam à seiva pelas raízes. Nas ideias da Cabala, o fogo eterno que deve queimar os maus é, pois, o fogo regenerador que os purifica e, por meio das transformações dolorosas, mas necessárias, os faz servir à utilidade geral e os devolve eternamente ao bem, que deve triunfar.

---

[11] *Questions théos.*, III, 34; II, 11.

Deus, dizem eles, é o absoluto do bem, e não pode haver dois absolutos: o mal é o erro que será absorvido pela verdade; é a casca que, apodrecida ou queimada, retornará à seiva e concorrerá, de novo, à vida universal.[12]

CORRESPONDÊNCIAS SEPHIRÓTICAS DE ACORDO COM KHUNRATH

Sephiroth	Modos	Faculdades	Aspectos de Deus Descendentes	Virtudes Ascendentes
Kether	*Fides*	*Mens*	*Optimus omnia*	*Castitas*
Binah	*Meditatio*	*Intellectus*	*videns*	*Benignitas*
Chokmah	*Cognitio*	*Ratio*	*Multus benignitate*	*Prudentia*
Gedulah	*Amor*	*Judicium superius*	*Solus sapiens*	*Misericordia*
Geburah	*Spes*	*Judicium inferius*	*Misericors*	*Fortitudo*
Tiphareth	*Oratio*	*Phantasia*	*Fortis*	*Patientia*
Netzach	*Coniunctio*	*Sensus interior*	*Longanimis*	*Justicia*
Hod	*Frequentia*	*Sensus exterior*	*Justus*	*Humilitas*
Yesod	*Familiaritas*	*Medium*	*Maximus*	*Temperantia*
Malkuth	*Similitudo*	*Objectum*	*Verax Zelotes Terribilis*	*Timor Dei*

Queimar as cascas é uma obra difícil e lenta; a iniciação faz percorrer mais rapidamente essa estrada escarpada.

"Escolhe um mestre", diz o Talmude (*Pir. Aboth*, I, 6); e o comentarista acrescenta:

> Que ele procure para si um mestre único e receba dele o ensinamento tradicional, e não receba esse ensinamento hoje de um mestre e amanhã de outro.

Um homem só é admitido aos mistérios sagrados da Cabala[13] se outorga a seu mestre e aos seus ensinamentos confiança total, firme e em todos os instantes, e mais: se não discute nunca suas palavras e as toma obrigação. É isso que pode afastar muita gente da ciência sagrada, mas recordemos aqui que não falamos das ciências ocultas em geral: não há necessidade disso tudo para conhecer

---

[12] ÉLIPHAS LÉVI, *Initiation*, novembro de 1894, pp. 109-10.

[13] Essas regras são tradicionais; encontram-se dispersas em diversos textos e comentários. Entre os textos, o *Shar aorah*, de Rabbi Joseph Castebeusis; entre os comentários: Reuchlin: *De Cabbala*, Paul Ricceus, *De Celesti agricultura*; Rob. Fludd, *Tractatus apologeticus...* são as fontes principais, e não voltaremos mais a isso.

o Od como o sr. de Rochas ou o hermetismo como o sr. Berthelot. Não é um ramo do conhecimento humano; é a alta magia do bem e do mal, a ciência da vida e da morte que o profano deseja possuir, e, como disse Éliphas Lévi: *Pode-se solicitar que seja um pouco mais que um homem aquele que quer ser quase um Deus*. Essa aparente passividade, que assustará tantas vaidades, é apenas momentânea e pessoal.

Como nas escolas pitagóricas (cf. Aulu-Gelle, *Noct. Att.*, I, bh. IX), o discípulo deve escutar e abster-se de toda discussão ou comentário; deve dar por palavras e por atos o testemunho da sua adesão. As revelações que a Cabala transmite são divinas e de ordem mais elevada que aquela que pode tombar sob as ordens da razão; as faculdades atuais estão esgotadas e anuladas pelo ato da recepção dos mistérios. Tem-se, pois, o direito de exigir esse sacrifício; deve-se exigi-lo mesmo, pois a alma do neófito, a sinceridade de suas aspirações, a força do seu desejo e da sua vontade vão ser integralmente julgadas nessa prova. Se ele se menospreza em demasia e duvida demais de seus poderes para temer nessa separação uma morte definitiva, é indigno de se aproximar e de si mesmo haverá de fugir. Bem fraco é quem se detém desde o primeiro passo; bem grosseiramente avaro é quem recua diante de uma renúncia tão preciosa.

Em segundo lugar, o cabalista será versado nas ciências e nas artes profanas, pois deve ter-se adornado de todos os poderes humanos aquele que almeja uma honraria como a Iniciação. *Não obstante, para dizê-lo com clareza, e a razão o explica por meio da experiência diária que permite verificá-lo,* não é com um pouco de conhecimento, *nem com vaga tintura das ciências humanas, nem tampouco com cultura superficial, que se deve apresentar aquele cujo trabalho, cujo zelo, cuja vontade estarão ocupados na contemplação das formas separadas; aquele que vai, por assim dizer, violar os santuários mesmos de Deus* (Reuchlin). Mas essa ciência profana jamais constituirá a matéria ou o ponto de apoio da ciência absoluta. É preciso criar o vazio e a morte na alma; é preciso que tudo aí se torne inculto e tenebroso, como o fez Moisés no deserto,[14] a fim de que o solo, doravante fértil, esteja pronto para fornecer novas colheitas.

Aquele que não estudou as ciências do passado e do presente não tem o direito de tratá-las com desprezo; aquele que não fez mover em si todas as engrenagens da matemática, todas as molas das ciências naturais, todas as cordas da imaginação, que não chorou nem refletiu, não tem o direito de menosprezar as lágrimas ou o pensamento, a afirmação científica ou a emoção artística. Ele

---

[14] ZIROLDE DE MOSE, *Introd. ad Histor. Eccles.*, cap. I, p. 26.

dormita ainda, não procura a luz: alquimista permanecerá se não se tornar feiticeiro. Eu poderia citar, entre os antigos, vários nomes desses homens que foram sábios antes de se tornar aprendizes da alta ciência. Um exemplo dos nossos dias se faz mais precioso: um grande artista, um mestre em literatura não recuou, por merecer a iniciação, diante das repugnâncias e das fadigas do laboratório.[15]

Tais exemplos, se fosse necessário, provariam por si só que a cadeia da tradição não está partida.

Em terceiro lugar, os cabalistas desejam que os discípulos que procuram sua ciência sejam maduros; eles estão, na verdade, persuadidos de que ninguém pode ser capaz de se dedicar a tão sublime e tão profunda religião se não houver envelhecido; se não viu, em si, acalmarem-se as paixões, os arrebatamentos da juventude, afirmando e purificando seus costumes, seus hábitos, tornando-se, como teria dito o século XVIII, um homem honrado.

Tal era o sentimento de rabi Eleazar quando respondeu a seu mestre Jochanan que, em sua benevolência, pretendia iniciá-lo, em boa hora, nos mistérios da *Merkabah*: "Não embranqueci ainda". Para aquele que medita e desenvolve os germes em si depositados, opera-se uma purificação, uma sublimação contínua no tempo. Não é, portanto, um período de idade, menos ainda de declínio, que a Tradição reclama; é um ponto da evolução em que se iluminaram e tranquilizaram os princípios perturbados e agitados, até então, em que o anjo da morte – que é o mesmo da geração – tenha sido dominado pelo homem; em que, numa palavra, a ação é possível e o homem está preparado para receber o conhecimento e realizá-lo.

A quarta condição é uma pureza absoluta: e esta é quase uma consequência de tudo o que precede, uma advertência que deixa entender que essa idade madura é variável de acordo com os indivíduos. Menosprezando essa pureza, sacrificando-se aos seus desejos, considerando o gozo material um objetivo, um fim em si, o homem deixa-se levar à mais perigosa das ilusões e torna impossível qualquer elevação psíquica. É preciso escolher não entre a voluptuosidade e a virtude, que é o erro de muitas seitas, mas entre o amor e a vitória, e, tão logo feita a escolha, perceber que a Beleza, reflexo da Coroa, está entre os dois caminhos. As 32 vias da Sabedoria só se revelam àqueles cujo coração é bom.[16]

Uma alma tranquila, liberta de toda preocupação mundana, é uma condição igualmente importante; que o espírito seja um lago no qual todas as inspirações,

---

[15] Stanislas de Guaïta, autor de inúmeros e eruditos trabalhos tanto sobre a Cabala dogmática como sobre a mágica, desde os primeiros artigos em *Artiste* até as últimas obras.
[16] Isaak ben Eljakim, *Amst.*, 1700.

todas as direções superiores possam refletir-se sem que um movimento de baixo venha perturbar a água e agitá-la com frequência. "Deixai mulheres, pais, filhos e segui-me", disse Cristo. "Vendei os vossos bens e distribuí o vosso ouro aos pobres", dizia Joachim de Flore a seus discípulos. "Temei até o egoísmo da família e da amizade", dizem os mestres; "sede sozinhos em face de Deus para serdes mais próximos da humanidade." O silêncio, o sabatismo dos autores: para que, alta e mais sonora, a voz se eleve em seguida. Mas ai daqueles que conservam sempre o silêncio, ai dos mudos para a seara que semearam, para as dolorosas paixões dos reparadores futuros![17]

Terminaremos esse estudo apressado com essas belas palavras, que nos parece, ao relê-lo, apenas uma justaposição de materiais um pouco díspares. Contudo, oferecemo-lo tal qual é; primeiro, porque carecemos de tempo e de meios para dar uma ideia mais digna dessa venerável Tradição; segundo, porque esperamos provocar alguma curiosidade e suscitar alguns desejos pelo Verdadeiro, pelo Belo e pelo Bem.

SÉDIR

---

[17] MARC HAVEN, *Initiation*, fevereiro de 1894, pp. 136 a 141.

RESUMO METÓDICO DA CABALA

CAPÍTULO I

EXPOSIÇÃO PRELIMINAR – DIVISÃO DO ASSUNTO

No estudo a seguir, resumiremos da melhor forma possível os ensinamentos e as tradições da Cabala.

A tarefa é assaz difícil, pois a Cabala compreende, de um lado, todo um sistema bastante particular baseado no estudo da língua hebraica, e, de outro, um ensinamento filosófico da mais alta importância, derivada desse sistema.

Empregaremos todos os esforços no sentido de abordar esses diversos pontos de vista, um após o outro, separando-os bem nitidamente. Nosso estudo compreenderá, portanto:

1º) Uma exposição preliminar sobre a origem da Cabala.

2º) Uma exposição sobre o sistema cabalístico e suas divisões, *verdadeiro curso de cabala* em algumas páginas.

3º) Uma exposição sobre a filosofia da Cabala e suas aplicações.

4º) Os textos principais da Cabala, sobre os quais estão assentados os dados precedentes.

É a primeira vez que um trabalho desse gênero é apresentado ao público. Por isso, nos esforçaremos em nos apoiar sempre em autores competentes, quando os desenvolvimentos não nos forem, de todo, pessoais.

A Cabala é a chave da abóbada de toda tradição ocidental. Toda filosofia que aborda as concepções mais elevadas que o espírito humano pode atingir conduz forçosamente à Cabala, quer se chame Raymond Lulle,[18] Spinoza[19] ou Leibniz.[20]

Todos os alquimistas são cabalistas; todas as sociedades secretas, religiosas ou militantes que surgiram no Ocidente – Gnósticos, Templários, Rosa-cruzes, Martinistas ou Franco-maçons – se ligam à Cabala e ensinam suas teorias. Wronski, Fabre d'Olivet e Éliphas Lévi devem à Cabala o mais profundo dos seus conhecimentos e o declaram mais ou menos francamente.

De onde vem, pois, essa doutrina misteriosa?

O estudo, mesmo superficial das religiões, mostra-nos que o iniciador de um povo ou de uma raça divide sempre seu ensino em duas partes.

Uma parte velada sob os mitos, as parábolas ou os símbolos, para o uso das turbas. É a parte exotérica.

Uma parte desvelada a alguns discípulos favoritos, que não deve nunca ser descrita claramente, quando escrita; deve ser transmitida *oralmente*, de geração a geração. É a doutrina esotérica.

Jesus não escapa à regra geral, tampouco Buda; o Apocalipse é a prova disso; por que seria Moisés o único a escapar a ela?

Moisés, salvando o mais puro dos mistérios do Egito, selecionou um povo para guardar seu livro, uma tribo, a de Levi, para preservar o culto; por que não teria transmitido a chave de seu livro a discípulos seguros?

Veremos, na verdade, que a Cabala ensina, sobretudo, o manejo das letras hebraicas, consideradas ideias ou mesmo poderes efetivos. Isso quer dizer que Moisés indicava, assim, o sentido verdadeiro do seu *Sepher*.

Os que asseveram que a Cabala vem de *Adão* relatam tão somente a história simbólica da transmissão da tradição de uma raça à outra, sem insistir em uma tradição mais que em outra.

Alguns eruditos contemporâneos, tudo ignorando da Antiguidade, admiram-se por nela encontrar ideias profundas sobre as ciências e situam a origem de

---

[18] Os adeptos dessa ciência (Cabala), entre os quais é necessário incluir diversos místicos cristãos, como Raymond Lulle, Pic de la Mirandola, Reuchlin, Guillaume Postel, Henry Morus, encaram-na como uma tradição divina tão antiga quanto o gênero humano (*Dictionnaire philosophique*, de FRANCK).

[19] As obras de Spinoza atestam conhecimento profundo da Cabala.

[20] Leibniz foi iniciado na Cabala por Mercure van Helmont, filho do célebre alquimista, ele mesmo grande cabalista.

todo saber no segundo século da nossa era; outros se dignam a ir até a escola de Alexandria.

Certos críticos afirmam que a Cabala foi *inventada* no século XIII por Moïse de Leon. Verdadeiro sábio, digno de toda nossa admiração, o sr. Franck não encontra dificuldade em restituir tais críticos à razão, derrotando-os em seu próprio campo.[21]

Nós nos incluímos, na opinião de Fabre d'Olivet, que situa a origem da Cabala na época mesmo de Moisés.

Parece, no dizer dos mais famosos rabinos, que o próprio Moisés, prevendo a sorte a que seu livro viria a estar sujeito e as falsas interpretações que lhe seriam dadas no decurso dos tempos, recorreu a uma lei oral, que concedia de viva voz a homens de confiança, cuja fidelidade pusera à prova, e aos quais encarregou de transmitir, no segredo do santuário, a outros homens, que, transmitindo-a, por sua vez, de era em era, a fizessem, desse modo, atingir a mais remota posteridade. Essa lei oral que os judeus modernos se jactam de possuir denomina-se Cabala, palavra hebraica que significa "o que é recebido, o que vem de algures, o que é passado de mão em mão".

Os livros mais famosos que eles possuem, como o *Zohar*, o *Bahir*, os *Medrashim*, as duas *Gemarás* que compõem o *Talmude*, são quase totalmente cabalísticos.

Hoje, seria muito difícil dizer se Moisés deixou, de fato, essa lei oral ou se, tendo-a deixado, ela não foi de todo alterada, como parece insinuar o sábio Maimônides, quando escreve que os de sua nação perderam os conhecimentos de uma infinidade de coisas sem as quais é quase impossível entender a Lei. De qualquer maneira, não se pode dissimular que semelhante instituição não se encontrasse já em perfeição no espírito dos egípcios, cuja propensão para os mistérios é assaz conhecida.

---

[21] Quando se examina a Cabala em si mesma, quando se a compara às doutrinas análogas e quando se reflete sobre a influência imensa por ela exercida, não apenas sobre o judaísmo, mas sobre o espírito humano em geral, é impossível não a olhar como um sistema bastante sério e perfeitamente original. De resto, é impossível explicar, sem ela, os inúmeros textos da *Mishná* e do *Talmude*, que atestam junto aos judeus a existência de uma doutrina secreta sobre a natureza de Deus e do Universo, no tempo ao qual fazemos remontar a ciência cabalística (Ad. FRANCK).

A Cabala, tal como a concebemos, é o resumo mais completo que chegou até nós dos ensinamentos dos mistérios do Egito. Contém a chave das doutrinas de todos os que iam se fazer iniciar, com o perigo de suas vidas, como filósofos-legisladores e teurgos.

Do mesmo modo que a língua hebraica, essa doutrina teve de suportar inúmeras vicissitudes decorrentes da longa sequência das épocas por que passou; todavia, o que dela nos resta é ainda digno de séria consideração.

A Cabala, tal qual a possuímos hoje, compreende duas grandes partes. A primeira constitui uma espécie de chave baseada na língua hebraica e passível de várias aplicações; a segunda expõe um sistema filosófico extraído analogicamente dessas considerações técnicas.

Na maioria dos tratados sobre o assunto, apenas a primeira parte é designada *Cabala*; a outra encontra-se desenvolvida nos livros fundamentais da doutrina.

São dois esses livros: 1º) o *Sepher Yetzirah*, livro da formação, que contém, sob forma simbólica, a história do Gênese *Maasseh Bereshit*.

2º) O *Zohar*, livro da luz, que contém igualmente, sob forma simbólica, todos os desenvolvimentos esotéricos sintetizados, denominados História do carro celeste: *Maasseh Merkabah*.[22]

É ainda ao simbolismo que se deve relacionar as duas *cabalas* dos judeus: a *Merkabah* e a *Bereshit*. A cabala *Merkabah* fazia penetrar o judeu iluminado nos mistérios mais profundos e mais íntimos da essência e das qualidades de Deus e dos anjos; a *Bereshit* mostrava-lhe na escolha, no arranjo e na relação numérica das letras, expressando as palavras da sua língua, os grandes desígnios de Deus e os altos ensinamentos religiosos que Deus pusera ali.

(DE BRIÈRE)

Merkabah e *Bereshit* são as duas grandes divisões clássicas da Cabala adotadas por todos os autores.

Para abordar os ensinamentos da *Merkabah*, é preciso conhecer a *Bereshit*, e, para fazê-lo, é necessário conhecer o alfabeto hebraico e os mistérios da sua formação.

Partindo desse alfabeto, vamos abordar as diversas partes que constituem a chave geral de que falamos; em seguida, falaremos do sistema filosófico.

---

[22] FABRE D'OLIVET, *Lang. Heb.*, p. 29, t. I.

Podem-se dividir os cabalistas em duas categorias. A dos que aplicaram os princípios da doutrina sem se deter em desenvolver os fundamentos elementares da Cabala e a daqueles que, ao contrário, elaboraram tratados clássicos.

Entre os últimos, podemos citar Pic de la Mirandola, Kircher e Lenain.

Pic de la Mirandola divide o estudo da Cabala em estudo das numerações (ou *Sephiroth*) e estudo dos nomes divinos (ou *Schenroth*). É, na realidade, nesses dois pontos que se resume toda a chave.

Kircher, R. P. Jesuíta é um dos autores mais completos sobre o assunto; ele adota a divisão geral em três grandes partes:

1ª) *Gematria*, ou estudo das transposições.

2ª) *Notaria*, ou estudo da arte dos signos.

3ª) *Temurá*, ou estudo das comutações e das combinações.

Lenain, autor da *Ciência cabalística,* trata dos nomes divinos e de suas combinações.

Forneceremos os planos seguidos nessas diversas obras após nossa exposição, porque, atualmente, a maioria das divisões não seria bem compreendida.

CAPÍTULO II

O ALFABETO HEBRAICO
As 22 letras e sua significação

O ponto de partida de toda a Cabala é o alfabeto hebraico.

O alfabeto dos hebreus é composto de 22 letras; estas, entretanto, não estão colocadas ao acaso, umas seguidas das outras. Cada letra corresponde a um número, de acordo com sua categoria, a um hieróglifo, segundo sua forma, a um símbolo, conforme suas relações com as outras letras.

Todas as letras derivam de uma entre elas, o *yod*, como já o dissemos.[23] O *yod* as gerou da seguinte forma (v. *Sepher Yetzirah*):

1º) Três mães:
  o A (Aleph)   א
  o M (o Mem)   מ
  o Sh (o Schin) ש

2º) Sete duplas (duplas porque exprimem dois sons, um positivo forte, o outro negativo brando):
  o B (Beth)   ב
  o G (Ghimel)   ג
  o D (Daleth)   ד

---

[23] Ver estudo sobre a palavra *yod, he, vau, he* (p. 92).

o Ch (Caph) כ
o Ph (Phe) פ
o R (Resch) ר
o T (Tau) ת

3º) Enfim, doze letras simples formadas das outras letras.

Números de ordem	Hieróglifo	Nomes	Valores em letras romanas	Valores no alfabeto	Valores em cifras
1	א	aleph	A	mãe	1
2	ב	beth	B	*dupla*	2
3	ג	ghimel	G	*dupla*	3
4	ד	daleth	D	*dupla*	4
5	ה	he	E	simples	5
6	ו	vau	V	simples	6
7	ז	zain	Z	simples	7
8	ח	heth	H	simples	8
9	ט	teth	T	simples	9
10	י	yod	I	simples e princípio	10
11	כ	caph	CH	*dupla*	20
12	ל	lamed	L	simples	30
13	מ	mem	M	mãe	40
14	נ	noun	N	simples	50
15	ס	samech	S	simples	60
16	ע	hain	GH	simples	70
17	פ	phe	PH	*dupla*	80
18	צ	tsade	TS	simples	90
19	ק	coph	K	simples	100
20	ר	resch	R	*dupla*	200
21	ש	shin	SH	mãe	300
22	ת	tau	TB	*dupla*	400

Para tornar tudo isso mais claro, fornecemos o alfabeto hebraico indicando a qualidade de cada letra e sua categoria.

Cada letra hebraica representa três coisas:

1ª) uma letra, isto é, um hieróglifo;

2ª) um número, o da ordem ocupada pela letra;

3ª) uma ideia.

Combinar letras hebraicas é, portanto, combinar números e ideias; daí a criação do Tarô.[24]

Sendo cada letra *um poder*, encontra-se mais ou menos estreitamente ligada a forças criadoras do Universo. Como essas forças evoluem nos três mundos – um físico, um astral e um psíquico –, cada letra é o ponto de partida e o ponto de chegada de uma multidão de correspondências. Combinar palavras hebraicas é, por conseguinte, agir sobre o próprio Universo, de onde surge o uso de palavras hebraicas nas cerimônias mágicas.

Agora que conhecemos o alfabeto em geral, devemos estudar a significação e as relações de cada uma das 22 letras desse alfabeto. É o que faremos em seguida. Será possível ver, nesse estudo feito segundo Lenain, as correspondências de cada letra com os nomes divinos, os anjos e as *Sephiroth*.

Os antigos rabinos, os filósofos e os cabalistas explicam, de acordo com seu sistema, *a ordem, a harmonia e as influências dos céus sobre o mundo* pelas 22 letras hebraicas compreendidas no alfabeto místico dos hebreus.[25]

Explicação dos mistérios do alfabeto hebraico

Esse alfabeto designa:

1º) Desde a letra aleph א até a letra י yod, *o mundo invisível,* isto é, *o mundo angélico* (inteligências soberanas que recebem as influências da primeira luz eterna atribuída ao Pai de que tudo emana).

2º) Desde a letra כ caph até a denominada tsade צ, diferentes ordens de anjos que habitam o mundo visível, isto é, o mundo astrológico atribuído a Deus, o Filho, que significa a sabedoria divina que criou essa infinidade de globos que circulam na imensidão do espaço, cada um dos quais sob a guarda de uma inteligência especialmente incumbida pelo Criador de os conservar e os manter em

---

[24] Ver o *Tarot des Bohémiens*, por PAPUS.
[25] Ver o *Tarot des Bohémiens*, por PAPUS.

suas órbitas, a fim de que nenhum astro possa perturbar a ordem e a harmonia por Ele estabelecidas.

3º) A partir da letra tsade צ até a última, chamada ת tau, designa-se o mundo elementar atribuído pelos filósofos ao Espírito Santo. É o soberano Ser dos seres, que dá a alma e a vida a todas as criaturas.

Explicação separada das 22 letras

| 1 | א | *Aleph* |

Corresponde ao primeiro nome de Deus, Eheieh אהיה, interpretado como essência divina.

Os cabalistas o chamam aquele que o olho absoluto não viu, em razão de sua elevação.

Ele se encontra assentado no mundo denominado Ensophe, que significa o infinito; seu atributo chama-se *Kether* בתר, interpretado como coroa ou diadema; tem seu domínio sobre os anjos, que os hebreus denominam Haioth-Nakodisch היתגהקודש, isto é, os animais de santidade; forma o primeiro coro dos anjos: os serafins.

| 2 | ב | *Beth* |

Segundo nome divino correspondente a essa letra, Bachour בחור (claridade, juventude), designa anjos de segunda ordem, Ophanim אופגיס.

Formas ou rodas

Querubins (com sua ajuda, Deus desenredou o caos).

Numeração הבמה Hoschma, sabedoria.

| 3 | ג | *Ghimel* |

Nome Gadol גדול (magno), designa anjos Aralym ארליס, isto é, *grandes e fortes,* tronos (por meio deles, Deus tetragrammaton Elohim conserva *a forma da matéria*).

Numeração Binach בינה, providência e inteligência.

4	ד	Daleth

Nome Dagul דגול (insignes), anjos Hasmalim חשמלים.

Dominações

É por intermédio deles que Deus EL אל *representa* as efígies dos corpos e todas as diversas formas da matéria.

Atributo חסד (hoesed), clemência e bondade.

5	ה	He

Nome Hadom חדום (*formosus, majestuosus*). Serafim שרפים, potestades (por sua ajuda, Deus Elohim Lycbir produz os elementos).

Numeração פחד (pachad), temor é juízo, *esquerda de Pedro*.

Atributo גבורה *Geburah*, força e poder.

6	ו	Vau

Formou וזיו Vezio (*cum splendore*), sexta ordem de anjos מלאכים Malakim, coro das virtudes (com sua ajuda, Deus Eloah *produziu os metais e tudo o que existe no reino mineral*).

Atributo תפארת Tiphareth, Sol, esplendor.

7	ז	Zain

Formou זבי Zakai (*purus mundus*), sétima ordem dos anjos, principados, filhos de Elohim (com sua ajuda, Deus tetragrammaton Sabahot produziu as plantas e tudo *o que existe como vegetal*).

Atributo הזצ wezat, triunfo, justiça.

8	ח	Heth

Designa chased חסיד (*misericors*), anjos de oitava ordem Bené Elohim, filhos de Deus (*coro dos arcanjos*) (*Mercúrio*); com sua ajuda, Deus Elohim Sabahot produziu *os animais e o reino animal*.

Atributo הוד Hod, louvor.

9	ט	Teth

Corresponde ao nome טור Tehor (*mundus purus*), anjos de nona ordem que presidem o nascimento dos homens (com sua ajuda, Saday e Elhoi enviam anjos da guarda aos homens).

Atributo יסוד Jesod, fundamento.

10	י	Yod

De onde vem Iah יה (Deus).

Atributo: reino, império e templo de Deus ou influência pelos heróis. É por sua ajuda que os homens recebem a inteligência, a indústria e o conhecimento das coisas divinas.

Aqui termina o mundo angélico.

11	כ	Caph

Nome בביר (*potens*). Designa o primeiro céu; primeiro móvel correspondente ao nome de Deus ' expresso por uma única letra, isto é, a causa primeira que põe tudo quanto é móvel em movimento. Primeira inteligência soberana que governa o primeiro móvel, isto é, o primeiro céu do mundo astrológico atribuído à segunda Pessoa da Trindade – chama-se מטטרוג Mittatron.

Seu atributo significa príncipe das faces; sua missão é introduzir todos os que devem comparecer diante da face do grande Deus; ela tem sob suas ordens o príncipe Orifiel, com uma infinidade de inteligências subalternas; os cabalistas dizem que é pelo ministério de Mittatron que Deus falou a Moisés; é também por meio dele que todos os poderes inferiores do mundo sensível recebem as virtudes de Deus.

Caf, letra final figurada ך, corresponde aos dois grandes nomes de Deus, cada qual composto de duas letras hebraicas, El אל e Iah יה; eles dominam as inteligências da segunda ordem, que governam o céu das estrelas fixas, notadamente os doze signos do Zodíaco, que os hebreus chamam de Galgol hamnazeloth; a inteligência do segundo céu é chamada de Raziel. Seu atributo significa visão e sorriso de Deus.

| 12 | ל | *Lamed* |

De onde vem Lumined למר (*doctus*), corresponde ao nome Sadai, nome de Deus em cinco letras, denominado emblema do Delta, que domina o terceiro céu e as inteligências de terceira ordem que governam a esfera de Saturno.

| 13 | מ | *Mem* |

Meborakc מברו (*benedictus*) corresponde ao quarto céu e ao quarto nome Jeovah יהיה; domina a esfera de Júpiter. A inteligência que governa Júpiter chama-se Tsadkiel.

Tsadkiel recebe as influências de Deus por intermédio de Schebtaiel para transmiti-las às inteligências da quinta ordem.

Mem מ, letra *capital,* corresponde ao quinto céu e ao quinto nome de Deus; é o quinto nome de príncipe em hebraico. Domina *a esfera de Marte.* Inteligência que governa Marte: Samael. Samael recebe as influências de Deus pela intervenção de Tsadkiel e as transmite às inteligências da sexta ordem.

| 14 | נ | *Noum* |

Nun Nora גורא (*formidabilis*); corresponde também ao nome Emmanuel (*nobiscum* Deus), sexto nome de Deus; domina o sexto céu, *Sol*; primeira inteligência do Sol, Rafael.

Nome ן final, assim representado, reporta ao sétimo nome de Deus Ararita, composto de 7 letras (Deus imutável). Domina o sétimo céu e *Vênus*, Inteligência de Vênus: Haniel (o amor de Deus, justiça e graça de Deus).

15	ס	Samech

Nome Sameck סוטר (*fulciens, firmans*), oitavo nome de Deus. Estrela Mercúrio; primeira inteligência de Mercúrio, Mikael.

16	ע	Haïn

Nome עזד Hazaz (*fortis*): corresponde a Jehova-Sabahot. Domina o nono céu; Lua; inteligência da lua, Gabriel.

Aqui termina o mundo arcangélico.

17	פ	Phe

Décimo oitavo nome que lhe corresponde; פורה Phodé (redentor), *alma intelectual* (Kircher, II, 227).

Essa letra designa o *Fogo*, elemento onde habitam as salamandras. Inteligência do Fogo, serafins e várias subordens. *Domina o sul, ou o centro, no verão.*

O final ף, assim figurado, designa o *Ar*, onde habitam as sílfides. Inteligências do Ar, querubins e muitas subordens. As inteligências do Ar dominam *o Ocidente, ou Oeste,* na primavera.

18	צ	Tsade

Matéria universal (K.) Nome צדק Tsedek (*justus*). Designa a Água, onde habitam as ninfas. Inteligência, Tharsis. Domina o Oeste, ou Ocidente, no outono.

Final ץ, forma dos elementos (A. E. T. F.) (K).

19	ק	Coph

Nome derivado קרש Kodesch (*sanctus*). Terra onde habitam os *gnomos*. Inteligência da Terra, Ariel. No inverno, para o Norte. *Minerais,* inanimado (Kircher).

20	ר	Resch

Nome רדה (*imperans*) Rodeh, vegetais (Kircher); atribuído ao primeiro princípio de Deus, que se aplica ao reino animal e dá a vida a todos os animais.

21 ש Shin

Nome Schaday שדי (*omnipotens*), que significa Deus todo-poderoso, atribuído ao segundo princípio de Deus (animais), o que tem vida (Kircher), que dá o germe a todas as substâncias vegetais.

22 ת Tau

Nome Thechinah תהגה (*gratiosus*), Microcosmo (Kircher), terceiro princípio de Deus, que dá o germe a tudo o que existe no reino mineral.

Essa letra é o símbolo do homem porque designa o fim de tudo quanto existe, do mesmo modo que o homem é o fim e a perfeição de toda criação.

Divisão do alfabeto

Unidade	9	8	7	6	5	4	3	2	1
1º mundo	ט	ח	ז	ו	ה	ד	ג	ב	א
Dezena	90	80	70	60	50	40	30	20	10
2º mundo	צ	פ	ע	ס	נ	מ	ל	כ	י
Centena	900	800	700	600	500	400	300	200	100
3º mundo	ץ	ף	ן	ם	ך	ת	ש	ר	ק

Eis como devem ser dispostas essas letras e qual sua significação mística.

Mundo angélico

1ª conexão	2ª conexão	3ª conexão
אלף aleph, isto é, peito. בית beth, casa. ג ghimel, plenitude, retribuição. ד daleth, mesa e porta. Indica qual é a casa de Deus chamada plenitude nos livros divinos.	ה he (ista, rua), assim está aqui. ו vau, *uncinus*. ז zain (Haec), aquela lá, armas. ח vida. Indica, analogicamente, uma e outra vida e qual pode ser a outra vida sob a mesma escritura pela qual o próprio Cristo anuncia a vida dos crentes.	ט thet, bem, bom, declínio. י yod, princípio. Indica, analogicamente, que, embora saibamos hoje da universalidade das coisas escritas, só conhecemos e profetizamos parte delas; mas, quando merecermos estar com o Cristo, cessará a doutrina dos livros e teremos face a face o bom princípio tal qual ele é.

Mundo dos orbes

4ª conexão	5ª conexão	6ª conexão
⊃ caph, mão, conduta. ל lamed (disciplina), coração.	מ mem, *ex ipsis*. נ noun, *sempiternum*. ס samech, *adjutorium*.	ע hain, fonte, olho. פ phe, boca. צ tsade, justiça.
Eis o que contém: as mãos estão compreendidas na obra; o coração e a conduta estão compreendidos nos sentidos porque nada podemos fazer se não soubermos, de antemão, o que deve ser feito.	Indica, analogicamente, que é apenas das escrituras que os homens devem tirar as fontes necessárias à vida eterna.	Indica, analogicamente, que a escritura é a fonte, ou o olho, e a boca da justiça, que contém a origem de todas as obras da parte constituída da boca divina.

Mundo dos quatro elementos

7ª conexão	
ק coph	vocação, voz.
ר resch	cabeça.
ש shin	dentes.
ת tau	signo, microcosmo.
É como se se dissesse: a vocação da cabeça é o signo dos dentes; na realidade, a voz articulada deriva dos dentes, e é por esses signos que se chega à cabeça de todos, que é o Cristo, e ao Reino eterno.	

CAPÍTULO III

OS NOMES DIVINOS

Se o leitor compreendeu perfeitamente os dados precedentes, se sabe que cada letra possui três fins e exprime um hieróglifo, um número e uma ideia, conhece os fundamentos da Cabala. Nos será suficiente, agora, nos ocuparmos das combinações.

Se cada uma dessas letras constitui, em si, um poder efetivo, seu agrupamento, segundo certas regras místicas, dá origem a centros ativos de força, que podem agir de maneira eficaz quando acionados pela vontade do homem.

Daí os *dez nomes divinos*.

Cada um deles exprime um atributo especial de Deus, isto é, uma *lei ativa da Natureza* e um centro universal de ação.

Como todas as manifestações divinas – isto é, todos os atos e todos os seres – estão ligadas entre si do mesmo modo que as células do homem estão ligadas a ele, acionar uma dessas manifestações é criar uma corrente de ação real que repercutirá em todo o Universo, da mesma maneira que uma sensação percebida pelo homem, num ponto qualquer da sua pele, faz vibrar todo o organismo.

O estudo dos nomes divinos compreende:

1º) de um lado, as qualidades especiais atribuídas a esse nome;

2º) de outro, as relações desse nome com o restante da Natureza.

Abordaremos esses pontos, um após o outro.

Primeiro, enumeremos esses dez nomes, encontrados em todos os talismãs e em todas as fórmulas de evocação.

Coloquemos as letras do nosso alfabeto, às avessas, sob as letras hebraicas, para indicarmos o sentido da leitura do hebreu.

1	אהיה AEIE	Ehieh
2	יה AI	Iah
3	יהוה IEVE	Ieovah
4	אל AL	El
5	אלוה ELOE	Eloha
6	אלהימ ALEIM	Elohim
7	יהוה¹ IEVE	Tetragrammaton
	צבאות TSBAOT	Sabaoth
8	אלהים ALEIM	Elohim
	צבאות TSBAOT	Sabaoth
9	שדי SDI	Shadai
10	אדני ADNI	Adonai

A Cabala é tão maravilhosamente construída que todos os termos que a constituem não são senão faces diversas uns dos outros. Assim, dada a pobreza de

---

[26] O nome IEVE ou IOHA, que não deve jamais ser pronunciado pelos profanos, é substituído pela palavra *tetragrammaton* ou por *adonai* (senhor).

abstração de nossas línguas europeias, somos obrigados a estudar separadamente a significação e as relações dos dez nomes divinos, depois o significado e as relações dos dez números; o todo nas diversas acepções. Ora, tudo isso, *nome, ideia e número,* acha-se sintetizado em cada um dos hieróglifos, seja quando se pronuncia nome divino, seja quando se anunciam as *Sephiroth*.

Esses nomes (que têm todos sentido secreto desenvolvido em pormenores nos escritos dos cabalistas) merecem nossa atenção particular.

1º NOME DIVINO

O primeiro entre eles, *Ehieh,* se escreve, às vezes, com a simples letra (*yod*). Nesse caso, significa simplesmente EU.

Lacour, no livro sobre os AEloïm ou Deuses de Moisés, demonstra que essa palavra deu origem ao grego X, *sempre. Ehieh* significa, portanto, exatamente SEMPRE, e compreende-se como a letra *yod,* que exprime o início e o fim de tudo, possa representá-lo.

Esse nome, escrito misticamente em triângulo, com três *yod* assim dispostos:

י
י י

representa os três principais atributos da divindade que faz emanar a criação; do *Sempre* que dá nascimento às medidas temporais.

O primeiro *yod* mostra, na verdade, a Eternidade dando nascimento *ao Tempo,* na tríplice divisão: Passado, Presente e Futuro.

É *o Número.*
É *o Pai.*

* *

O segundo *yod* mostra o *Infinito* dando nascimento *ao Espaço,* na tríplice divisão: Comprimento, Largura e Profundidade.

É *a Medida.*
É *o Filho.*

•
• •

QUADRO
Resumindo o simbolismo de todos os arcanos maiores e permitindo

Princípio criador (י) Ativo י	Deus o Pai	Vontade	O Pai
	1	**4**	**7**
Princípio criador Passivo ה	Adão	Poder	Realização
Princípio criador Equilibrante ו	A Natureza natural	criador Fluido universal	Luz astral
Princípio conservador (ה) Ativo י	Deus o Filho	Inteligência	A Mãe
	2	**5**	**8**
Princípio conservador Passivo (ה)	Eva	Autoridade	Justiça
Princípio conservador Equilibrante ו	A Natureza natural	A Vida universal	Existência elementar
Princípio realizador (ו) Ativo י	Deus o Espírito Santo	Beleza	Amor
	3	**6**	**9**
Princípio realizador Passivo ה	Adão-Eva A Humanidade	Amor	Prudência (calar-se)
Princípio realizador Equilibrante ו	O Cosmo	Atração universal	Fluido astral (Aur)
	Ele próprio (ו) + **DEUS (21)**	Manifestado −	Ele próprio (ה) + **O HOMEM** A HUMANIDADE

determinar imediatamente a definição do sentido de qualquer um deles

Necessidade **10** A Força em poder de manifestação Poder mágico	Princípio transformador universal **13** A Morte A Força plástica universal	A Destruição **16** A Queda adâmica O Mundo visível	Os Elementos **19** A Nutrição O Reino mineral
A Liberdade **11** A Coragem (Ousar) A vida refletida e passageira	A involução **14** A Vida corporal A Vida individual	A Imortalidade **17** A Esperança As Forças físicas	O Movimento próprio **20** A Respiração O Reino vegetal
Caridade **12** Esperança (Saber) Força equilibrante	O Destino **15** A Destinação Nahash Luz astral em circulação	O Caos **18** O Corpo material A Matéria	O Movimento de duração relativa **0** A Inervação O Reino animal
Manifestado – **(21)**	Ele próprio (ו) **+** **O UNIVERSO (21)**	Manifestado –	Retorno (ה) à Unidade

O terceiro *yod* representa a Substância eterna que dá nascimento à *Matéria*, na tríplice especificação, como Sólida, Líquida e Gasosa.

É *o Peso*.

É *o Espírito Santo*.

Reunindo num todo o Tempo, o Espaço e a Matéria e a *Substância eterna e infinita,* O SEMPRE se manifestará.

Daí a representação a seguir desse nome divino dada pelos cabalistas:

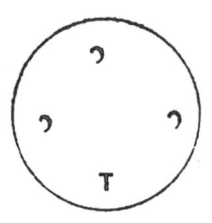

As correspondências desse nome são fornecidas por Agrippa, um dos maiores cabalistas conhecidos:[27]

1ª) *Eheie,* o nome de essência divina.

Numeração: *Kether* (coroa, diadema), significa a essência simples da divindade; autodenomina-se o que o olho não viu. Atribui-se ao Deus Pai e influi sobre a ordem dos Serafins, ou, como dizem os hebreus, *Haioth Hacadosch,* ou seja, em latim, *animalia sanctitatis,* os famosos animais de santidade, daí, por meio do primeiro móvel, confere, liberalmente, o nome do ser a todas as coisas que preenchem o Universo desde toda a circunferência até o centro. Sua inteligência particular chama-se Mithatron (Príncipe das Faces), cujo ofício é apresentar os outros perante a face do Príncipe, e foi graças à sua ajuda que o Senhor falou a Moisés.

2º NOME

2ª) Nome *Iah*.

Yod ou Tetragrammaton reunido ao Yod; numeração Hochma (*sapientia*).

---

[27] H. C. AGRIPPA, *Philosophie occulte,* t. II, pp. 36ss.

Significa a divindade plena de ideias e o primeiro a ser engendrado; é atribuído ao filho. Influencia a ordem dos Querubins (que os hebreus denominam Ophanim) por meio dos turbilhões ou das rodas e, a partir daí, influi sobre o céu das estrelas, fabricando aí tantas figuras quantas ideias contêm em si; desenredando, assim, o caos ou a confusão da substância por intermédio de sua inteligência particular denominada *Raziel*, a governante de Adão.

3º NOME

3ª) Nome IEVE – יהוה.

Esse nome, um dos mais misteriosos da teologia hebraica, exprime uma das leis naturais mais assombrosas que conhecemos.

É graças à descoberta de algumas de suas propriedades que nos foi possível obter a explicação completa do Tarô,[28] que até então não havia sido fornecida.

Eis a maneira como analisamos esse nome divino:

A PALAVRA CABALÍSTICA יהוה (*yod-he-vau-he*).

Conforme a antiga tradição dos hebreus, ou *Kabbala*, existe uma palavra sagrada que confere ao mortal que descobre sua verdadeira pronúncia a chave de todas as ciências divinas e humanas. Essa palavra, que os israelitas jamais pronunciam e o grande sacerdote emitia uma vez por ano em meio aos gritos do povo profano, é aquela que está no cume de todas as iniciações, a que se irradia a partir do centro do triângulo flamejante do 33º grau da franco-maçonaria escocesa; é também a que encontramos ostentada no portal de nossas velhas catedrais; é formada de quatro letras hebraicas e lê-se *yod-he-vau-he*. יהוה.

No *Sepher Bereshit*, ou Gênese de Moisés, esse nome serve para designar a divindade, e sua construção gramatical lembra, pela própria constituição,[29] os atributos que aos homens sempre apraz dar a Deus.

---

[28] *Vide* a significação das letras precedentemente.
[29] "Esse nome oferece, primeiro, o signo indicador da vida, duplo, e forma a raiz essencialmente viva EE (הה). Essa raiz nunca é empregada como substitutivo e é a única que desfruta dessa prerrogativa. É, desde a formação, não apenas um verbo, mas um verbo único, do qual todos os demais não são mais que derivados: numa palavra, o verbo הוה (EVE) ser-estando. Aqui, como se vê, e como tive o cuidado de explicar em minha gramática, o signo da luz inteligível ו (Vau) está no meio da raiz vital. Moisés, tomando esse verbo por

Ora, veremos que os poderes atribuídos a essa palavra são, até certo ponto, reais, levando em conta que ela abre facilmente a porta simbólica da arca que contém a exposição de toda a ciência antiga. Por isso, faz-se indispensável entrarmos em alguns detalhes acerca desse assunto.

Essa palavra é formada de quatro letras, *yod* (י), *he* (ה), *vau* (ו) e *he* (ה).

Essa última letra *he* é repetida duas vezes.

A cada letra do alfabeto hebraico é atribuído um número. Observemos as duas letras que nos ocupam no momento:

י O yod = 10
ה O he = 5
ו O vau = 6

O valor numérico total da palavra יהוה é, portanto,

$$10 + 5 + 6 + 5 = 26$$

Consideremos separadamente cada uma das letras.

O YOD

O *yod*, representado por uma vírgula, ou por um ponto, representa *o princípio* das coisas.

Todas as letras do alfabeto hebraico são apenas combinações resultantes de diferentes reuniões da letra yod.[30] O estudo sintético da Natureza levara os anciãos a acreditar que existia *apenas uma lei* que dirigia os processos dela. Essa lei, base de toda analogia, situava a unidade-princípio na origem das coisas e considerava estas apenas *reflexos*, em graus diversos, dessa unidade-princípio. Por isso, o *yod*, encerrando em si mesmo todas as letras e, por conseguinte, todas as palavras e todas as frases do alfabeto, era justamente a imagem e a representação dessa *Unidade-Princípio*, cujo conhecimento era vedado aos profanos.

---

excelência para dele formar o substantivo próprio do Ser dos Seres, acrescenta-lhe o signo da manifestação potencial e da eternidade י (I) e obtém יהוה (YEVE, ou mais conhecido grafado como YHWH), no qual o facultativo estando se encontra colocado entre um passado sem origem e um futuro sem limite. Esse nome admirável significa exatamente o Ser-que-é-que-foi-e-que-será." (FABRE D'OLIVET, Langue hébraïque restituée.)

[30] Ver a *Kabbala denudata*.

Destarte, a lei que presidiu a criação da língua dos hebreus é a mesma que presidiu a criação do Universo, e conhecer uma é conhecer implicitamente a outra. É isso que tende a ser demonstrado em um dos mais antigos livros da Cabala: o *Sepher Yetzirah*.[31]

Antes de prosseguirmos, esclareçamos, por meio de um exemplo, essa definição que acabamos de dar do *yod*. A primeira letra do alfabeto hebraico, o *aleph* (א), é formada por quatro *yod* opostos dois a dois (א). Ocorre o mesmo para todas as outras.

O valor numérico do *yod* leva a outras considerações. A UNIDADE-PRINCÍPIO, segundo a doutrina dos cabalistas, é também a UNIDADE-FIM dos seres e das coisas, e a eternidade, sob esse prisma, não é senão um eterno presente. Por isso, os antigos simbolistas representaram essa ideia por um ponto no centro de um círculo, representação da Unidade-Princípio (*o ponto*) no centro da eternidade (*o círculo*, linha sem começo nem fim).[32]

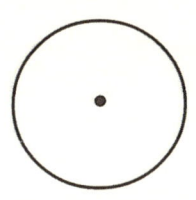

De acordo com esses dados, a Unidade é considerada a *soma* da qual todos os seres criados são apenas *as partes constituintes*; do mesmo modo que a Unidade-Homem é formada da soma dos milhões de células que constituem esse ser.

Na origem de todas as coisas, a Cabala coloca, pois, a afirmação absoluta do ser por si mesmo, o Eu-Unidade, cuja representação é, simbolicamente, o *yod* e, numericamente, o número 10. Esse número 10, representando o *Princípio-Tudo,* 1, aliado à *Ausência do Tudo-Nada,* 0, corresponde perfeitamente às condições exigidas.[33]

---

[31] Recém-traduzido para o francês, pela primeira vez (pode ser encontrado na editora Carré).
[32] Vide KIRCHER, *OEdipus AEgyptiacus*; LENAIN, *La science kabbalistique*; J. DÉE, *Monas Hieroglyphica*.
[33] Vide SAINT-MARTIN, *Des rapports qui existent entre Dieu, l'Homme et l'Univers*; LACURIA, *Harmonies de l'être exprimées par les nombres*.

O HE

Mas o Eu só pode ser concebido e percebido pela oposição ao Não Eu. Mal fica estabelecida a afirmação do Eu, faz-se necessário conceber, no mesmo instante, uma reação desse Eu-Absoluto sobre si mesmo, de onde será tirada a noção da sua existência, por uma espécie de divisão da Unidade. Essa é a origem da *dualidade*, da oposição, do Binário, imagem da feminilidade como a unidade é a imagem da masculinidade. O 10, dividindo-se para opor-se a si mesmo, iguala, 10/2 = 5, cinco, número exato da letra *He*, segunda letra do grande nome sagrado.

O *He* representará o *passivo* em relação ao *yod*, que simbolizará o *ativo*; o *Não Eu* em relação ao *Eu*; *a mulher* em relação *ao homem*; *a substância* em relação à *essência*; *a vida* em relação à alma etc.

O VAU

Mas a oposição do *Eu* e do *Não Eu* dá, imediatamente, nascimento a outro fator, a *relação* entre esse *Eu* e esse *Não Eu*.

Ora, o *Vau*, sexta letra do alfabeto hebraico, produzido por 10 (yod) + 5 (he) = 15 = 6 (ou 1 + 5), significa *colchete, ligação*. É o colchete que une os antagonistas na natureza inteira, constituindo o terceiro termo dessa misteriosa trindade.

Eu – Não Eu.

Ligação do Eu com o Não Eu.

O 2º HE

Para além da Trindade considerada lei, nada mais existe.

A Trindade é a fórmula sintética e absoluta a que chegam todas as ciências, e essa fórmula, esquecida quanto ao valor científico, nos foi transmitida, na íntegra, por todas as religiões, depositárias inconscientes da CIÊNCIA-SABEDORIA das civilizações primitivas.[34]

Por isso, apenas três letras constituem o grande nome sagrado. O quarto termo desse nome é formado pela segunda letra, o *He*, de novo repetido.[35]

---

[34] Vide ÉLIPHAS LÉVI, *Dogma e Ritual de Alta Magia*; *A Chave dos Grandes Mistérios*; LACURIA, *op. cit.*

[35] Vide FABRE D'OLIVET, *Langue hébraïque restituée*.

Essa repetição indica a passagem da lei Trina em nova aplicação; trata-se, melhor dizendo, de *uma transição* do mundo metafísico para o mundo físico, ou, em geral, de um mundo qualquer ao mundo imediatamente seguinte.[36]

O conhecimento dessa propriedade do segundo *He* é a chave do nome divino por inteiro, em todas as aplicações de que é suscetível. Veremos com clareza sua prova no que segue.[37]

RECOMPILAÇÃO SOBRE A PALAVRA YOD-HE-VAU-HE

Conhecendo separadamente cada um dos termos que compõem o nome sagrado, façamos a síntese e totalizemos os resultados obtidos.

A palavra *yod-he-vau-he* é formada por quatro letras, cada qual significando:

Yod, princípio ativo por excelência.
  O Eu = 10

He, princípio passivo por excelência.
  O Não Eu = 5

Vau, o termo medial, o *colchete* que liga o ativo ao passivo.
  A Ligação do Eu ao Não Eu = 6

Esses três termos exprimem a lei Trina do absoluto.

O 2º *He* marca a passagem de um mundo a outro. A Transição.

Esse 2º *He* representa o Ser completo, que encerra numa Unidade absoluta os três termos que constituem o Eu-Não-Eu-Ligação.

Indica a passagem do número ao fenômeno, ou vice-versa; serve para ascender de uma escala à outra.

---

[36] Vide LOUIS LUCAS, *Le roman alchimique*.
  Praeter haec tria numera non est alia magnitudo, quod tria sunt omnia, et ter undecunque, ut pythagorici dicunt; omne et omnia tribus determinata sunt. (Aristóteles, citado por Ostrowski, p. 24 de sua *Mathèse*.)

[37] Malfatti percebeu isso perfeitamente: "A passagem do 3 ao 4 corresponde à da Trimurti em Maia, e, como esta última abre o segundo ternário da década pré-genesética, do mesmo modo a cifra 4 abre a do segundo ternário da nossa decimal genesética" (*Mathèse*, p. 25).

REPRESENTAÇÃO DA PALAVRA SAGRADA

A palavra *yod-he-vau-he* pode ser representada de diversas maneiras, e todas têm sua utilidade.

Pode ser representada em círculo, desta maneira:

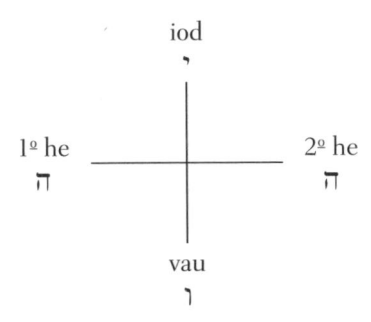

```
              iod
               י
               |
  1º he ———————+——————— 2º he
    ה          |          ה
               |
              vau
               ו
```

Todavia, como o segundo *He*, termo de transição, torna-se a entidade ativa da escala seguinte, isto é, como esse *He* não representa, em suma, senão *yod* em germe,[38] pode-se representar a palavra sagrada colocando o segundo *He* sob o primeiro *yod*, assim:

    Yod   1º *he vau*
    2º *he*

Enfim, uma terceira maneira de representar essa palavra consiste em envolver a trindade *yod he vau* do termo tonalizador, ou segundo *he*, assim:

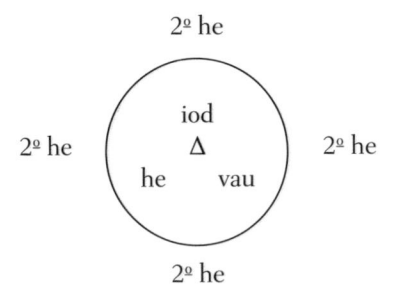

```
            2º he
          ⌒     ⌒
         /  iod  \
   2º he |   Δ    | 2º he
         \ he vau /
          ⌣     ⌣
            2º he
```

---

[38] Este 2º *He*, sobre o qual insistimos de forma voluntária e tão longamente, pode ser comparado *ao grão de trigo* em relação à espiga. A espiga, trindade manifestada, ou *yod he vau*, transforma toda sua atividade na produção do grão de trigo, ou o 2º *He*. Mas esse grão de trigo não é senão a transição entre a espiga que lhe deu nascimento e aquela à qual ele próprio dará nascimento na geração seguinte. É a transição entre uma geração e outra, que ele contém já em germe, razão pela qual o segundo *He* é um *yod* em germe.

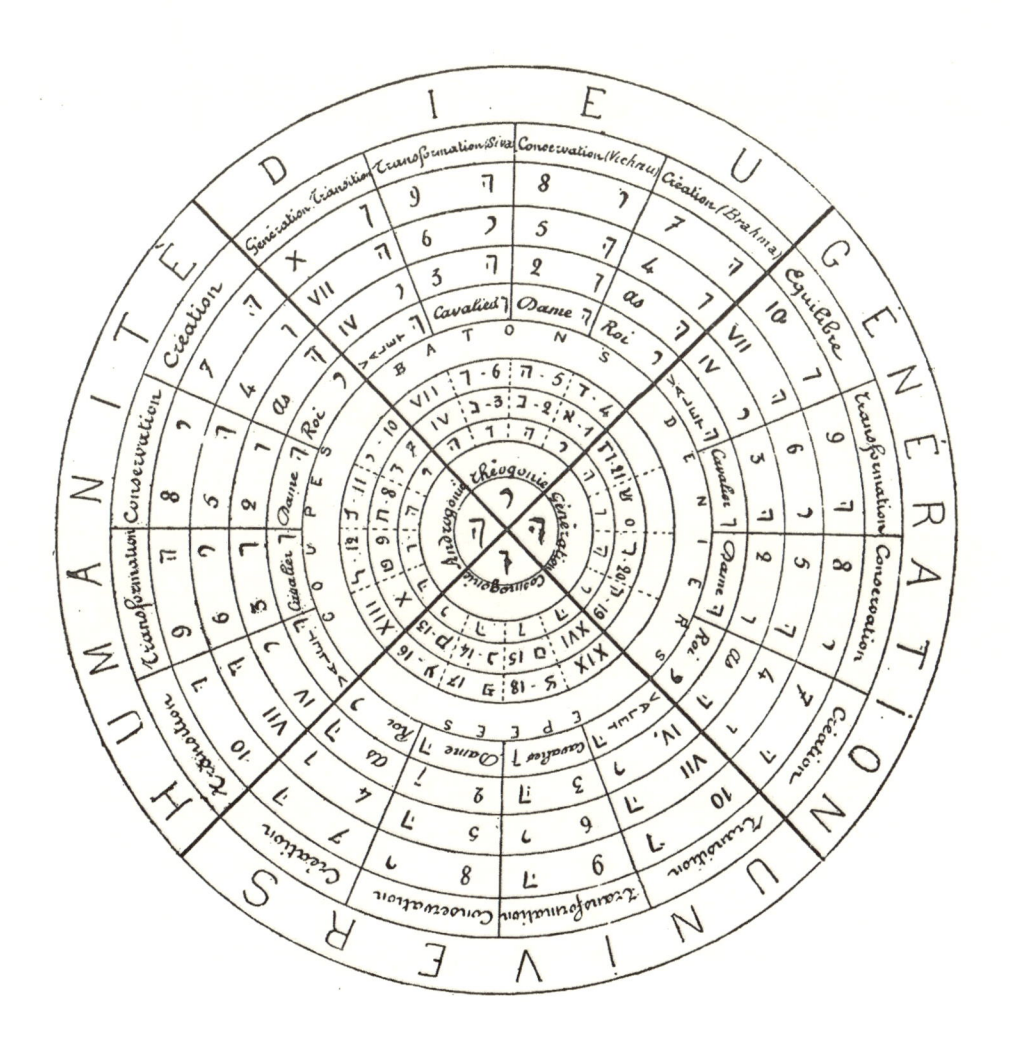

O TARÔ
Ciclo das Revoluções de Ieve (יהוה)
Chave absoluta da Ciência oculta
por
PAPUS

O estudo do Tarô não é senão o estudo das transformações desse nome divino, conforme se pode ver pela representação sintética na página anterior.

Se quisermos, enfim, *realmente resumir* as deduções dos cabalistas sobre esse 3º nome, nos seria necessário um volume. Éliphas Lévi fornece maravilhosos desenvolvimentos a respeito de todas as suas obras. *Kircher* desenvolve também, longamente, suas diversas acepções. Citemos as relações hieroglíficas de יהוה segundo esse autor.

O hieróglifo a seguir é assim explicado por Kircher:

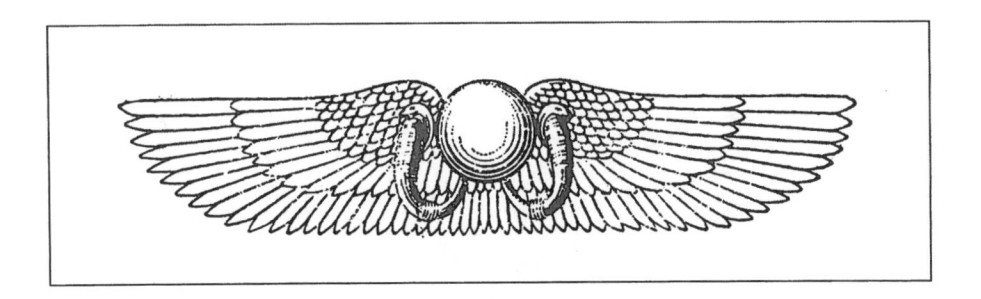

O globo central representa a essência de Deus inacessível e oculto.
A imagem do *denário* indica o *yod*.
As duas serpentes, embaixo, escapando do globo são os dois *he*.
Por último, as duas asas simbolizam o espírito, o *vau*.

O nome de 72 letras – Os 72 gênios

É ainda com base nesse nome divino que se obtém o nome cabalístico de 72 letras pelo processo a seguir.

Escreve-se o nome IEVE num triângulo, como abaixo:

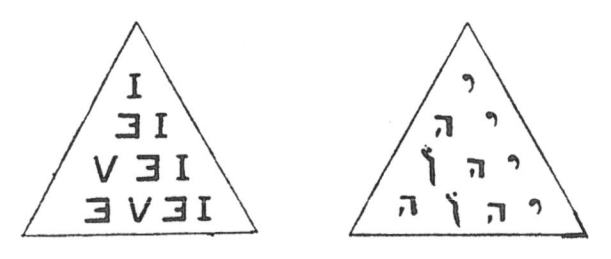

A palavra sagrada – 1ª maneira de escrevê-la.

Eis a explicação dessas duas maneiras de escrever o nome de 72 letras.

Para a primeira

Adicionai os números correspondentes a cada letra hebraica e encontrareis o seguinte resultado:

$$\begin{aligned}
\text{י} &= 10 & &= 10 \\
\text{הי} &= 10 + 5 & &= 15 \\
\text{והי} &= 10 + 5 + 6 & &= 21 \\
\text{הוהי} &= 10 + 5 + 6 + 5 & &= \underline{26} \\
& \text{Total} & & \quad 72
\end{aligned}$$

Para a segunda

Contai o número de esferas coroadas que formam a palavra יהוה escrita dessa maneira e encontrareis 24 esferas (os 24 anciãos do Apocalipse).

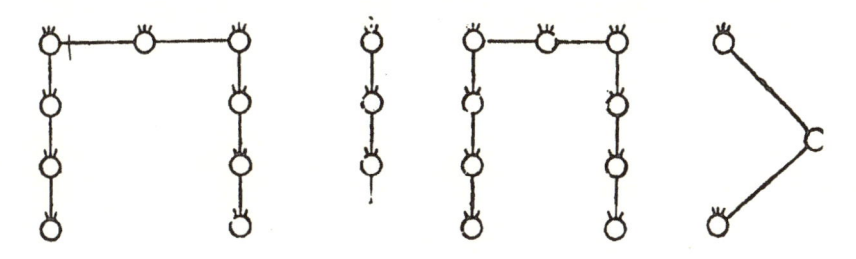

A palavra sagrada - 2ª maneira de escrevê-la.

Cada coroa tem três florões, sendo suficiente multiplicar 24 por 3 para obter as 72 letras místicas:

$$24 \times 3 = 72$$

Na *Cabala Prática* (magia universal), servimo-nos dos 72 nomes dos gênios, extraídos da Bíblia pelos métodos a seguir.

Os nomes dos 72 anjos são formados a partir dos três versículos misteriosos do capítulo 14 do Êxodo, sob os números 19, 20 e 21, os quais, de acordo com o texto hebraico, são compostos, cada qual, de 72 letras hebraicas.

Maneira de extrair os 72 nomes

Escrevei, em primeiro lugar, separadamente, esses versículos; formai com eles três linhas compostas de 72 letras cada uma, de acordo com o texto hebraico; tomai a primeira letra do 19º e do 20º versículo, a começar da esquerda; em seguida, tomai a primeira letra do 20º versículo, que é o do meio, a começar pela direita; essas três primeiras letras formam o atributo do gênio. Seguindo até o fim essa mesma ordem, tereis os 72 atributos das virtudes divinas.

Se acrescentais a cada um desses nomes um dos seus dois grandes nomes divinos, Iah יה e El אל, tereis os 72 nomes dos anjos, compostos de três sílabas, cada um dos quais contendo, em si, o nome de Deus.

Outros cabalistas tomam a primeira letra de cada dicção que compõe um versículo. Mas não nos devemos esquecer de que é apenas um *resumo* da Cabala que estamos apresentando aos nossos leitores; por isso, damos por terminado o que se relaciona ao 3º nome, para passarmos aos sete outros.

3º nome: *Tetragrammaton Elohim*

Numerata Binah (*providentia et intelligentia*), significa júbilo, remissão e repouso, resgate ou redenção do mundo e a vida do século por vir; aplica-se ao Espírito Santo e influi na ordem dos Tronos (esses que os hebreus denominam *Arabim,* isto é, anjos grandes, fortes e robustos); influencia depois a esfera de Saturno, fornecendo a forma da matéria fluida; sua inteligência particular é Zaphohiel, governante de Noé, e a outra inteligência é Jophiel, governante de Sem, e eis aí as três numerações soberanas e as mais elevadas, que são como Tronos das pessoas divinas por intermédio de cujo comando todas as coisas são feitas e acontecem; porém, a execução é feita pelo ministério das outras sete numerações, denominadas, por isso, numerações da fábrica.

4º NOME

4º nome: *El.*

Numeração *Haesed* (*clementia, bonitas*), significa graça, misericórdia, piedade, magnificência, cetro e mão direita; influi, por meio da ordem das Dominações (a que os hebreus denominam *Hasmalim*) sobre a esfera de Júpiter e forma as efígies ou representações dos corpos, dando a todos os homens a clemência e a justiça pacífica; sua inteligência particular denomina-se Zadkiel, governante de Abraão.

5º NOME

5º nome: *Elohim Gibor* (*Deus robustus puniem culpas improborum*).

Numeração *Geburah* (poder, gravidade, força, pureza, juízo, punindo por meio das devastações e das guerras). É associado ao tribunal de Deus, à cintura, à espada e ao braço esquerdo de Deus; chama-se também Pechad (temor) e influi, por meio da ordem das Potestades (a que os hebreus chamam *Seraphim*), e daí, em seguida, pela esfera de Marte, a que pertence a força; envia a guerra e as aflições e muda os elementos de lugar.

Sua inteligência particular é Camael, governante de Sansão.

6º NOME

6º nome: *Eloha* (ou nome de quatro letras) com Vodahat.

Numeração *Tiphareth* (ornamento, beleza, glória, prazer), significa Bosque de Vida. Influi, pela ordem das Virtudes (ou pela ordem que os hebreus chamam *Malachim*, isto é, anjos), sobre a esfera do Sol, dando-lhe a claridade e a vida e, em consequência, produzindo os metais; sua inteligência particular é *Raphael*, governante de Isaque e do jovem Tobias, e seu anjo, Feliel, governante de Jacó.

7º NOME

7º nome: *Tetragrammaton Sabaoth* ou *Adonai Sabaoth*, isto é, o Deus dos exércitos.

Numeração: *Netzach* (triunfo, vitória); a coluna direita lhe é atribuída e significa eternidade e justiça do Deus vingador. Ele influi, por meio da ordem dos Principados (e pela ordem que os hebreus denominam *Elohim*, isto é, dos Deuses), sobre a esfera de Vênus e significa zelo e amor à justiça; produz os vegetais, e sua inteligência chama-se *Haniel*; seu anjo é *Cerirel*, condutor de Davi.

8º NOME

8º nome: *Elohim Sabaoth*, interpretado igualmente como Deus dos exércitos, mas não da guerra e da justiça, e sim da piedade e da concórdia; ambos os nomes, este e o precedente, têm cada qual seu termo de exército.

Numeração: *Hod* (louvor e confissão, decoro e grande renome); a coluna esquerda lhe é atribuída. Ele influi, por meio da ordem dos Arcanjos (ou pela ordem que os hebreus chamam *Bene Elohim,* isto é, filhos dos Deuses), sobre a esfera de Mercúrio; dá o brilho e a conveniência do atavio e do ornamento e produz os animais. Sua inteligência é *Miguel,* governante de Salomão.

9º NOME

9º nome: *Sadai* (todo-poderoso e realizador de tudo) ou *Elhai* (Deus vivo).

Numeração: *Yesod* (fundamento). Significa bom entendimento, aliança, redenção e repouso. Influi, pela ordem dos Anjos (ou por aquela que os hebreus denominam *Querubim*), sobre a esfera da Lua, que dá o crescimento e o declínio a todas as coisas, preside o gênio dos homens e lhes distribui anjos da guarda e conservadores. Sua inteligência é *Gabriel,* condutor de José, Josué e Daniel.

10º NOME

10º nome: *Adonaï Melech* (Senhor e Rei).

Numeração: *Malkut* (reino e império), significa Igreja e Templo de Deus e porta. Influi, por meio da ordem animástica, isto é, das almas bem-aventuradas (denominada pelos hebreus *Issim*, ou seja, nobres), *Eliros* e *Príncipe*; estão abaixo das Hierarquias; influenciam o conhecimento dos filhos dos homens e lhes dão ciência miraculosa das coisas, a indústria e o dom da profecia, ou, como dizem outros, a inteligência *Metalhin*, que leva o nome de primeira criação ou alma do mundo; foi condutora de Moisés.

A CABALA

Moisés dividiu seu ensinamento em duas partes relacionadas por uma terceira.

1ª) Parte escrita: a letra, formada de caracteres ideográficos com três sentidos e que constitui *o corpo*.

2ª) Parte oral: *o espírito,* constituindo a chave da seção precedente.

3ª) Entre as duas partes, um código de regras relativas à conservação escrupulosa do texto, que forma *a vida* da tradição, com a jurisprudência como princípio animador.

O corpo da tradição toma o nome de *Massorá*, a Mashore.

A vida da tradição dividiu-se em *Mishná* e *Guemará*, cuja reunião produziu o TALMUDE.

Enfim, o Espírito da Tradição, a parte mais secreta, constituiu o *Sepher Yetzirah*, o *Zohar* com o *Tarô* e as *Claviculas* como anexos.

Todo o conjunto forma a CABALA.

A Cabala (ou tradição oral) é, pois, a parte iluminadora de um ser místico constituído por Moisés sobre o plano dos seres criados. É, de acordo com nosso conhecimento, a única tradição que se nos apresenta com esse caráter elevado e sintético, e é essa a razão de ser de sua unidade e de sua fácil adaptação à intelectualidade ocidental.

A Cabala é a ciência da Alma e de Deus em todas as correspondências. Ensina e prova que TUDO ESTÁ EM UM e que UM ESTÁ EM TUDO, permitindo, graças à analogia, remontar da imagem ao princípio ou tornar a baixar no mesmo instante do princípio à forma. Uma letra hebraica é, para o cabalista, um universo em miniatura, com todos os planos de correspondência, como o Universo é um alfabeto cabalístico com elos de relações vivas. Por isso, nada é mais fácil de compreender, nada é mais difícil de estudar que a Santa Cabala, núcleo verdadeiro de toda a iniciação do Ocidente.

Três planos de existência chamados os Três Mundos manifestam a Unidade criadora fora dela própria. Encontraremos esses Três Mundos em toda parte, tanto em Deus quanto no Universo ou no Homem, cada um dos quais manifestando o tríplice plano de existência. Nós os encontraremos integralmente num grão de trigo, num planeta, num verme da terra, num sol, numa palavra humana, num dos símbolos da escrita.

Por isso, não é de admirar que os cabalistas tenham sido considerados, ao longo das eras, sonhadores engenhosos por parte dos pedantes e dos ignorantes e sábios prodigiosos pelos iniciados.

A posse das chaves cabalísticas abre o futuro, o sucesso e o céu a toda religião ou a toda fraternidade de iniciados.

A perda dessas chaves condena à morte os que se deixaram extinguir a preciosa luz.

Na época de Ptolomeu, os judeus já não conseguem mais traduzir o *Sepher* de Moisés; e logo haverão de perder sua existência independente, e apenas os essênios, que possuem as chaves da Cabala, perpetuarão seu espírito verdadeiro através do cristianismo.

Hoje, o Apocalipse está fechado para os católicos romanos do mesmo modo que para os protestantes evangélicos, os ortodoxos e os armênios; as chaves estão perdidas.

Nas lojas maçônicas, a acácia não é mais conhecida; o coração de Hiram não está conservado no vaso místico: ateus, ambiciosos ignorantes, dizem INRI e riscam IAVE do frontão de seus templos. São ainda mais dignos de piedade que os clérigos que injuriam, pois estes últimos, ao menos, conservaram o devotamento que gera a santidade, apesar da perda da tradição que gera iniciados.

Eis por que é necessário falar ainda um pouco de Cabala, conquanto já tenhamos tido a respeito dela alguns esboços no capítulo anterior.

Vejamos, pois, sucessivamente: alguns detalhes sobre os três mundos em si mesmos, isto é, em seus Princípios constitutivos, como também em seu plano tríplice de manifestações. As imagens ideais dessas leis, dessas relações e desses Princípios representados pelas letras ideográficas da língua hebraica, as dez numerações secretas, ou *Sephiroth*, e as operações da Aritmética sagrada.

A Cabala estabelece, a princípio, uma lei geral, da qual a criação inteira é apenas a aplicação. Essa lei é a da trindade, derivada de uma unidade primordial, se estivermos estudando a origem, aspirando sempre à fusão na Unidade, se estivermos estudando os fins, ou, ainda, desenvolvendo-se em um ciclo quaternário, se estivermos estudando a vida ou a condição de estado.

Essa trindade existe, em primeiro lugar, no Princípio primordial de toda criação e é assim representada:

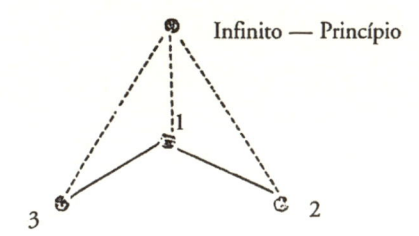

Infinito — Princípio

3   1   2

Cada um dos elementos constitutivos dessa Trindade possui o poder de criação e de geração que o Princípio Primordial possuía; mas esse poder, em cada elemento derivado, está tingido de caráter particular, que se chamará afinidade ou sexo, de acordo com os planos ulteriores de ação.

Há, com efeito, três planos de ação, sobre os quais, isolados, pode ser exercida a atividade de toda criatura. Esses três planos, ou hierarquias, são chamados, pela Cabala, *os três mundos* e representados tanto na menor quanto na maior de todas as criaturas.

Assim, uma letra hebraica é uma criatura intelectual que contém os três mundos sob o aspecto de três sentidos hierárquicos; um glóbulo de sangue é uma criatura de vida que manifesta em si os três mundos por três centros (envoltório ou membrana, substância medial ou citoplasma, núcleo); o corpo físico do homem é uma criação física que manifesta igualmente os três mundos por sua constituição (cabeça, peito, ventre).

Esses três mundos são constituídos:

1º) de um mundo superior,
2º) de um mediano,
3º) de um inferior,

que receberão nomes completamente diferentes de acordo com a criatura em que estiverem sendo considerados. Está aqui a fonte de uma infinidade de obscuridades e erros para os estudantes, erros que os cabalistas, entretanto, tentaram conjecturar da melhor forma possível.

Assim, num glóbulo de sangue, os mundos são representados pela alma do glóbulo atuando no núcleo; pela vida dele atuando na substância mediana; e pelo seu corpo limitado pelo envoltório.

No homem, o mundo superior será o Espírito, ou Ser imortal, valendo-se do sistema nervoso consciente; a Vida, ou princípio animador, utilizando o sistema nervoso simpático e os vasos sanguíneos; e, finalmente, o corpo renovando e suportando toda a matéria.

Mas é fácil observar que o corpo é, por sua vez, uma representação dos três mundos; a vida reflete igualmente uma trindade, do mesmo modo que o Espírito imortal. Como representar tudo isso para evitar os erros de interpretação e a obscuridade?

Cada mundo será representado por um espaço limitado por duas linhas horizontais. A linha horizontal superior tocando o mundo imediatamente superior; a linha horizontal inferior, o mundo imediatamente inferior a ela; e os três mundos se encontrarão assim sobrepostos:

```
..................................................
                Mundo Superior
==================================================
                Mundo Mediano
==================================================
                Mundo Inferior
..................................................
```

Contudo, cada mundo encontra no outro um reflexo ou uma representação de si mesmo. Assim, o sistema nervoso consciente, embora centralizado na cabeça, tem emanações no Peito e no Ventre. Os sistemas simpático e sanguíneo, embora centralizados no Peito, enviam artérias e veias a toda parte nos outros mundos humanos, do mesmo modo que os sistemas digestório e linfático, embora centralizados no Ventre, emanam, igualmente, dos vasos e dos glóbulos, que circulam por todo o organismo.

Três novas subdivisões em cada mundo indicarão mais facilmente tudo isso.

	Localização do Superior
MUNDO SUPERIOR	Reflexo do Mediano
	Reflexo do Inferior
	Reflexo do Superior
MUNDO MEDIANO	Localização do Mediano
	Reflexo do Inferior
	Reflexo do Superior
MUNDO INFERIOR	Reflexo do Mediano
	Localização do Inferior

Todavia, para indicar perfeitamente que esses mundos e seus reflexos se interpenetram reciprocamente, os cabalistas adotaram linhas verticais, ou *colunas,* e cada uma delas atravessa cada um dos três mundos, mostrando, à primeira vista, as relações desses diversos centros hierárquicos entre si, conforme poderá ser visto pela figura a seguir.

		SUPERIOR	
MUNDO SUPERIOR	*Reflexo Superior*	Localização	*Reflexo Superior*
MUNDO MEDIANO	*Reflexo Mediano*	*Reflexo Mediano*	**MEDIANO**
			Localização
MUNDO INFERIOR	Localização	*Reflexo Inferior*	*Reflexo Inferior*
	INFERIOR		

Eis aí o campo de ação em que operam as criaturas, e é claro que ele variará de nome, de acordo com a criatura que estiver contida nele.

Assim, em relação ao homem, teremos de nos voltar para o plano ou mundo superior (cabeça):

1º) o Espírito aí localizado;
2º) a vida aí refletida;
3º) o corpo aí igualmente refletido.

No plano mediano ou peito, será a mesma coisa. Haverá:

1º) o reflexo do Espírito consciente;
2º) a localização da Vida;
3º) o reflexo do corpo material.

No plano inferior ou abdome, encontraremos, enfim, esta tríplice divisão. Círculos nos indicarão cada elemento e teremos facilmente a figura a seguir.

Cabeça / Nervos	ESPÍRITO	Ser psíquico / Vida intelectual
Peito / Sangue	SENTIMENTO	Vida orgânica
Ventre / Linfa	INSTINTO	Vida celular

Mas não nos esqueçamos de que esses nove centros são emanados a partir de um grande Princípio infinito que deu nascimento à primeira trindade. Nossa figura não será completa se não representarmos, acima do mundo superior, esse Princípio primeiro criador, e, embaixo do mundo Inferior, o reflexo direto desse princípio, o elemento pelo qual a criação segunda ou geração se pode completar, então obteremos (sempre tomando o homem como imagem) a figura a seguir.

	Princípio criador DEUS	
Cabeça	ESPÍRITO	Ser psíquico
Peito	SENTIMENTO	Vida orgânica
Ventre	INSTINTO	Vida celular
	GERAÇÃO Reflexo do Princípio criador na Matéria	

É preciso lembrar que essa figura que acabamos de aplicar ao homem integral também se aplicaria perfeitamente a uma análise anatômica, isto é, constitutiva do homem isolado. Isso indica que essa figura é, com certeza, a expressão absoluta da lei geral da constituição, e que basta mudar o nome dos elementos para obter imediatamente o nome dos planos dos mundos correspondentes, ou vice-versa. E, graças a essa figura, seria possível analisar pela chave 10 (3 ternários tonalizados) as divisões mais minuciosas da célula tão bem quanto analisamos as do homem todo.

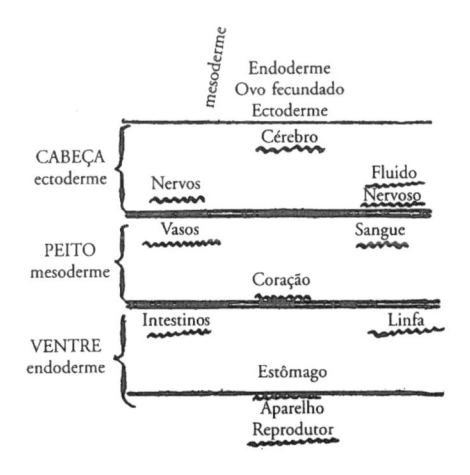

```
                    mesoderme
                         Endoderme
                         Ovo fecundado
                         Ectoderme
                    Cérebro
CABEÇA
ectoderme    Nervos              Fluido
                                 Nervoso
             Vasos          Sangue
PEITO
mesoderme    Coração

             Intestinos      Linfa
VENTRE
endoderme    Estômago
                    Aparelho
                    Reprodutor
```

Tendo os cabalistas determinado essa lei geral, não podiam obscurecê-la pela escolha de um exemplo qualquer; era preciso deixar a cada termo dela um nome assaz geral, para evitar toda confusão; por isso, na figura que deveria servir de exemplo a todas as figuras de aplicação, cada um dos termos foi chamado NUMERAÇÃO, uma vez que não existe termo mais geral que o número.

Tal é a origem do termo em Cabala:

AS DEZ SEPHIROTH OU AS DEZ NUMERAÇÕES

Cada uma dessas *Sephiroth* ou Numerações foi aplicada a uma das qualidades de Deus no primeiro Exemplo de aplicação, obtendo-se, assim, o quadro clássico de que demos, pela primeira vez, ao que sabemos, a gênese e a chave de construção em algumas das páginas precedentes.

Entretanto, esses Dez elementos de análise aplicáveis a uma realidade qualquer não estão isolados uns dos outros. Além das relações de colunas, existem, entre eles, *caminhos de união* chamados CANAIS, os quais reúnem os elementos uns aos outros.

Cada um desses canais é constituído de uma *realidade criada* por um ser intelectual, vital ou material, de acordo com o mundo a que pertence a criatura à qual se aplica a figura das numerações.

Do mesmo modo que as *Numerações* indicavam cada um dos elementos constitutivos de nossa figura geral, as *letras hebraicas* indicaram, cada uma delas, os caminhos místicos que unem esses elementos.

Aqui, ainda era preciso seguir a lei trinitária, e os cabalistas não falharam nisso na constituição desse instrumento maravilhoso que é o alfabeto hebraico.

O alfabeto hebraico é composto de 22 letras hieroglíficas; cada letra é uma criatura intelectual, suscetível de profundas interpretações. Essas letras respondem aos três mundos da seguinte forma:

Três letras-mãe: o A (Aleph), nº 1; o M (Mem), nº 13; e o SH (Schin), nº 21 representam o mundo superior.

Sete letras duplas representam o mundo mediano.

Doze letras simples representam o mundo inferior.

Como cada um dos mundos está representado nos outros, encontraremos cada um dos gêneros de letras em cada mundo. É assim que:

- o Mundo Superior terá uma letra-mãe, três duplas e quatro simples, constituindo seus canais;
- o Mundo Mediano terá uma mãe, duas duplas e seis simples;
- o Mundo Inferior, uma mãe, duas duplas e duas simples.

Os nomes e os números de cada uma dessas letras encontram-se na página 96. Tal é a lei que rege a constituição estática do sistema das *Sephiroth*.

O ternário tríplice, com suas duas tonalizantes, uma superior e uma inferior, e os canais místicos representados pelas letras hebraicas que unem os diversos centros.

Mas o que aí se encontra é o aspecto estático, a anatomia do sistema, e não se deve esquecer que esse sistema é a figura exata da Lei de Vida difundida no Universo como um todo; por isso, os diversos elementos que acabamos de ver nos vão dar, pelas diversas combinações, uma infinidade de leis novas que dirigem os detalhes da distribuição da força central até as divisões ulteriores nos diversos mundos.

Cada vez que o grande esquema sephirótico for aplicado a um novo sistema de realidades, todas as significações dos centros e dos caminhos mudarão imediatamente de caráter, e essa é a rota seguida pelos cabalistas para confundir os indolentes e os profanos.

A significação simbólica das letras hebraicas foi tomada *em diversos sistemas diferentes, em diversas aplicações a realidades de diversos planos*, e é por isso que certas letras se referem ao homem como o *Caph*, que mostra o ponto fechado, enquanto outras se referem à Natureza como o *Samech*, que designa a serpente astral. Na realidade, não existe *chave completa e escrita* do valor real das letras hebraicas num único plano de aplicação, e cabe a cada estudante fazer pessoalmente uma chave desse gênero, recomeçando-a para cada sistema de realidade; pois o pesquisador aprenderá, assim, a manejar, de fato, a analogia e a abrir o livro fechado a sete selos.

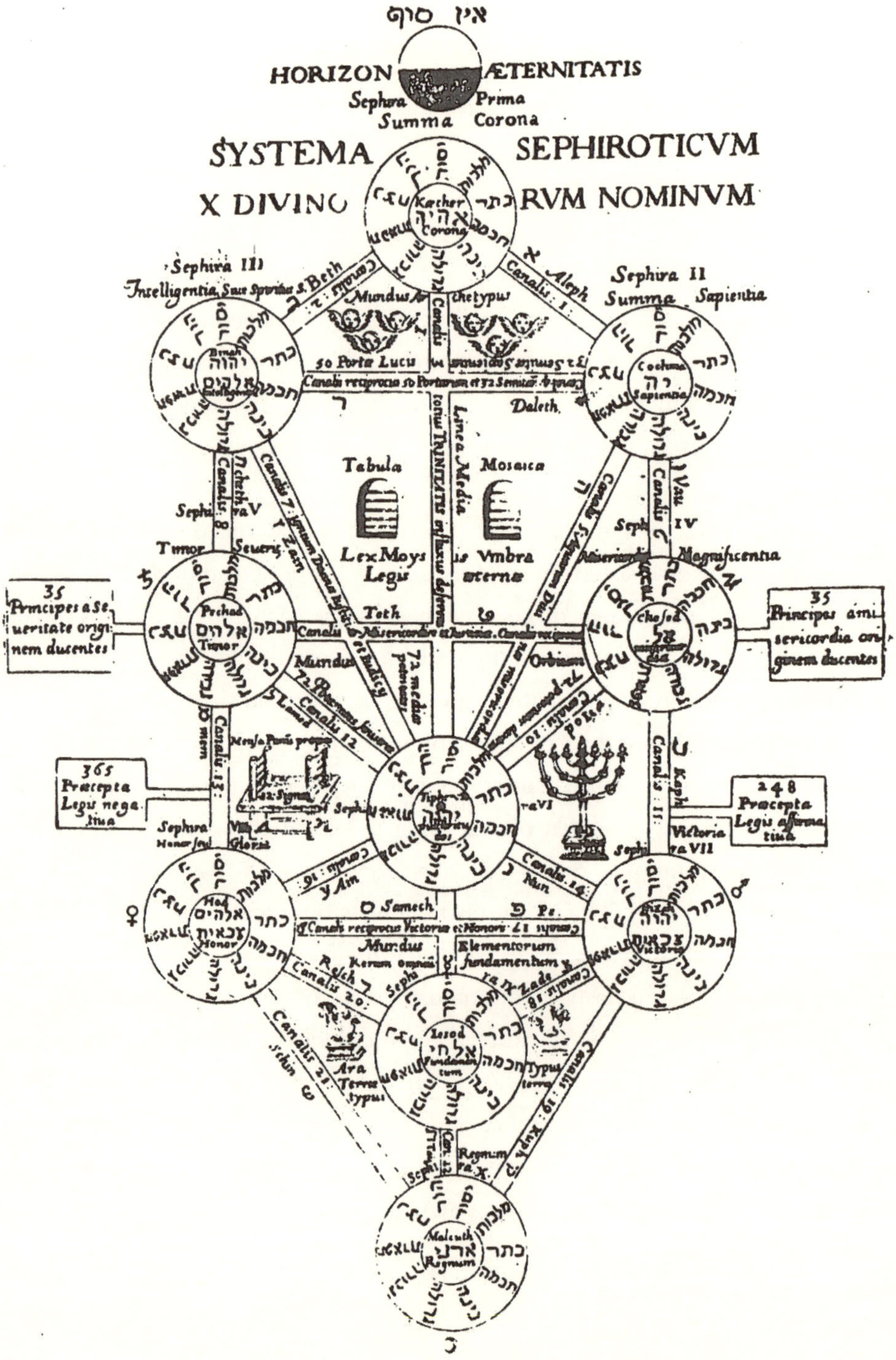
אין סוף
HORIZON ÆTERNITATIS
Sephira Prima
Summa Corona
SYSTEMA SEPHIROTICVM
X DIVINO RVM NOMINVM
Kether
Corona
Sephira III
Intelligentia
Sephira II
Summa Sapientia
Mundus Archetypus
50 Portæ Lucis
Daleth
Tabula Mosaica
Lex Moys Legis
Vmbra æternæ
Linea Media
Timor
Severitas
Pechad
Timor
35
Principes a Seueritate originem ducentes
35
Principes a misericordia originem ducentes
Magnificentia
Teth
Orbium
365
Præcepta Legis negatiua
248
Præcepta Legis affirmatiua
Victoria
Ain
Samech
Pe
Mundus
Elementorum fundamentum
Canalis 20
Canalis 21
Schin
Ara Terræ Typus
Iesod
Fundamentum
Regnum
Malcuth
Regnum

Como se deve estudar a Cabala?

Não será difícil compreender que não podemos, nessa breve exposição, destrinchar os múltiplos detalhes concernentes à Cabala que formam a base real da iniciação ocidental. Acabamos de expor com bastante clareza a construção das *Sephiroth*, dissemos algumas palavras acerca das letras hebraicas e agora nos resta dar alguns conselhos aos que desejam levar mais adiante seus estudos. Eis, em primeiro lugar, o que se deve conhecer de modo mais ou menos imperturbável e que constitui o abecê da questão.

1º) *As dez Sephiroth*, em sua aplicação na manifestação divina.

2º) *As 22 letras,* seu nome, lugar, número e hieróglifo no alfabeto tradicional.

3º) Os *Schemoth*, ou nomes divinos, que formam *a alma* das *Sephiroth*, consideradas virtudes divinas.

4º) Estando isso perfeitamente conhecido, é útil estudar o livro da formação, chave analógica da Lei de Vida, ou *Sepher Yetzirah*.[39]

5º) Então se poderá compreender inicialmente Agrippa (*Phil. Occulte,* 2º vol.), a seguir nos clássicos, a arte da transposição, ou *Gematria,* a arte de determinar o caráter dos signos, ou *Notaria*, e, enfim, a arte das comutações e das combinações, ou *Temura*.

6º) Esses estudos preparatórios são necessários para tirar proveito da leitura desse livro misterioso e sublime que é *o livro da Luz, o livro do carro celeste, o Zohar,* que nos inicia nos mistérios da Digestão dos Universos pelo Homem Celeste e da constituição do Adão-Cadmo.

7º) As obras de Éliphas Lévi e de *Louis Michel de Figanières* (*Clef de la vie, la vie universelle*) são particularmente indicadas a título de comentários e de resumo de todos os ensinamentos.

Vê-se, agora, por que o estudo da Cabala sempre foi visto como um dos esforços mais belos a que se possa consagrar a inteligência humana. Elementos disso tudo serão encontrados nas tabelas a seguir, além de certos desenvolvimentos, em nosso *Traité méthodique de science occulte* [Tratado Metódico de Ciências Ocultas], assim como nos notáveis e personalíssimos trabalhos de Stanislas de Guaita.

---

[39] Nossa tradução desse livro para o francês será encontrada no *Traité méthodique de science oculte* [Tratado Metódico de Ciências Ocultas] e uma tradução ainda mais elaborada, em nossa revista *Initiation*.

CORDE TVO, ET EX TOTA ANIMA TVA, ET EX OMNIBVS VIRIBVS TVIS, ET EX OMNI MENT

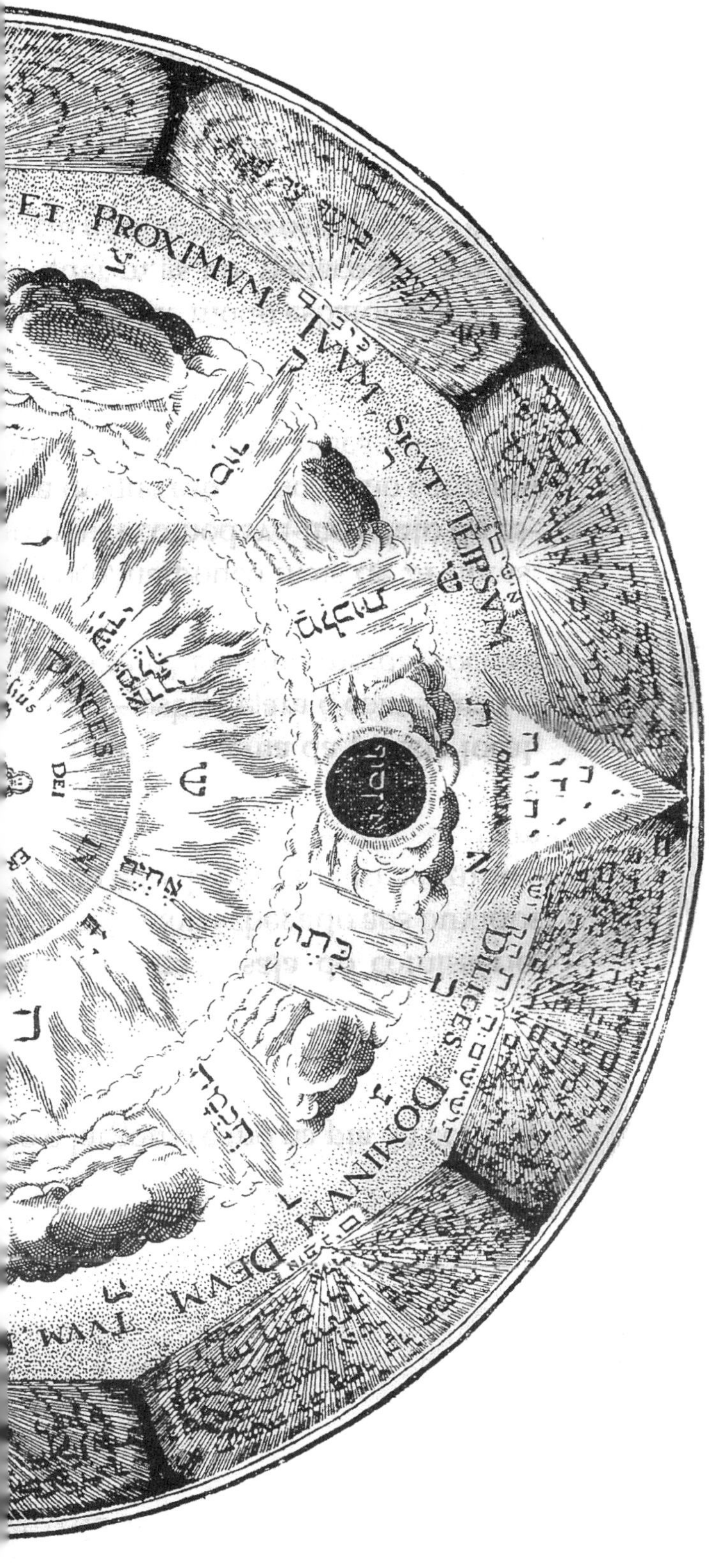
ET PROXIMVM TVVM SICVT TEIPSVM
DILIGES DOMINVM DEVM TVVM

AS *SEPHIROTH*

em sua aplicação na manifestação divina

ENSOPH
O Absoluto

KETHER
A Coroa

BINAH CHOKMAH
A Inteligência *A Sabedoria*
PECHAD CHESED
O Temor *A Misericórdia*

TIPHARETH
A Beleza

HOD NETZACH
A Glória *A Vitória*

YESOD
O Fundamento

MALKUT
O Reino

As 22 Letras

LUGAR NO ALFABETO E CARÁTER		NOME	FIGURA	HIERÓGLIFO USUAL	VALOR
MÃE	1	Aleph	א	O Homem	1
Dupla	2	Beth	ב	A Boca do homem	2
Dupla	3	Ghimel	ג	A mão que segura	3
Dupla	4	Daleth	ד	O Seio	4
Simples	5	He	ה	O Hálito	5
Simples	6	Vau	ו	O Olho-A Orelha	6
Simples	7	Zain	ז	Flecha	7

LUGAR NO ALFABETO E CARÁTER		NOME	FIGURA	HIERÓGLIFO USUAL	VALOR
Simples	8	Heth	ח	Um Campo	8
Simples	9	Teth	ט	Um Telhado	9
Simples e Princípio	10	Yod	י	O Indicador	10
Dupla	11	Caph	כ	A mão que aperta	20
Simples	12	Lamed	ל	O braço que se abre	30
MÃE	13	Mem	מ	A Mulher	40
Simples	14	Noun	נ	Um Fruto	50
Simples	15	Samech	ס	Serpente	60
Simples	16	Hain	ע	Laço materializado	70
Dupla	17	Phe	פ	A Boca e a Língua	80
Simples	18	Tzad	צ	Teto	90
Simples	19	Caph	ק	Machado	100
Dupla	20	Resch	ר	A Cabeça do Homem	200
MÃE	21	Schin	ש	Flecha	300
Dupla	22	Tau	ת	O Seio	400

Os 10 Nomes Divinos (*Schemoth*)

1. Ehieh
2. Iah
3. Ieovah
4. El
5. Eloha

6. Elohim
7. IAVE Sabaoth
8. Elohim Sabaoth
9. Shadai
10. Adonai

ALGUMAS NOTAS DE ALTA CABALA

O tratado cabalístico *Révolution des ames* (Revolução das almas), tradução inédita para o francês, com comentários do dr. Marc Haven, um dos mais profundos cabalistas contemporâneos, fornece, acerca dos pontos mais elevados dessa doutrina, certos ensinamentos tão úteis de serem conhecidos porque foram frequentemente apresentados de maneira incompleta pelos comentadores da Cabala. Resumindo, segundo o manuscrito do dr. Marc Haven, esses ensinamentos deixam, sobre determinadas questões, o véu que somente a paciência e o esforço pessoal do estudante devem levantar. Por isso, procederemos por meio de notas separadas.

OS MUNDOS[40]

Os Mundos cabalísticos são três, tonalizados por um quarto, a saber:

O Mundo emanativo ou AZILUTH.
O Mundo criativo ou BRIAH.
O Mundo formativo ou IESIRATH.
O Mundo factivo ou ASIAH.

AS PESSOAS

Em cada um desses Mundos, há cinco pessoas místicas, assim dispostas:

Macroprosopo
ou Longânimo.

O PAI	A MÃE
O MICROPROSOPO	A ESPOSA
ou Irascível	

O reflexo dessas pessoas místicas, de cima para baixo, gera as dez *Sephiroth*.

No Homem, as Pessoas encontram-se assim representadas.[41]

CHAIJAH	JECHIDA
NESCHAMAH	RUACH
(Nous)	(Epitumia)

NEPHESCH
(Psique)

---

[40] Vide a esse respeito o escudo precedente sobre os *Mundos cabalísticos*.
[41] Eis por que Davi disse (Salmos 103-104): "Que minha alma louve cinco vezes o Senhor".

ADÃO

Adão manifesta-se em três planos:

ADÃO CADMON
ADÃO BELIAL
ADÃO PROTOPLASTA

Adão Cadmon é o Adão que precedeu a Queda. *Adão Belial* é o Adão das Cascas, e o *Adão Protoplasta* é o Princípio das almas diferenciadas (o que Fabre d'Olivet chama o Homem Universal).

Adão Cadmon manifesta-se nos cinco Princípios reerguidos dos mundos, e Adão Belial, nos cinco Princípios invertidos (isso é um mistério).

AS ALMAS

As Almas são concebidas por meio da diferenciação de Adão Protoplasta; são 60 miríades geradas de acordo com os números místicos a seguir:

3 – 12 – 70 – 613 – 60 miríades.

Aí, e não alhures, encontra-se a origem dos 613 preceitos da Lei.

O *Embrionato das Almas*, ou Ibbur עיכור, é duplo, conforme a alma é nova ou reencarnada.

A *Revolução das Almas*, ou Gilgul גילגיל, completa o mistério do destino humano. Os que conhecem esse mistério sabem que é o homem que possui treze anos e um dia.

CAPÍTULO IV

AS *SEPHIROTH*

(de acordo com Stanislas de Guaita)

As Tabelas das Correspondências

As *Sephiroth* – Enunciado de Stanislas de Guaita

Para concluir o que se relaciona a esta parte da Cabala, falta-nos falar das *numerações*, ou *Sephiroth*. Nesse trabalho extremamente considerável, um dos mais eruditos entre os cabalistas contemporâneos, *Stanislas de Guaita*, condensou importantes dados tanto sobre os nomes divinos quanto sobre as *Sephiroth*.

Esse trabalho não é senão a análise de uma tábua cabalística de *Khunrath*. Falaremos primeiro dessa tábua, sobre a qual o leitor poderá seguir os desenvolvimentos fornecidos por Guaita.

A TÁBUA DE KHUNRATH SOBRE A ROSA-CRUZ
INFORMAÇÃO SOBRE A ROSA-CRUZ

A tábua cabalística é extraída de um pequeno infólio raro e singular, muito conhecido pelos colecionadores de alfarrábios com gravuras e bastante procurado por todos aqueles que, a título diverso, se preocupam com o esoterismo das religiões, com a tradição da doutrina secreta sob os véus simbólicos do cristianismo e, enfim, com *a transmissão do sacerdócio mágico* no Ocidente. "*Amphitheatrum Sapientiae Aeternae, Solivs Verae, christiano-kabalisticum, divino-magicum, necnon physicochemicum, tertriunum, katholikon instructore Henrico Khunrath etc.*, Hanovae, 1609, infólio."

Único no gênero, inestimável, sobretudo, aos pesquisadores desejosos de aprofundar essas perturbadoras questões, infelizmente esse livro está incompleto em grande número de exemplares. É com prazer que talvez possamos fornecer aqui algumas rápidas informações, graças às quais o comprador poderá prever e prevenir uma decepção.

As 12 gravuras a buril encontram-se, em geral, reunidas no frontispício da obra. Estão agrupadas arbitrariamente, tendo o autor negligenciado – de propósito, talvez – precisar a ordem de sequência. O essencial é possuí-las por completo, pois sua classificação varia de exemplar para exemplar.

Três entre elas, em formato simples: 1º) o frontispício alegórico enquadrando o título gravado; 2º) o retrato do autor, cercado de atributos igualmente alegóricos; 3º) uma águia marinha equipada de lunetas, magistralmente empoleirada entre dois brandões acesos, com dois archotes ardentes a tiracolo. Embaixo, uma legenda rimada em alto-alemão duvidoso, que pode ser assim traduzido:

> De que servem brandões, archotes e lunetas
> Para quem fecha os olhos a fim de não ver?

Vêm, a seguir, nove soberbas figuras mágicas, mui cuidadosamente gravadas, em formato duplo e montadas sobre onglettes. São elas: 1º) *O grande andrógino hermético*; 2º) *o Laboratório* de Khunrath*; 3º) *o Adão-Eva no triângulo verbal*; 4º) *a Rosa-Cruz*[42] *pentagramática** (da qual falaremos detalhadamente); 5º) *os Sete degraus do santuário e os sete raios*; 6º) *a Cidadela alquímica* de vinte portas sem saída;* 7º) *o Gymnasium naturae*, figura sintética e muito sábia sob o aspecto de uma paisagem assaz ingênua; 8º) *a Tábua de Esmeralda*, gravada sobre a pedra ígnea e mercurial; 9º) *o Pantáculo de Khunrath*,* enguirlandado por uma

---

[42] Essa figura e a do *Andrógino hermético* foram reproduzidas a buril, com comentários pormenorizados, no frontispício de uma edição revista e consideravelmente aumentada de nossa obra aparecida em 1886: *Essais des sciences maudites: 1. Au seuil du mystère*.

caricatura satírica, bem ao gosto de Callot; é mesmo um verdadeiro Callot por antecipação.

Essa última prancha, de sangrenta ironia e arte selvagem verdadeiramente deliciosa, falta quase sempre em todos os exemplares. Os vários inimigos do teósofo, que se viram caricaturizados por um gênio acerbo que, sem dificuldade, se adivinha triunfalmente cuidadoso com as semelhanças, se encarniçaram em fazer desaparecer uma gravura de tão escandaloso interesse.

Quanto aos outros pantáculos, aqui enunciados por um asterisco, faltam igualmente em inúmeros exemplares.

Ocupemo-nos, agora, do texto dividido em duas seções. As sessenta primeiras páginas, numeradas em separado, compreendem um privilégio imperial (datado de 1598), depois diversas peças: discursos, dedicatória, poesias, prólogo, argumentos. Enfim o texto dos provérbios de Salomão, de que o restante do *Amphitheatrum* é o comentário esotérico.

Vem em seguida a esse comentário a obra propriamente dita, constituída de sete capítulos, seguidos eles próprios por esclarecimentos bastante curiosos sob o título de *Interpretationes et annotationes Henrici Khunrath*. Total da segunda parte: 222 páginas. A última folha ostenta o nome do impressor: G. Antonius, e a data: Hanoviae, M DC. IX.

Terminaremos essa descrição com uma nota importante do erudito bibliófilo G.-F. de Bure, que diz, no tomo II de sua *Bibliographie:* "É preciso assinalar que na primeira parte desta obra, que é de sessenta páginas, se deve encontrar, entre as páginas 18 e 19, uma espécie de tábua particular, impressa sobre uma folha inteira, a buril, intitulada: *Summa Amphitheatri sapientiae* etc., e na segunda parte, de 222 páginas, deve-se encontrar outra tábua, semelhantemente impressa sobre uma folha inteira, a buril, que deve ser colocada na página 151, em que ela é lembrada por duas estrelas inseridas no discurso impresso. Observemos que essas duas tábuas faltavam nos exemplares examinados por nós; por isso, será bom ter cuidado..." (p. 248).

Passemos, agora, ao estudo da prancha cabalística que a *Initiation* ofereceu aos seus assinantes.

ANÁLISE DA ROSA-CRUZ
Segundo Henry Khunrath

Essa figura é um maravilhoso pantáculo, isto é, o resumo hieroglífico de toda uma doutrina: encontram-se aí sintetizados, como o anunciou precedentemente a revista, todos os mistérios pentagramáticos da Rosa-Cruz dos adeptos.

É, em primeiro lugar, o ponto central desdobrando a circunferência em três graus diferentes, o que nos dá as três regiões circulares e concêntricas simbolizando o processo da *Emanação* propriamente dita.

No centro, um Cristo na cruz em uma rosa de luz: é o resplendor do Verbo ou do *Adão-Cadmon* אדסקדמון; é o emblema do Grande Arcano: nunca foi revelada mais audaciosamente a identidade de essência entre o Homem-Síntese e Deus manifestado.

[Não é sem a mais profunda das razões que o hierógrafo reservou para o meio do pantáculo o símbolo que representa a encarnação do Verbo eterno. É, na realidade, *pelo* Verbo, *no* Verbo e *através* do Verbo (indissoluvelmente unido ele mesmo à Vida) que todas as coisas, tanto espirituais quanto corporais, foram criadas. – "*In principio erat Verbum* (diz São João), *et Verbum erat apud Deum, et Deus erat Verbum... Omnia per ipsum facta sunt et sine ipso factum est nihil quod factum est. In ipso vita erat...*" Se se quiser procurar com atenção a parte da figura humana a que se pode atribuir o ponto central, a partir do qual se desenvolve a circunferência, poderá se compreender com que pujança hieroglífica o Iniciador soube exprimir esse mistério fundamental.]

A irradiação luminosa floresce ao redor; é uma rosa desabrochada em cinco pétalas – o astro de cinco pontas do *Microcosmo* cabalístico, a *Estrela flamejante* da Maçonaria, o símbolo da vontade todo-poderosa, armada do gládio de fogo dos Kerubs.

Para falar a linguagem do cristianismo exotérico, é a esfera de *Deus filho* colocada entre a de *Deus Pai* (a Esfera de sombra do alto, onde se sobressai *Ain-Soph* אי׳כוף em caracteres luminosos), e a de *Deus Espírito Santo, Rûach Hakkadôsh* רוחהקדוש (a esfera luminosa embaixo, onde o hierograma *OEmeth* אמת se sobressai em caracteres negros).

Essas duas esferas aparecem como perdidas nas nuvens de *Atziluth* אצלות para indicar a natureza oculta da primeira e da terceira pessoa da Santíssima Trindade: o vocábulo hebraico que as exprime se destaca com vigor, luminoso sobre o fundo de sombras, tenebroso sobre o fundo de luz, para fazer entender que nosso espírito, inapto a penetrar na essência desses princípios, pode apenas entrever suas relações antitéticas, em razão da analogia dos contrários.

Acima da esfera de *Ain-Soph* o vocábulo sagrado de *Iehovah*, ou *Ihoâh*, se decompõe num triângulo de chama, como segue:

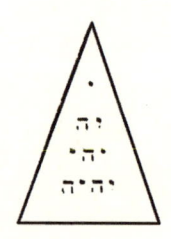

Sem nos engajarmos na análise hieroglífica desse vocábulo sagrado nem pretendermos, sobretudo, expor aqui os arcanos de sua geração – o que exigiria intermináveis desenvolvimentos –, podemos dizer que sob *esse ponto de vista especial Yod* X simboliza o Pai, *Iah* X, o Filho, *Iahô* X, o Espírito Santo, *Iahôah* X, o Universo vivo: e esse triângulo místico é atribuído à esfera do inefável *Ain-Soph*, ou de Deus Pai. Os cabalistas desejaram mostrar por ele que o Pai é a fonte da Trindade toda inteira e, além do mais, contém em virtualidade oculta tudo o que é, foi ou será.

Acima da esfera de *OEmeth*, ou do Espírito Santo, na irradiação mesma da rosa-cruz e sob os pés do Cristo, uma pomba com tiara pontifical empreende seu voo flamejante: emblema da dupla corrente de amor e de luz que desce do Pai ao Filho – de Deus ao Homem – e remonta do Filho ao Pai – do Homem a Deus; suas duas asas estendidas correspondem exatamente ao símbolo pagão das duas serpentes entrelaçadas do caduceu de Hermes.

Somente aos iniciados pertence a compreensão dessa aproximação misteriosa.

Voltemos à esfera do *Filho*, que requer comentários mais extensos. Anteriormente, assinalamos o caráter impenetrável do *Pai* e do *Espírito Santo*, considerados em essência.

A *segunda pessoa* da Trindade, por si só – representada pela Rosa-Cruz central –, trespassa as nuvens de *Atziluth*, nelas dardejando os dez raios sephiróticos.

São como outras tantas janelas abertas sobre o grande arcano do Verbo e por onde se pode contemplar seu esplendor sob dez pontos de vista diferentes. O *Zohar* compara, na verdade, as dez *Sephiroth* a outros tantos vasos transparentes de cor discordante, através dos quais resplende, sob dez aspectos diversos, o foco central da Unidade-síntese. Suponhamos ainda uma torre perfurada com dez caixilhos, no centro da qual brilha um candelabro de cinco braços; esse luminoso quinário será visível em cada um desses caixilhos; quem se detiver consecutivamente poderá contar dez candelabros ardentes de cinco braços... (Multiplicai o pentagrama por dez, fazendo esplender as cinco pontas em cada uma das dez aberturas, e tereis as *Cinquenta Portas de Luz*.)

Quem pretende a síntese deve entrar na torre; aquele que apenas sabe contorná-la é um analítico puro. Veja-se bem a quantos erros de óptica ele se expõe, se quiser raciocinar sobre o conjunto.

Posteriormente, diremos algo mais sobre o sistema sephirótico: é necessário terminar o assunto do emblema central. Reduzido às proporções geométricas de um esquema, ele pode ser traçado assim:

Uma cruz encerrada na estrela flamejante. É o quaternário que encontra sua expansão no quinário; é o Espírito que se submultiplica para descer à cloaca da matéria na qual ficará atolado por certo tempo, porém seu destino é encontrar no próprio envilecimento a revelação de sua personalidade, e – presságio de salvação – ele sente, já no último degrau de sua queda, surgir em si a grande força da Vontade. É o Verbo, יהוה, que se encarna e se torna o *Cristo doloroso*, ou o homem corporal, יהשוה, até o dia em que, assumindo com ele sua natureza humana regenerada, entrará em sua glória.

É isso o que exprime o adepto Saint-Martin no primeiro tomo de *Erreurs et Verité,* quando ensina que a queda do homem provém do fato de ele ter invertido as folhas do Grande Livro da Vida e substituído a quarta página (a da imortalidade e da entidade espiritual) pela quinta (a da corrupção e da queda).

Adicionando o quaternário crucial e o pentagrama estrelado, obtém-se 9, cifra misteriosa cuja explicação detalhada nos faria sair do quadro que delineamos. Noutro lugar, em *Lotus,* tomo II, nº 12, pp. 327-28, detalhamos longamente e demonstramos por um cálculo de cabala numérica como e por que o 9 é o número *analítico* do homem. Remetemos o leitor a esse relato...

Observemos ainda – posto que tudo se conserva em Alta Ciência e as concordâncias analógicas são absolutas – que nas figuras esféricas da *Rosa-Cruz* a rosa, tradicionalmente, é formada por *nove* circunferências entrelaçadas, à semelhança dos anéis de uma corrente. Sempre o número analítico do homem: 9!

Uma importante advertência, confirmação nova da nossa teoria. É evidente, a todos aqueles que possuem algumas noções esotéricas, que os quatro braços da cruz interior (representada pelo Cristo com os braços abertos) devem ser marcados pelas letras do tetragrama: *Yod, he, vau, he*. Não desejaríamos retornar aqui sobre o que dissemos alhures[43] em relação à composição hieroglífica e gramatical dessa palavra sagrada: os comentários mais extensos e mais completos encontram-se comumente nas obras de todos os cabalistas. (Ver, de preferência, Rosenroth, *Kabbala denudata*; Lenain, *La science kabbalistique*; Fabre d'Olivet, *Langue hébraique restituée*; Éliphas Lévi, *Dogma e Ritual da Alta Magia, História da Magia, A Chave dos Grandes Mistérios*; e Papus, *Tratado Elementar de Magia Prática*.) Mas consideremos por um instante o hierograma Jeschua יהשוה: de que elementos é composto? Todos podem ver aqui o famoso tetragrama יהוה esquartejado pelo meio יה-וה, depois ressoldado pela letra hebraica ש *schin*. Ora, יהוה exprime aqui o *Adão-Cadmon*, o Homem na síntese integral, numa palavra, a divindade manifestada pelo *Verbo* e figurando a união fecunda do Espírito e da Alma universais. Cindir essa palavra é emblemar a desintegração de sua unidade e a multiplicação divisional que daí resulta para a geração de submúltiplos. O *schin* ש, que une os dois restos, representa (Arcano 21, ou 0 do Tarô) o fogo gerador e sutil, o veículo da vida não diferençada, o *Mediador plástico universal*, cuja função é efetuar as encarnações, permitindo ao Espírito descer na matéria, penetrá-la, esmerá-la, elaborá-la, enfim, à sua maneira. O ש como traço de união das duas partes do tetragrama mutilado é, portanto, o símbolo da queda e da fixação, do mundo elementar e material, de יהוה desintegrado da unidade.

É ש, enfim, cuja adição ao *quaternário* verbal, do modo como dissemos, que engendra o *quinário*, ou número da queda. Saint-Martin compreendeu perfeitamente isso. Mas 5, que é o número da queda, é também o número da vontade, e a vontade é o instrumento da reintegração.

Os iniciados sabem que a substituição apenas transitória do 5 pelo 4 é desastrosa; como no lodo em que chafurda decaído, o submúltiplo humano aprende

---

[43] *Au seuil du mystère*, 1 vol. Gr. In-8º quadrado, 1886, p. 12. – *Lotus*, t. II, nº 12, p. 321-47, *passim*...

a conquistar uma personalidade verdadeiramente livre e consciente. Feliz culpa! De sua queda, ele se reergue mais forte e maior; é assim que o *mal* jamais sucede ao *bem*, salvo temporariamente e para realizar *o melhor!*

Esse número 5 oculta os mais profundos arcanos; mas somos forçados a nos apressar aqui, sob pena de nos encontrarmos empenhados em intermináveis digressões. O que dissemos sobre o 4 e o 5 nas relações com a Rosa-Cruz bastará aos *Iniciáveis*. É tão somente para eles que escrevemos.

Digamos, agora, algumas palavras a respeito dos dez raios que penetram a região das nuvens, ou de *Atziluth*. É o denário de Pitágoras que denominamos em Cabala *emanação sephirótica*. Antes de apresentarmos aos nossos leitores a mais luminosa classificação das *Sephiroth* cabalísticas, traçaremos um pequeno quadro das correspondências tradicionais entre as dez *Sephiroth* e os dez principais nomes dados à divindade pelos teólogos hebreus: esses nomes, que Khunrath gravou em círculos no desabrochamento da rosa flamejante, correspondem, cada um, a uma das dez *Sephiroth*. (Ver quadro na p. 521.)

Quanto aos nomes divinos, depois de termos fornecido sua tradução em linguagem popular, deduziremos, tão brevemente quanto possível, do exame hieroglífico de cada um deles a significação esotérica média que lhes pode ser atribuída:

אהיה – O que constitui a essência incorruptível do Ser absoluto em que fermenta a vida.

יה – A indissolúvel união do Espírito e da Alma universais.

יהיה – Copulação dos Princípios macho e fêmea que engendram eternamente o Universo vivo (Grande Arcano do Verbo).

אל – O desdobramento da Unidade-princípio. – Sua difusão no Espaço e no Tempo.

אלהימגכור – Deuses dos Deuses dos gigantes ou dos homens-deuses.

אלוה – Deus refletido em um dos deuses.

יהיהצבאות – O *Yod-hevé* (ver páginas anteriores) do setenário ou do triunfo.

אלהים צבאות – Deuses dos Deuses do setenário ou do triunfo.

שדי – O fecundador pela Luz astral em expansão quaternizada, seu posterior retorno ao princípio jamais oculto de onde ele emana. (Masculino de שדה, a Fecundada, a Natureza.)

אדני – A multiplicação quaternária ou cúbica da Unidade-princípio para a produção do vir a ser, alternando-se incessantemente (o παντα ρει de Heráclito); depois, a ocultação final do objetivo concreto, pelo retorno ao subjetivo potencial.

טלד – A Morte maternal, grávida da vida: lei fatal em desdobramento em todo Universo que interrompe com força repentina seu movimento de perpétua mudança cada vez que um ser qualquer se objetiva.

Esses são os hierogramas em uma de suas significações secretas.

―⚬⚬⚬―

Observemos, agora, que cada uma das dez *Sephiroth* (aspectos do Verbo) corresponde, no pantáculo de Khunrath, a um dos coros angélicos; ideia sublime quando se sabe aprofundá-la. Os anjos, na Cabala, não são seres de essência particular e imutável: tudo vive, move-se e transforma-se no Universo vivo! Aplicando às hierarquias celestes a bela comparação pela qual os autores do *Zohar* tentam exprimir a natureza das *Sephiroth*, diremos que os coros angélicos são comparáveis a invólucros transparentes e de cores diversas, em que vêm a brilhar, alternadamente, com luz, cada vez mais esplêndida e pura, os Espíritos que, definitivamente libertos das formas temporais, sobem os supremos degraus da escada de Jacó, cujo cimo é ocupado pelo Inefável יהוה.

A cada um dos coros angélicos, Khunrath faz corresponder, ainda, um dos versículos do decálogo: é como se o anjo diretor de cada degrau abrisse a boca para promulgar um dos preceitos da lei divina. Mas isso parece um pouco arbitrário e menos digno de nossa atenção.

―⚬⚬⚬―

Uma ideia bem mais profunda do teósofo de Leipzig consiste em fazer saírem as letras do alfabeto hebraico da nuvem de Atziluth crivada dos raios sephiróticos.

Fazer com que nasçam dos contrastes da Luz e das Trevas as 22 letras do alfabeto sagrado hieroglífico – as quais correspondem, como se sabe, aos 22 arcanos da Doutrina absoluta, traduzidos em pantáculos nas 22 chaves do *Tarô* samaritano – não é outra coisa senão condensar, numa imagem surpreendente, toda doutrina do *Livro da Formação, Sepher Yetzirah* ספר יצירה? Esses emblemas, na realidade, alternadamente irradiantes e lúgubres, misteriosas figuras que tão bem simbolizam o *Fas* e o *Nefas* do eterno Destino, Henry Khunrath os faz nascer do acoplamento fecundo da Sombra e da Claridade, do Erro e da Verdade, do Mal e

Sephiroth		Nomes divinos relacionados a elas	
כתר Kether	A Coroa	אהיה Acte	O Ser
חכמה Chokmah	A Sabedoria	יה Jah	Jah
בינה Binah	A Inteligência	יהוה Jhôah	Jehouah O Eterno
חסד Chesed	A Misericórdia	אל AEl	AEl
גבורה Geburah	A Justiça	אלהים גבור Ghibbor AElohim	AElohim Ghibbor
תפארת Tiphareth	A Beleza	אלוה AEloha	AEloha
נצח Netzach	A Eternidade	צבאות Zebaoth	AElohim Sabaoth
הוד Hod	O Fundamento	יהוה צבאות Jhôah Zebaoth	Jehovah Sabaoth
יסוד Yesod	A Vitória	שדי Schaddai	O Todo-Poderoso
מלכות Malkuth	O Reino	אדני מלך Adonai Meleck	O Senhor Rei Deus dos exércitos

do Bem, do Ser e do Não Ser! Eles surgem repentinamente no horizonte de imprevistos fantasmas, de rosto sorridente ou lúgubre, esplêndido ou ameaçador, quando no amontoamento das nuvens densas e escuras Febo, mais uma vez ainda vencedor de Píton, dardeja suas flechas de ouro.

Esse quadro fornecerá, com o sentido real das *Sephiroth*, as correspondências que a Cabala estabelece entre elas e as hierarquias espirituais.

Para completar as noções elementares que pudemos fornecer no tocante ao sistema sephirótico, terminaremos esse trabalho pelo esquema bastante conhecido do tríplice ternário; essa classificação é, na nossa opinião, a mais luminosa e fecunda em preciosos corolários.

Os três ternários representam a trindade manifestada nos três mundos.

O primeiro ternário – o do mundo intelectual – é, por si, a representação da trindade santa: a *Providência* nele equilibra os dois pratos da Balança da ordem divina: a *Sabedoria* e a *Inteligência*.

Os dois ternários inferiores são apenas os reflexos do primeiro nos meios mais densos dos mundos moral e astral. Por isso estão *invertidos*, como a imagem de um objeto que se reflete na superfície de um líquido.

No mundo moral, a *Beleza* (ou a Harmonia, ou a Retidão) equilibra os pratos da Balança: a *Misericórdia* e a *Justiça*.

No mundo astral, a *Geração*, instrumento da estabilidade dos seres, assegura a *Vitória* sobre a morte e o nada, alimentando a *Eternidade* pela inesgotável sucessão das coisas efêmeras.

Enfim, *Malkuth*, o *Reino* das formas, realiza embaixo a síntese totalizada, desabrochada e perfeita das *Sephiroth*, em cujo cimo *Kether*, a *Providência*, ou a coroa, fecha a síntese germinal e potencial.

Muitas coisas nos restariam ainda por dizer sobre a Rosa-Cruz simbólica de Henry Khunrath. Mas é preciso limitarmo-nos.

Em suma, um livro inteiro não bastaria para o desenvolvimento lógico e normal da matéria que correntemente indicamos em algumas notas; por isso, o leitor nos julgará fatalmente demasiado abstratos e até mesmo obscuros. Apresentamos-lhe nosso pedido de desculpas.

As *Sephiroth* de		correspondem a	
כתר *Kether*	A Providência equilibrante	חיות הקדש *Haioth Hakkadôsh*	As inteligências providenciais
חכמה *Chokmah*	A divina Sabedoria		
בינה *Binah*	A Inteligência sempre ativa	אופנים *Ophanim*	Os Motores das rodas estreladas
חסד *Chesed*	A Misericórdia infinita	אראלים *Aralim*	Os Poderosos
גבורה *Geburah*	A absoluta Justiça	חשמלים *Hasmalim*	Os Lúcidos
תפארת *Tiphareth*	A incorruptível Beleza	שרפים *Seraphim*	Os Anjos que ardem de zelo
נצח *Netzach*	A Vitória da Vida sobre a Morte	מלאכים *Malachim*	Os Reis do esplendor
הוד *Hod*	A Eternidade do Ser	אלהים *AElohim*	Os Deuses (enviados de Deus)
יסוד *Yesod*	A geração, pedra angular da estabilidade	בני אלהים *Benê AElohim*	Os Filhos dos deuses
מלכות *Malkuth*	O princípio das Formas	כרובים *Querubim*	Os Ministrantes do fogo astral
		אישים *Ischim*	As Almas glorificadas

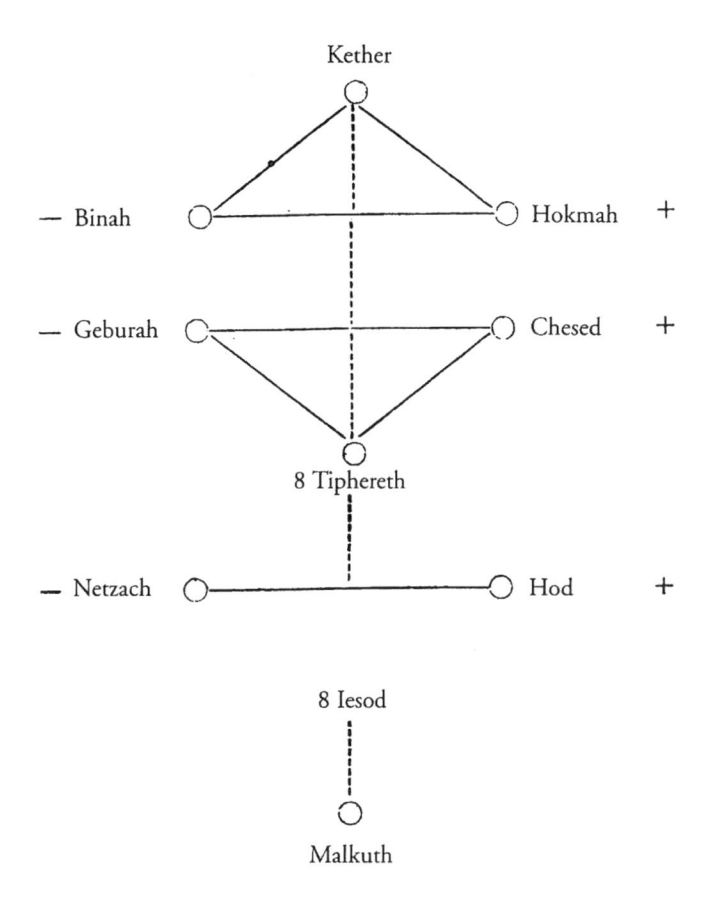

```
                    Kether
                      ○
                    ╱ ┊ ╲
                  ╱   ┊   ╲
— Binah    ○━━━━━━━━━━━○ Hokmah   +
                      ┊
                      ┊
— Geburah  ○╲         ┊        ╱○ Chesed   +
             ╲        ┊       ╱
              ╲       ┊      ╱
               ╲      ┊     ╱
                      ○
                 8 Tiphereth
                      ┊
                      ┊
— Netzach  ○━━━━━━━━━━━○ Hod      +

                   8 Iesod
                      ┊
                      ┊
                      ○
                   Malkuth
```

Talvez, se se quiser aprofundar a Cabala nas próprias fontes, não será enfadonho encontrar, no curso desta exposição compacta e tão fatigante de leitura, a indicação precisa e mesmo a explicação em linguagem iniciática de um número assaz notável de arcanos transcendentes.

A Cabala, como a álgebra, tem suas equações e seu vocabulário técnico. Leitor, essa é uma linguagem a ser aprendida e cuja maravilhosa precisão e emprego costumeiro vos compensarão fartamente os esforços dispensados por vosso espírito durante o período do estudo.

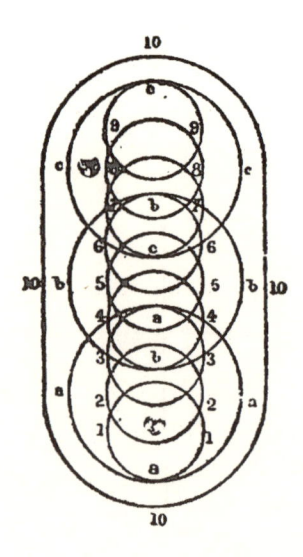

Círculo resumindo o ensino da Cabala (ver cap. VI, p. 185)

DERIVAÇÃO DOS CANAIS

(Ver o quadro frontispício (p. 132) para os sete que eles unem. Só indico aqui os nomes divinos que eles designam.)

1	א	Deus da infinidade	איה
2	ב	Deus da Sabedoria	ביה
3	ג	Deus da Retribuição	גיה
4	ד	Deus das Portas de Luz	דיה
5	ה	Deus de Deus	היה
6	ו	Deus fundador	ויה
7	ז	Deus do raio (*fulgoris*)	זיה
8	ח	Deus de Misericórdia	חיה
9	ט	Deus da Bondade	טיה
10	י	Deus princípio	ייה

11	כ	Deus imutável	כיה
12	ל	Deus dos 30 caminhos da Sabedoria	ליה
13	מ	Deus arcano	מיה
14	נ	Deus das 50 Portas de Luz	ניה
15	ס	Deus fulminante	סיה
16	ע	Deus conjurante	עיה
17	פ	Deus dos Discursos	פיה
18	צ	Deus de Justiça	ציה
19	ק	Deus do Direito	קיה
20	ר	Deus cabeça	ריה
21	ש	Deus Salvador	שיה
22	ת	Deus fim de tudo	תיה

Todos os males têm a mesma terminação יה. Sua significação depende unicamente da letra inicial e, em consequência, pode servir para estabelecer o significado da própria letra inicial.

RESUMO

Há, pois, entre os números, os nomes divinos, as letras e as *Sephiroth* estreitas relações: *Stanislas de Guaita* acaba de enumerar algumas delas; as duas tabelas seguintes, extraídas, um de *Kircher* e outro do R. P. *Esprit Sabbathier*, vão desenvolver ainda mais todas essas concordâncias e resumir tudo o que dissemos até aqui. Inserimos uma tábua geral mostrando não apenas as *Sephiroth* e os nomes divinos, mas ainda a Cabala inteira numa visão de conjunto.

Prometemos findar nossa exposição fornecendo os planos dos dois principais tratados feitos sobre o assunto: o de *Kircher* e o de *Lenain*. O leitor compreenderá agora esses planos graças ao relato que acaba de percorrer e verá que fizemos todos os esforços para resumir, da melhor forma possível, essa parte da cabala hebraica.

TÁBUA DO DENÁRIO CABALÍSTICO POR KIRCHER

10 Preceitos da Lei	Membros do Homem Terrestre	Membros Místicos do Homem Celeste	Membros místicos do Homem arquétipo	Membros místicos comparados aos ortodoxos	Nomes de Deus	Sephiroths correspondentes
1	Cérebro	Céu empíreo	Haroth	Serafins	אהיה Sum qui sum	Coroa
2	Pulmão	1º móvel	Ophanim	Querubins	יה Essência Essencializante	Sabedoria
3	Coração	Firmamento	Aralim	Tronos	יהוה Deus dos Deuses	Inteligência
4	Estômago	Saturno	Haschemalim	Dominações	אל Deus criador	Grandeza
5	Fígado	Júpiter	Serafim	Virtudes	אלוה Deus poderoso	Força
6	Fel	Marte	Melachim	Potestades	אלהים Deus forte	Beleza
7	Baço	Sol	Elohim	Principados	יהוה צבאות Deus dos exércitos	Vitória
8	Rins	Vênus	Ben Elohim	Arcanjos	אלהים Senhor dos exércitos	Glória
9	Genitais	Mercúrio	Querubim	Anjos	שדי Todo-Poderoso	Fundamento
10	Matriz	Lua	Ischim	Almas	אדני Senhor	Reino

PLANO DE ESTUDO DE KIRCHER

Cap.
1. Os nomes divinos – as divisões da Cabala
2. História e origens da Cabala
3. Primeiro fundamento da Cabala. – O alfabeto, ordem mística de seus caracteres
4. Os nomes e sobrenomes de Deus
5. As tábuas Zruph ou combinações do alfabeto hebraico
6. O nome divino de 72 letras יהוה e seu emprego
7. O nome divino tetragramático na Antiguidade pagã
8. Secretíssima teologia mística dos hebreus. Cabala das dez *Sephiroth* ou numerações divinas
9. Diversas representações das *Sephiroth*, de sua influência e de seus canais
10. A Cabala natural intitulada Bereshit[44]

PLANO DE ESTUDO DE LENAIN

Cap.
1. Do Nome de Deus e Seus atributos
2. Origem dos nomes divinos, seus atributos e sua influência sobre o Universo (alfabeto e sentido das letras)
3. Explicação dos 72 atributos de Deus e dos 72 anjos que dominam o Universo
4. Os 72 nomes
5. Explicação do calendário sagrado
6. As influências dos 72 gênios, seus atributos e seus mistérios
7. Os mistérios (Cabala prática). Magia.

---

[44] Vide, para desenvolvimento, p. 158, n. 179.

3º MUNDO (DIVINO), pelo R. P. Esprit Sabbathier

M. S.	INTELIGÊNCIA DAS ESFERAS	ORDENS DOS BEM-AVENTURADOS	
ד ע	Príncipe do Mundo מטטרון: Mittatron	Serafins חיות הקודש Hakkodesch haioth	Animais
ה פ	Correio de Deus רציאל: Ratsiel	Querubins אופנים: Ophanim	Rodas
ו ח צ	Contemplação de Deus צפקיאל Tsaphkiel	Tronos אדאלים: Erelim	Poderosos
ז ♃ ק	Justiça de Deus צדקיאל Tsadkiel	Dominações השמאלים Haschmalim	Resplandecentes
ח ♂ ר	Punição de Deus סמאל Sammael	Potestades שדפים Serafim	Inflamados
ט ☉ ש	Semelhante a Deus מיבאל Miguel	Virtudes מלבים Melachim	Reis
י ♀ ת	Graça de Deus האגיאל Hanniel	Principados אלהים Eloim	Deuses
ב ☿ ד	Médico de Deus רפאל Rafael	Arcanjos אלהים Elohim	Filhos de Deus בני Bene
ל ☾ ס	Homem de Deus גבריאל Gabriel	Anjos ברובים Querubim	Base dos Filhos
מ ז	Messias מטטרון: Mittatron	Almas bem-aventuradas אשים Ischim	Homens
ג פ		Nenhum nome de 11 letras, mau número,	
ס ע			

(Retiro ideal da Sabedoria universal)

SEPHIROTH	NOMES DE DEUS SEGUNDO O NÚMERO DE LETRAS			NOMES DE DEUS CABALÍSTICOS	
Coroa כתר: Kether		Eu י: I		Eu serei אהיה Ehie	
Sabedoria הבמה Chokmah	Deus אל El		Ser de si יה Iah	O Ser dos seres יהוה Jehova	Eu י I
Inteligência בינה Binah	Jesus ישו: Jeschou		Todo-poderoso שדי Schaddai	Deus אלהים Elohim	Ser dos Seres יהוה Ser dos Seres
Liberdade הסר: Chesed		Ser dos Seres יהוה: Jehová		Deus אל: El	
Força גבורה Geburah	Salvador יהשוה Jehoschouha	Deus אלהים Elohim	Altíssimo עליון Helion	Forte גבדה Gibor	Deus אלהים Elohim
Beleza תפראת Tiphareth		Deus forte אל-גבוד El Gilbora		Deus אלוה Eloah	
Vitória גצה Netzach		Imutável אדאדיתא Ararita		Dos exércitos צבאות Tsebaoth	Senhor יהוה Jehovah
Louvores הוד Hod		A Ciência de Deus יהוה Jehovah		Dos exércitos צבאות Tsebaoth	Deus אלהים Elohim
Estabelecimento יסוד Yesod	Dos Exércitos בצאות Tsebaoth		Senhor יהוה Jehovah	Todo-Poderoso שדי Schaddai	
Realeza מלבות Malkuth	Dos Exércitos צבאות Tsebaoth		Deus אוהים Elohim	Senhor אדני Adonai	
segundo os hebreus.				Deus מקוס Makrom	
	Espírito Santo הקדש Hahkodesch	Filho ודוה Verouah	Pai בן Ben	Deus Uni-Trindade אגלא Agla	Ab

CAPÍTULO V

A FILOSOFIA DA CABALA

A Alma segundo a Cabala

2º - A Filosofia da Cabala

A parte sistemática da Cabala encontra-se exposta no parágrafo precedente. Resta-nos falar da parte filosófica.

Por ocasião da reedição do excelente livro de Ad. Franck, fizemos uma crítica dessa obra, na qual resumimos, da melhor forma possível, os ensinamentos doutrinários da Cabala, vinculando-os a alguns pontos da ciência contemporânea, segundo nosso hábito.

O melhor a fazer aqui seria reproduzir esse trabalho, seguido da carta que Franck nos remeteu sobre o assunto. Em sequência, para indicar perfeitamente a profundidade dos dados cabalísticos no que concerne ao homem e às suas transformações e a identidade desses dados com a tradição oriental, terminaremos esse parágrafo com o estudo de um cabalista alemão contemporâneo, *Carl de Leiningen*.

1
ANÁLISE DO LIVRO DE AD. FRANCK
A CABALA

O sr. Franck fez da Cabala um estudo muito sério e bastante aprofundado, mas do ponto de vista particular dos filósofos contemporâneos e da crítica universitária. Cabe-nos resumir, da melhor maneira possível, suas opiniões sobre o assunto, cotejando-as com as dos cabalistas contemporâneos que conhecem mais ou menos o Esoterismo. Esses dois pontos de vista um pouco diferentes não podem esclarecer, senão por meio de uma visão completamente nova, uma questão tão importante da Ciência Oculta.

Tais considerações indicam por si mesmas o plano que seguiremos neste estudo. Resumiremos as opiniões do sr. Franck sobre a própria Cabala, sobre sua antiguidade e sobre seus ensinamentos, discutindo sempre as conclusões desse autor e comparando-as às dos ocultistas contemporâneos.

Todavia, devemos nos limitar às questões mais gerais, dado o quadro restrito em que terá que ser desenvolvido nosso artigo.

Vejamos, primeiro, o plano sobre o qual está construído o livro do sr. Franck.

O método seguido em sua disposição é notável pela clareza com que assuntos tão difíceis se apresentam ao leitor.

Três partes, uma introdução e um apêndice formam o arcabouço da obra.

A *introdução e o prefácio* dão uma ideia geral da Cabala e de sua história.

A *primeira parte* trata da antiguidade da Cabala, de acordo com seus dois livros fundamentais, o *Sepher Yetzirah* e o *Zohar*, cuja autenticidade é admiravelmente discutida.

A *segunda parte*, a mais importante, sem dúvida, analisa as doutrinas contidas nesses livros, base dos estudos cabalísticos.

Enfim, *a terceira parte* estuda as aproximações do sistema filosófico da Cabala, com as diversas escolas que podem apresentar com ela alguma analogia.

O *apêndice* é consagrado a duas seitas cabalísticas.

Em resumo, todas essas matérias podem se encerrar nas seguintes perguntas:

1ª) O *que* é a Cabala e qual *é a sua antiguidade?*

2ª) *Quais são os ensinamentos da Cabala:*
sobre Deus;
sobre o Homem;
sobre o Universo?
3ª) *Qual é a influência da Cabala sobre a filosofia através das idades?*

Seria preciso um volume para tratar com o devido merecimento semelhante assunto; mas devemos nos contentar com o que temos e nos limitar às indicações estritamente necessárias a essa realização.

I
O QUE É A CABALA E QUAL É A SUA ANTIGUIDADE

Situando-se no terreno estrito dos fatos estabelecidos sobre sólida erudição, o sr. Franck assim define a Cabala:

> Uma doutrina que tem mais de um ponto de semelhança com as de Platão e de Spinoza; que, por sua forma, se eleva, algumas vezes, até o tom majestoso da poesia religiosa; que nasceu na mesma terra e quase simultaneamente com o cristianismo; que, durante um período de doze séculos, sem outra prova afora a hipótese de uma antiga tradição, sem outro móvel aparente afora o desejo de penetrar mais intimamente no sentido dos livros sagrados, se desenvolveu e propagou à sombra do mais profundo mistério: eis aí o que se encontra, depois de depurada de toda liga, nos monumentos originais e nos mais antigos destroços da Cabala.

Sobre a primeira parte dessa definição, todos os ocultistas estão de acordo: a Cabala constitui, na realidade, *uma doutrina tradicional,* como seu próprio nome o indica.[45]

Mas divergimos de opinião por completo com o sr. Franck sobre a questão da *origem* dessa tradição.

---

[45] "Parece, no dizer dos mais famosos rabinos, que o próprio Moisés, prevendo o destino que seu livro haveria de sofrer e as falsas interpretações que lhe seriam dadas na sequência dos tempos, recorreu a uma lei oral, que transmitiu de viva voz a homens de confiança, cuja fidelidade pusera à prova, aos quais encarregou de transmiti-la no segredo dos santuários a outros homens que, transmitindo-a também por sua vez, a fizessem chegar à posteridade remota. Essa lei oral à qual os judeus modernos se orgulham de ainda possuir chama-se Cabala, de uma palavra hebraica que significa o que é recebido, o que vem de algures, o que é passado de mão em mão." (FABRE D'OLIVET, *Langue hébraïque restituée,* p. 29.)

Em seus trabalhos, o crítico universitário não pode se desviar de certas regras estabelecidas, a principal das quais consiste em não apoiar a origem das doutrinas que estuda, senão sobre os documentos perfeitamente autênticos para ele, sem se ocupar das afirmações mais ou menos interessadas dos partidários da doutrina estudada.

Esse é o método seguido pelo sr. Franck em suas pesquisas históricas a respeito da Cabala. Ele determina, o melhor possível, a origem das duas obras fundamentais da doutrina – o *Sepher Yetzirah* e o *Zohar* – e infere dessa origem mesma a da Cabala por inteiro.

O ocultista não necessita levar em conta esses entraves. Um símbolo antigo é para ele um monumento tão autêntico e tão precioso quanto um livro, e a tradição oral só pode transmitir de maneira dogmática fórmulas que a razão e a ciência devem controlar e verificar ulteriormente.

Wronski define os dogmas dos *porismas*, ou seja, *dos problemas a demonstrar*;[46] é por isso que devemos colocar em primeiro lugar os dogmas tradicionais, sem jamais admiti-los, porém, antes de os ter cientificamente verificado.

Ora, veremos o que a tradição oculta nos ensina a respeito da origem do Esoterismo e, consequentemente, da própria Cabala, colocando como *problema a demonstrar* o que a ciência não pôde ainda esclarecer, mas indicando, contrariamente, os pontos em que ela vem confirmar as conclusões da tradição oral ou escrita da Ciência Oculta.

Cada continente viu gerar-se progressivamente uma flora e uma fauna coroadas por uma raça humana. Os continentes nasceram de tal modo que aquele que continha a raça humana, que deveria suceder à existente, nascia no momento em que esta última estava em plena civilização. Diversas grandes civilizações assim se sucederam em nosso planeta, na seguinte ordem:

1ª) A extraordinária civilização da Atlântida, criada pela *Raça Vermelha*, evoluída de um continente hoje desaparecido, que se estendia no lugar do oceano Atlântico.

2ª) No momento em que a Raça Vermelha estava em plena civilização, nascia um continente novo, que constitui a África de hoje, gerando, como termo último de evolução, a *Raça Negra*.

---

[46] WRONSKI, *Messianisme ou réforme absolue du Savoir humain*, t. II, introdução.

Quando se produziu o cataclismo que submergiu a Atlântida, designado por todas as religiões como *Dilúvio universal*, a civilização passou rapidamente às mãos da Raça Negra, à qual alguns sobreviventes da Raça Vermelha transmitiram seus principais segredos.

3º) Enfim, quando os negros atingiram o apogeu de sua civilização, nasceu, como novo continente (Europa-Ásia), a *Raça Branca*, à qual deveria ser passada ulteriormente a supremacia sobre o planeta.

Os dados que acabamos de resumir aqui não são novos. Os que sabem ler esotericamente o *Sepher* de Moisés nele encontrarão a chave nas primeiras palavras do livro, como nos mostrou Saint-Yves d'Alveydre; mas, sem ir tão longe, Fabre d'Olivet, desde 1820, desvendava essa doutrina na *Histoire philosophique du genre humain*. Por outro lado, o autor da *Mission des juifs* nos faz ver a aplicação dessa doutrina no próprio *Ramayana*.

A Geologia, aliada à Arqueologia e à Antropologia, veio provar a realidade de diferentes pontos dessa tradição.

Ademais, certos problemas ainda obscuros na teoria da evolução – entre outros, o da *diversidade das cores* da Raça Humana – encontram aqui preciosos dados ainda desconhecidos da Ciência oficial.

É da Raça Vermelha que vem originariamente a *tradição*, e, se nos lembrarmos bem de que *Adão* quer dizer *terra vermelha*, compreenderemos por que os cabalistas fazem provir sua ciência do próprio Adão.

Essa tradição teve como sítios principais de transmissão: a *Atlântida*, a *África*, a *Ásia* e, enfim, a *Europa*.

A Oceania e a América são vestígios da Atlântida e de um continente anterior: a Lemúria.

Muitas dessas afirmações dogmáticas são ainda *porismas* (problemas a demonstrar) para o cientista contemporâneo; por isso, nos contentamos em colocá-los sem discussão e vamos agora partir do ponto a que chegou a ciência oficial como origem da Humanidade: a Ásia.

Todas as tradições – dos *Ciganos*,[47] dos *Franco-maçons*,[48] dos *Egípcios* e dos Cabalistas[49] –, corroboradas pela própria Ciência oficial, concordam em considerar a Índia a origem dos nossos conhecimentos filosóficos e religiosos.

O mito de *Abraão* indica, conforme o demonstrou Saint-Yves d'Alveydre, a passagem da tradição indiana ou oriental ao Ocidente; e, como a Cabala que hoje possuímos não é outra coisa senão essa mesma tradição adaptada ao espírito ocidental, compreende-se por que o mais velho livro cabalístico conhecido, o *Sepher Yetzirah*, traz no frontispício a inscrição a seguir:

O LIVRO CABALÍSTICO DA CRIAÇÃO

Em Hebreu, *Sepher Yetzirah*

Por Abraão

Transmitido sucessiva e oralmente a seus filhos; após o quê, tendo em vista o mau estado dos negócios de Israel, foi confiado pelos sábios de Jerusalém aos arcanos e às letras do sentido mais oculto.[50]

Para provar a verdade dessa afirmação, nos seria necessário mostrar os princípios fundamentais da Cabala e, em particular, as *Sephiroth* no esoterismo indiano. Esse ponto, que escapou ao sr. Franck, nos permitirá colocar a origem da filiação muito além do primeiro século da nossa era. É o que faremos de imediato.

Para o momento, contentemo-nos em dizer algumas palavras sobre a existência dessa tradição esotérica na Antiguidade, tradição que existe de fato, malgrado a opinião de Littré,[51] partilhada, em parte, por um dos autores do *Diccionnaire philosophique*, de Ad. Franck.[52]

Todo reformador religioso ou filosófico da Antiguidade dividia sua doutrina em duas partes: uma velada, para uso da turba, ou *exoterismo*; a outra clara, para uso dos iniciados, ou *esoterismo*.

Sem querer falar dos orientais Buda, Confúcio ou Zoroastro, a história nos mostra Orfeu desvelando o esoterismo aos iniciados pela criação dos *mistérios*;

---

[47] Vide a *Kabbale dês bohémiens*, nº 2 da *Initiation*.
[48] Vide RAGON, *Orthodoxie maçonnique*.
[49] Vide SAINT-YVES D'ALVEYDRE, *Mission des juifs*.
[50] PAPUS, o *Sepher Yetzirah*, p. 5.
[51] Prefácio à 3ª edição de *Salverte* (Ciências Ocultas).
[52] Verbete *Esotérisme*.

Moisés selecionando uma tribo de sacerdotes ou iniciados, a de Levi, entre os quais escolheu aqueles aos quais pôde confiar a *tradição*. Mas a transmissão esotérica dessa tradição torna-se indiscutível por volta do ano 550 a.C., com Pitágoras iniciado nas mesmas fontes de Orfeu e Moisés, no Egito.

Pitágoras tinha um ensinamento secreto baseado principalmente nos números, e alguns fragmentos desse ensinamento, transmitidos a nós pelos alquimistas,[53] nos mostram sua identidade absoluta com a Cabala, da qual ele não é senão uma tradução.

Essa tradição é de tal modo conservada entre os discípulos do grande filósofo que eles vão se retemperar em sua fonte original, no Egito, ou nos mistérios gregos. É o caso de Sócrates, Platão e Aristóteles.

A carta de Alexandre, o Grande, enviada a seu mestre acusando-o de ter desvelado o ensinamento esotérico prova que esse ensinamento tradicional e oral subsistia ainda nessa época.

Encontraremos menção disso também em Plutarco, quando diz que os juramentos selam seus lábios, proibindo-o de falar. Enfim, é inútil alongar nosso trabalho com todas as citações que ainda poderíamos fazer, uma vez que esses detalhes são demasiado conhecidos dos ocultistas para que seja necessário insistirmos neles.

Assinalemos por último a existência dessa tradição oral no cristianismo, quando Jesus desvenda unicamente a seus discípulos o verdadeiro sentido das parábolas no *Sermão da Montanha* e confia o segredo total da tradição esotérica a seu discípulo favorito, São João.

O *Apocalipse* é totalmente cabalístico e representa o verdadeiro esoterismo cristão.

A antiguidade dessa tradição não deixa a menor dúvida, e a Cabala é muito mais antiga do que a época que lhe assinala o sr. Franck, ao menos para nós, ocultistas ocidentais. Além disso, ela nasceu numa terra bem distante daquela em que nasceu o cristianismo, conforme no-lo mostrarão as *Sephiroth indianas*.

Mas é tempo de deter o desenvolvimento da nossa primeira questão e de dizer algumas palavras sobre os *ensinamentos da Cabala*.

---

[53] Vide JEAN DÉE, *Monas hieroglyphica in theatrum chemicum*.

II
OS ENSINAMENTOS DA CABALA

Podem-se fazer algumas críticas sobre a maneira como o sr. Franck apresenta os ensinamentos da Cabala. Na realidade, se os dados cabalísticos sobre cada assunto particular são analisados com uma ciência maravilhosa, nenhuma informação nos é fornecida sobre o conjunto do sistema considerado sinteticamente. Por exemplo, depois de ter lido o capítulo IV, intitulado *Opinião dos Cabalistas sobre o Mundo*, o leitor conhece certos pontos da tradição concernentes aos Anjos, à Astrologia, à unidade de Deus e do Universo, mas não lhe é possível ter, de acordo com esses dados, uma ideia geral da constituição do Cosmo.

De nossa parte, vamos nos esforçar para apresentar aos nossos leitores um resumo tão claro quanto possível dessas tradições cabalísticas; aliás, diga-se de passagem, tão bem analisadas pelo nosso autor. Para podermos ser compreendidos em nossos tão árduos assuntos, partiremos em nossa análise do estudo do Homem, mais facilmente apreciável para a generalidade das inteligências, e só por último abordaremos os dados metafísicos sobre Deus.

1º Ensinamentos da Cabala sobre o Homem

A Cabala ensina, em primeiro lugar, que o Homem representa exatamente a constituição do Universo todo. Daí o nome *Microcosmo* ou *Pequeno Mundo* dado ao homem em contraposição a *Macrocosmo* ou *Grande Mundo* dado ao Universo.

Quando se diz que o Homem é a imagem do Universo, isso não significa que o Universo seja um animal vertebrado. É dos princípios constitutivos, *análogos* e *não semelhantes*, de que se está falando.

Assim, agrupam-se no Homem células de formas e constituição variadíssimas para formar órgãos como o estômago, o fígado, o coração, o cérebro etc. Esses órgãos agrupam-se igualmente entre si para formar *aparelhos* que dão nascimento a *funções* (agrupamento dos pulmões, do coração, das artérias e das veias formando o *aparelho circulatório*; agrupamento dos lobos cerebrais, da medula, dos nervos sensitivos e dos nervos motores formando o *aparelho do sistema nervoso* etc.).

Pois bem! De acordo com o método da Ciência Oculta, a analogia, os objetos que seguirem *a mesma lei* no Universo serão análogos aos órgãos e aparelhos no Homem. A natureza nos mostra seres de formas e constituição muito variadas (seres minerais, vegetais, animais etc.) que se agrupam para formar *planetas*. Esses planetas agrupam-se para formar *sistemas solares*. *O movimento dos planetas* e de seus satélites dá nascimento à *Vida do Universo*, do mesmo modo que o *desempenho dos órgãos* dá nascimento à *Vida Humana*. Os órgãos e os planetas são, portanto, seres análogos, ou seja, atuam de acordo com *a mesma lei*; entretanto, Deus sabe se o Coração e o Sol são formas diferentes! Tais exemplos nos mostram a aplicação dos dados cabalísticos às nossas ciências exatas; fazem parte de um trabalho conjunto em curso de execução há cerca de cinco anos, ainda longe do término. Assim, limitemos esses desenvolvimentos sobre a analogia e retornemos à constituição do Microcosmo, agora que sabemos por que o Homem é assim chamado.

A Cabala considera a matéria uma adjunção posterior em todos os seres, em virtude da queda adâmica. Jacob Boehme e Saint-Martin desenvolveram suficientemente essa ideia entre os filósofos contemporâneos, de modo que se faz inútil que aqui nos demoremos mais. Entretanto, era preciso estabelecer esse fato, a fim de explicar por que, na constituição do Homem, nenhum dos três princípios enunciados representa *a matéria* do nosso corpo.

O Homem, segundo os cabalistas, é composto de três elementos essenciais:

1º) *Um elemento inferior*, que não é o corpo material, uma vez que, em essência, a matéria não existia, mas que é o princípio determinante da forma material:

NEPHESCH

2º) *Um elemento superior*, centelha divina, a alma de todos os idealistas, o espírito dos ocultistas:

NESCHAMAH

Esses dois elementos são, entre eles, como o óleo e a água. São de essência completamente diferente; jamais poderiam manter relação um com o outro, sem um *terceiro termo*, que participa de suas duas naturezas e os une.[54]

3º) *Esse terceiro elemento*, mediador entre os dois precedentes, é a vida dos cientistas, o espírito dos filósofos, a alma dos ocultistas:

---

[54] Como em química, os carbonatos alcalinos unem o óleo e a água pela saponificação.

RUAH

Nephesch, Ruah e Neschamah são os três princípios *essenciais*, os termos últimos aos quais conduz a análise, mas cada qual desses elementos é, por sua vez, *composto de diversas partes*. Correspondem mais ou menos ao que os cientistas modernos designam por:

O Corpo, a Vida, a Vontade.

Esses três elementos sintetizam-se, porém, na *unidade do ser*, de tal modo que é possível representar o homem esquematicamente por três pontos (os três elementos acima) envoltos num círculo, da seguinte maneira:

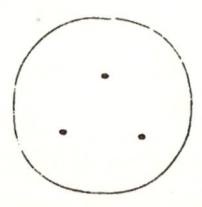

Agora que conhecemos a opinião dos cabalistas sobre a constituição do Homem, digamos algumas palavras sobre o que eles pensam sobre os pontos a seguir: De onde vem ele? Aonde vai?

Ad. Franck desenvolve muito bem esses dois pontos importantes. O Homem vem de Deus e a ele retorna. É preciso, pois, considerar três fases principais nessa evolução:

1º) O ponto de Partida.
2º) O ponto de Chegada.
3º) O que ocorre entre a Partida e a Chegada.

1º) *Partida*. A Cabala ensina sempre a doutrina da Emanação. O Homem é *emanado* primitivamente de Deus no estado de Espírito puro. À imagem de Deus, constituída de Força e Inteligência (*Chokmah* e *Binah*), isto é, em positivo e negativo, o Homem é também constituído de macho e fêmea, Adão-Eva, que formam na origem *um único ser*. Por influência da queda,[55] dois fenômenos se produzem:

---

[55] O quadro bastante restrito de nosso estudo não nos permite aprofundar esses dados metafísicos e analisá-los cientificamente. Para mais detalhes, vide *Caïn*, de FABRE D'OLIVET.

I) A divisão do ser único em uma série de seres andróginos Adãos-Evas.

II) A materialização e a subdivisão de cada um desses seres andróginos em dois seres materiais e de sexos separados, um homem e uma mulher. É o estado terrestre.

Deve-se assinalar, contudo, conforme nos ensina o Tarô, que cada homem e cada mulher contêm em si uma imagem de sua unidade primitiva. O cérebro é Adão; o coração é Eva em cada um de nós.

2º) *Transição da Partida à Chegada*. O homem materializado e submetido à influência das paixões deve, *voluntária e livremente*, reencontrar seu estado primitivo; deve recriar sua imortalidade perdida. Por isso ele *reencarnará* tantas vezes quantas forem necessárias, até que tenha sabido se resgatar pela força universal e todo-poderosa entre todas: o Amor.

A Cabala, à imagem dos centros indianos de onde nos vem o movimento neobudista, ensina a *reencarnação* e, por conseguinte, a *preexistência*, como o assinala o sr. Franck; mas se afasta totalmente das conclusões teosóficas indianas sobre o meio do resgate, e só podemos reproduzir aqui a opinião de um dos mais ilustres ocultistas da França, F. Ch. Barlet:

> Se me fosse permitido arriscar aqui uma opinião pessoal, eu diria que as doutrinas indianas me parecem mais verdadeiras do ponto de vista metafísico, abstrato, e as doutrinas cristãs, do ponto de vista *moral*, sentimental, concreto: o cristianismo, o *Zohar*, a Cabala, em seu admirável simbolismo, deixam mais incerteza, imprecisão na inteligência filosófica (por exemplo, quando representam a *queda* como fonte do *mal* sem definir nem uma nem outra, pois essa definição daria um contorno intelectual completamente diferente à questão).

Mas esse Panteísmo indiano, quer seja materialista, como na escola do Sul, quer seja idealista, como na escola do Norte, chega a negligenciar, a desconhecer, inclusive a repelir, todo sentimento e, especialmente, o *Amor* com toda sua força mística, oculta.

Um só fala à inteligência; o outro, à alma.

Não se pode possuir completamente a doutrina teosófica senão interpretando o simbolismo de um pela metafísica do outro. Então, e só então, é que os dois polos assim animados um pelo outro podem fazer brilhar, pelos esplendores do mundo divino, a incrível riqueza da linguagem simbólica, a única capaz de representar para o homem as palpitações da Vida absoluta!

3º) *Chegada*. O homem deve reconstituir primeiro sua androginia primitiva para reformar sinteticamente o ser primordial proveniente da divisão do grande Adão-Eva.

Esses seres andróginos reconstituídos devem, por sua vez, sintetizar-se entre si, até se identificar com sua origem primeva: Deus. A Cabala ensina, tão bem quanto a Índia, a teoria da involução e da evolução e o retorno final ao *Nirvana*.

Malgrado meu desejo de não alongar esse resumo com citações, não posso resistir ao prazer de citar, segundo o sr. Franck (p. 189), uma passagem muito explicativa:

> Entre os diferentes graus da existência (também chamados de sete tabernáculos), existe um, intitulado santo dos santos, em que todas as almas vão reunir-se à alma suprema e completar-se umas pelas outras. Aí tudo ingressa na unidade e na perfeição, tudo se confunde num único pensamento que se estende sobre o universo e o enche plenamente; mas o fundo desse pensamento, a luz que se oculta nele, nunca pode ser agarrada nem conhecida; só se apreende o pensamento que dela emana. Enfim, nesse estado, a criatura não mais se distingue do criador; o mesmo pensamento os ilumina, a mesma vontade os anima; a alma, como Deus, comanda o Universo, e o que ela ordena Deus executa.

Em resumo, todos esses dados metafísicos sobre a queda e a reabilitação se reduzem a leis que observamos em ação todos os dias, experimentalmente; leis que podem ser enunciadas em três termos:

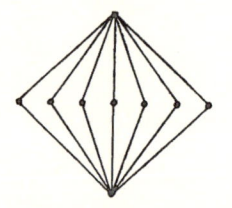

I. Unidade.
II. Partida da Unidade: Multiplicidade.
III. Retorno à Unidade.

Edgar Allan Poe, em *Eureka*, aplicou essas leis à Astronomia. Se tivéssemos o espaço necessário, poderíamos aplicá-las perfeitamente quer à Física, quer à Química experimental, porém nosso estudo já está bastante longo, e é tempo de voltarmos à opinião dos cabalistas sobre o Universo.

2º Ensinamentos da Cabala sobre o Universo

Vimos que os planetas formam os órgãos do Universo e que de seu movimento resulta a vida desse Universo.

No homem, a vida alimenta-se por meio da corrente sanguínea, que banha todos os órgãos, restaura suas perdas e retira os elementos inúteis.

No Universo, a vida alimenta-se por meio das correntes de luz, que banham todos os planetas e neles difundem, em ondas, os princípios de geração.

Mas, no homem, cada um dos glóbulos sanguíneos, receptor e transmissor da vida, é um ser verdadeiro, constituído à *imagem* do próprio homem. A corrente vital humana contém, portanto, um número infinito de seres.

Encontram-se igualmente neles correntes de luz, e essa é a origem *dos anjos, das forças personificadas* da Cabala e também de toda uma parte da tradição que o sr. Franck não abordou no livro *A Cabala Prática*.

A Cabala Prática compreende o estudo desses seres invisíveis, receptores e transmissores da Vida Universal, contidos nas correntes de luz. Os cabalistas esforçam-se no sentido de agir sobre eles e de conhecer seus respectivos poderes; daí todos os dados de Astrologia, de Demonologia e de Magia contidos na Cabala.

Todavia, a força vital transmitida pelo sangue e por seus canais não é a única existente no Homem. Acima dela e dirigindo-a em sua marcha, existe nele outra: é a força nervosa.

O fluido nervoso, quer atue sem o conhecimento da consciência do indivíduo no sistema da Vida Orgânica (Grande Simpático, Corpo Astral dos ocultistas), quer atue conscientemente pela Vontade (cérebro e nervos raquidianos), domina sempre os fenômenos vitais.

Esse fluido nervoso não é transportado, como a Vida, por seres particulares (glóbulos sanguíneos). Parte de um ser situado num refúgio misterioso (a célula nervosa) e chega a um centro de recepção. Entre aquele que ordena e aquele que recebe existe apenas um canal condutor.

No Universo ocorre a mesma coisa, segundo a Cabala. Por cima, ou melhor, no interior dessas correntes de luz, existe um fluido misterioso que independe dos seres criadores da Natureza, como a força nervosa é independente dos glóbulos sanguíneos. Esse fluido emana diretamente de Deus; mais ainda, é o próprio corpo de Deus. É *o espírito do Universo*.

O Universo aparece-nos, pois, constituído como o Homem:

1º) De *um Corpo*. Os astros e o que eles contêm.

2º) De *uma Vida*. As correntes de luz que banham os astros e contêm as *Forças ativas* da Natureza, os Anjos.

3º) De *uma Vontade* diretriz, que se transmite a toda parte por meio do fluido invisível aos sentidos materiais, denominado pelos ocultistas Magnetismo Universal e pelos cabalistas, *Aur*, ou *Aour* אור; é o *Ouro* dos alquimistas, a causa da Atração universal, ou *Amor dos Astros*.

Digamos mais: que o Universo, da mesma forma que o Homem, está submetido a uma involução e a uma evolução periódicas e deve, por fim, ser reintegrado à sua origem: Deus semelhantemente ao Homem.

Para encerrarmos esse resumo sobre o Universo, mostremos como *Barlet* chega, por outros caminhos, às conclusões da Cabala acerca desse mesmo assunto.

Nossas ciências positivas nos fornecem essa última fórmula do mundo sensível: *Nem matéria sem força; nem força sem matéria.*

Fórmula incontestável, porém incompleta, se não lhe acrescentarmos os comentários a seguir:

1º) A combinação do que nomeamos *Força* e *Matéria* apresenta-se em todas as proporções, desde o que se poderia denominar *Força* materializada (a rocha, o mineral, a substância química simples) até a *Matéria sutilizada*, ou *Matéria-Força* (o grão de pólen, o espermatozoide, o átomo elétrico); a *Matéria* e a *Força*, conquanto não as possamos isolar, oferecem-se como limites matemáticos extremos e opostos (ou como signos contrários) de uma série de que só percebemos alguns termos médios; limites abstratos, mas indubitáveis.

2º) Os termos dessa série, isto é, os indivíduos da natureza, não são jamais estáveis; a *Força*, cujo caráter é a mobilidade infinita, arrasta como por uma corrente contínua e de um polo a outro a matéria essencialmente inerte, que se denuncia por uma contracorrente de retorno. É assim, por exemplo, que um átomo de fósforo emprestado pelo vegetal aos fosfatos minerais se tornará o elemento de uma célula cerebral humana (matéria sutilizada) para recair, por desintegração, no reino mineral inerte.

3º) O movimento, resultado desse equilíbrio instável, não é desordenado; oferece uma série de harmonias encadeadas a que chamamos *Leis*, que se sintetizam aos nossos olhos como a lei suprema da *Evolução*.

A conclusão impõe-se: essa síntese harmoniosa de fenômenos é a manifestação evidente do que denominamos *uma Vontade*.

Portanto, de acordo com a ciência positiva, o mundo sensível é a expressão de uma vontade que se manifesta pelo equilíbrio instável, mas progressivo, da Força e da Matéria.

Isso se traduz por este quaternário:

I. Vontade (fonte simples)
III. Força (Elementos da Vontade polarizados) –
II. Matéria. – IV. O Mundo Sensível
(Resultado de seu equilíbrio instável, dinâmico).[56]

---

[56] F.-Ch. BARLET, *Initiation*.

3º Ensinamento da Cabala sobre Deus

O Homem é feito à imagem do Universo, mas o Homem e o Universo são feitos à imagem de Deus.

Deus, em si mesmo, é incognoscível para o Homem, conforme o proclamam tanto os cabalistas por seu *Ain-Soph* quanto os indianos pelo seu *Parabrahm*. Mas é suscetível de ser compreendido em suas manifestações.

A primeira manifestação Divina, essa pela qual Deus, ao criar o princípio da Realidade, cria, por isso mesmo, eternamente à sua própria imortalidade: é a Trindade.[57]

Essa Trindade primeira, protótipo de todas as leis naturais, fórmula científica absoluta tanto quanto princípio religioso fundamental, encontra-se em todos os povos e em todos os cultos, mais ou menos alterada.

Seja *o Sol, a Lua e a Terra*; *Brahma, Vishnu, Shiva*; *Osíris-Ísis,* Hórus ou Osíris, *Ammon, Phta*; Júpiter, *Juno, Vulcano; o Pai, o Filho, o Espírito Santo*; ela aparece sempre identicamente constituída.

A Cabala a designa pelos três nomes a seguir:

CHOKMAH,   BINAH,
KETHER.

Esses três nomes formam a primeira trindade das Dez *Sephiroth*, ou Numerações.

Essas dez *Sephiroth* exprimem os atributos de Deus. Vamos ver sua constituição.

Se nos lembrarmos de que o Universo e o Homem são compostos, cada um, em essência, de um Corpo, de uma Alma, ou Mediador, e de um Espírito, seremos levados a procurar a fonte desses princípios em Deus mesmo.

Ora, os três elementos enunciados – *Kether, Chokmah* e *Binah* – representam perfeitamente Deus; todavia, uma vez que a consciência representa, por si, apenas o homem inteiro, esses três princípios, em uma só palavra, constituem a análise do *Espírito de Deus*.

Qual é, então, a *Vida de Deus*?

A Vida de Deus é o ternário que estudamos primeiro; é o ternário que constitui a Humanidade em seus dois polos, Adão e Eva.

Enfim, o *Corpo de Deus* é constituído desse Universo em sua tríplice manifestação.

---

[57] Vide WRONSKI, *Apodictique messianique*; ou PAPUS, *Le Tarot*, em que a passagem de Wronski é citada *in extenso*.

Em suma, se reuníssemos todos esses elementos, obteríamos a seguinte definição de Deus:

	−	∞	+	
Espírito de Deus	Binah	Kether	Chokmah	*Mundo Divino* O Pai, BRAHMA
Alma de Deus	Eva	Adão-Eva Humanidade	Adão	*Mundo Humano* O Filho, VISHNU
Corpo de Deus	A Natureza Naturada	O UNIVERSO[58]	A Natureza Naturante	*Mundo Natural* O Espírito Santo, SHIVA

Deus é *incognoscível em sua essência*, mas *conhecível em suas manifestações*.

O *Universo* constitui SEU CORPO; Adão-Eva constitui SUA ALMA; e *Deus ele-próprio*, em sua dupla polarização, constitui SEU ESPÍRITO, o que é indicado pela figura acima.

Esses ternários, tonalizados na Unidade, formam as *Dez Sephiroth*.

Ou melhor, são a imagem das Dez *Sephiroth*, que representam o desenvolvimento dos três princípios primeiros da Divindade em todos os seus atributos.

Assim, Deus, o Homem e o Universo são, em última análise, perfeitamente constituídos de *três termos*; porém, no desenvolvimento de todos os seus atributos, cada um deles é composto de *Dez termos*, ou de *Um ternário*, que adquiriu seu desenvolvimento no *Setenário* (3 + 7 = 10).

As Dez *Sephiroth* da Cabala podem ser tomadas em várias acepções:

1ª) podem ser consideradas como representando Deus, o Homem e o Universo, isto é, o Espírito, a Alma e o Corpo de Deus;

---

[58] Essa figura é extraída do *Tarot des Bohémiens*, de PAPUS, onde se encontrarão explicações complementares.

2ª) podem ser consideradas como exprimindo o desenvolvimento de qualquer um desses três grandes princípios.

É da confusão entre essas diversas acepções que nascem as obscuridades aparentes e as pretensas contradições dos cabalistas sobre as *Sephiroth*. Basta um pouco de atenção para discernir a verdade do erro.

Inúmeros detalhes sobre essas *Sephiroth* poderão ser encontrados no livro do sr. Franck (cap. III), mas, sobretudo, no valioso trabalho cabalístico publicado por *Stanislas de Guaita* no nº 6 de *l'Initiation* (pp. 210-17). A falta de espaço obriga-nos a remeter o leitor a essas fontes importantes.

Entretanto, não devemos crer que essa concepção de um ternário desenvolvendo-se num setenário seja exclusiva da Cabala. Encontramos a mesma ideia na Índia, desde a mais alta antiguidade, o que é uma prova importante da antiguidade da tradição cabalística.

Para estudarmos essas *Sephiroth indianas*, não devemos nos ater apenas aos ensinamentos transmitidos nos últimos anos pela *Sociedade Teosófica*. Esses ensinamentos, quase sempre, ressentem-se de método e, se são luminosos acerca de certos pontos detalhados, são, ao contrário, bastante obscuros quando se trata de apresentar uma síntese bem assentada em todas as partes. Os autores que tentaram dar um método à doutrina teosófica, *Soubba-Rao, Sinnet* e *o dr. Harttmann*, puderam abordar somente questões muito gerais, embora interessantes, e suas obras, não mais que as da sra. *H. P. Blavatsky*, fornecem elementos suficientes para estabelecermos as relações entre as *Sephiroth* da Cabala e as doutrinas indianas.

Em nossa opinião, o melhor trabalho sobre a Teogonia oculta da Índia foi feito na Alemanha por volta de 1840,[59] pelo dr. *Jean Malfatti de Montereggio*. Esse autor conseguiu reencontrar o Organon místico dos antigos indianos e, consequentemente, dominar a chave do Pitagorismo e da própria Cabala. Ele chega a reconstituir uma *síntese verídica*, aliança da Ciência e da Fé, por ele designada MATHÈSE.

Ora, eis aqui, segundo esse autor, a constituição da década divina (p. 18):

> O primeiro ato (ainda em si) de revelação de Brahma foi o da *Trimurti*, trindade metafísica das forças divinas (procedendo ao ato criador) da

---

[59] A data dessa obra indica a ortografia dos nomes indianos empregados pelo autor. Hoje essa ortografia encontra-se alterada.

criação, da conservação e da destruição (da mudança), que, sob o nome de Brahma, Wishnu e Schiwa, foi personificada e encarada como em um acoplamento místico interior (*e circulo triadicus Deus egreditur*).

Essa primeira Trimurti transforma-se em revelação exterior, nos sete poderes pré-criadores, ou primeiro desenvolvimento metafísico sétuplo personificado pelas alegorias de *Maia, Oum, Haranguerbehah, Porsch, Pradiapat, Prakrat* e *Pran.*

Cada um desses dez princípios é analisado nas acepções e nas relações com os números pitagóricos. Além disso, o autor examina e analisa dez estátuas simbólicas indianas que representam, cada uma, um desses princípios. A antiguidade desses símbolos prova de sobejo a própria antiguidade da tradição.

Hoje, apenas podemos resumir as relações das *Sephiroth* indiana e cabalista com os números. Talvez possamos fazer brevemente um estudo especial sobre um assunto de tamanha importância.

Uma aproximação bastante interessante pode ser feita, ainda, entre a trindade alfabética do *Sepher Yetzirah* EMeS אבש e a trindade alfabética indiana AUM. Mas esses assuntos demandam enorme desenvolvimento para serem tratados neste resumo.

Uma última consideração que pode ser feita é extraída dessa definição de Deus, dada mais anteriormente, corroborada pelos ensinamentos do Tarô, que representa a Cabala egípcia.

A filosofia materialista estuda o *corpo de Deus*, ou o Universo, e adora, sem o saber, a manifestação inferior da divindade no Cosmo: o Destino.

Na realidade, é *ao Acaso* que o materialismo atribui o agrupamento primitivo dos átomos, proclamando, assim, embora de modo ateu, um princípio criador.

SEPHIROTH CABALÍSTICAS	NÚMEROS	SEPHIROTH INDIANAS
Kether	1	Brahma
Chokmah	2	Vishnu
Binah	3	Shiva
Chesed	4	Maïa
Geburah	5	Oum
Tiphareth	6	Haranguerbehah
Hod	7	Porsch
Netzach	8	Pradiapat
Yesod	9	Prakrat
Malkhut	10	Pran

A filosofia panteísta estuda *a vida de Deus*, ou esse ser coletivo que a Cabala chama de Adão-Eva[60] יהוה. É a humanidade adorando a si mesma em um de seus membros constituintes.

Os Teístas e as Religiões estudam, sobretudo, *o Espírito de Deus*. Daí suas discussões sutis sobre as três pessoas e suas manifestações.

Mas a Cabala está acima de cada uma dessas crenças filosóficas ou religiosas. Sintetiza o Materialismo, o Panteísmo e o Teísmo em um todo cujas partes analisa sem, no entanto, poder definir esse conjunto, a não ser pela fórmula misteriosa de Wronski:

X.

III

INFLUÊNCIA DA CABALA SOBRE A FILOSOFIA

Esta parte do livro do sr. Franck é forçosamente muito importante. A profunda erudição do autor não poderia deixar de fornecer-lhe preciosas fontes e aproximações instrutivas e numerosas acerca da influência da Cabala nos sistemas filosóficos posteriores.

A *doutrina de Platão* é primeiro encarada sob esse ponto de vista. Após alguns pontos de contato, o sr. Franck conclui pela impossibilidade da criação da Cabala por discípulos de Platão. Mas seria possível o contrário?

Se, como o dissemos sobre a antiguidade da tradição, a Cabala não for a tradução hebraica dessas verdades tradicionais ensinadas em todos os templos, sobretudo no Egito, o que há de impossível no fato de Platão ter sido fortemente inspirado não propriamente pela Cabala, como a conhecemos hoje, mas por essa filosofia primordial que é a origem da Cabala?

O que iam fazer todos esses filósofos gregos no Egito e o que aprendiam na Iniciação aos mistérios de Ísis? Eis um ponto que a crítica universitária haveria por bem esclarecer.

---

[60] Vide a respeito o trabalho de STANISLAS DE GUAITA em *Lótus* e LOUIS LUCAS, *Chimie nouvelle*, introdução.

Imbuído da ideia da origem da Cabala no início da era cristã, o sr. Franck compara com essa tradição *a filosofia neoplatônica de Alexandria* e conclui que essas doutrinas são irmãs e emanam da mesma origem.

O estudo *da doutrina de Fílon,* nas relações com a Cabala, tampouco mostra a origem da tradição (cap. III).

O Gnosticismo, analisado no capítulo seguinte, apresenta notáveis similitudes com a Cabala, mas tampouco pode ser sua origem.

Para o sr. Franck, é *a religião dos persas* a *avis rara* tanto procurada, o ponto de partida da doutrina cabalística.

Ora, basta percorrer o capítulo IX de um livro muito pouco conhecido de nossos eruditos, *La mission des juifs,* de Saint-Yves d'Alveydre, para nele encontrar, resumida do melhor modo possível, a aplicação da tradição esotérica aos diversos cultos antigos, incluído o de Zoroastro. Trata-se, porém, de pontos de história que só serão conhecidos nos meios universitários daqui a uns vinte anos; por isso, esperemos com paciência essa época.

Já fornecemos a opinião dos ocultistas contemporâneos sobre a origem da Cabala. Inútil retornar ao assunto.

Lembremo-nos apenas da influência da tradição esotérica sobre Orfeu, Pitágoras, Platão, Aristóteles e toda a filosofia grega, de um lado, e sobre Moisés, Ezequiel e os profetas hebreus, do outro, sem contar a escola de Alexandria, as seitas gnósticas e o cristianismo esotérico revelado no *Apocalipse* de São João; lembremo-nos disso tudo e digamos algo a respeito da influência exercida pela tradição sobre a filosofia moderna.

Os Alquimistas, os Rosa-Cruzes e *os Templários* são bastante conhecidos como cabalistas para falar deles de outro modo. Basta assinalar para tal fim a grande reforma filosófica produzida pela *Ars Magna,* de *Raymond Lulle.*

Spinoza estudou bastante a Cabala, e seu sistema se ressente no mais alto grau desse estudo, como de resto o enxerga perfeitamente o sr. Franck.

Há um ponto da história menos conhecido: *Leibnitz* foi iniciado nas tradições esotéricas por Mercure Van Helmont, filho do célebre ocultista, ele próprio cientista ilustre. O autor da *Monadologia* esteve também em relações contínuas com os Rosa-Cruzes.

A filosofia alemã, de resto, toca em muitos pontos a Ciência Oculta, o que é um fato conhecido de todos os críticos.

Assinalemos, por fim, a *Franco-maçonaria,* que conta, ainda, com inúmeros dados cabalísticos.

CONCLUSÃO

Ao analisar a obra insigne e doravante indispensável do sr. Franck, quisemos resumir, de passagem, a opinião dos cabalistas contemporâneos sobre essa importante questão.

Não divergimos do sr. Franck a não ser sobre a origem dessa tradição. Os cientistas contemporâneos têm tendência a colocar no segundo século da nossa era o ponto de partida da Ciência Oculta em todos os seus ramos. É essa a opinião do nosso autor no que diz respeito à Cabala, é também a opinião de outro cientista eminente, o sr. Berthelot, no que tange à Alquimia.[61] Essas opiniões decorrem da dificuldade experimentada pelos críticos autorizados de consultarem as verdadeiras fontes do Ocultismo. Um símbolo não é considerado prova de valor de um manuscrito; mas tenhamos paciência, e um dos mais interessantes ramos da Ciência, a Arqueologia, logo fornecerá preciosas indicações nesse caminho aos pesquisadores sérios.

O que quer que se diga, entretanto, o Ocultismo deveria ser um pouco estudado pelos nossos cientistas; estes trazem para esse estudo seus preconceitos, suas convicções já consolidadas; mas trazem igualmente qualidades bastante raras e preciosas: sua erudição e seu amor ao método.

É desolador para os pesquisadores conscienciosos constatar a ignorância que muitos dos partidários da Ciência Oculta têm de nossas ciências exatas. Todavia, é necessário excluir dessa referência cabalistas contemporâneos como Stanislas de Guaita, Joséphin Péladan, Albert Jhouney. A Ciência Oculta forma apenas o grau sintético, metafísico, da nossa ciência positiva, e não pode viver sem o apoio desta.

A reedição do livro do sr. Franck constitui verdadeiro acontecimento para a revelação das doutrinas que nos são caras, e, de nossa parte, só podemos agradecer efusivamente ao autor a coragem e a paciência desdobradas no estudo de tão áridos assuntos, aconselhando fortemente todos os nossos leitores a reservar um lugar em sua biblioteca para *La Kabbale*, de Ad. Franck, um dos livros fundamentais da Ciência Oculta.

---

[61] Berthelot, *Des origines de l'Alchimie*, 1886, in-8o.

CARTA DO SR. AD. FRANCK, DO INSTITUTO

Ao sr. Papus, diretor de *Initiation*.

"Senhor,

"Eu vos sou bastante reconhecido pela maneira como vos referistes ao meu velho livro *La Kabbale*. Fui tanto mais suscetível aos vossos elogios pelo fato de testemunharem um conhecimento aprofundado e um grande amor ao assunto.

"Mas o que mais me encantou em vosso artigo não foi apenas a referência pessoal que nele me fizestes, mas a maneira pela qual ligastes meu modesto volume a toda uma ciência baseada no simbolismo e no método esotérico. Lendo-vos, não pude deixar de pensar em Luís XIV, ao conservar em Versalhes o modesto local de encontro de caça de seu pai, enquadrando-o num imenso palácio.

"Ainda que meu espírito, que qualificastes de universitário, mas que deseja simplesmente permanecer fiel às regras da crítica, se recuse a vos seguir em vossos magníficos desenvolvimentos, vejo com prazer que, em face do positivismo e do evolucionismo do nosso tempo, se forma e já se formou vasta gnose, que reúne em seu seio, com os dados do esoterismo judaico e cristão, o budismo, a filosofia de Alexandria e o panteísmo metafísico de diversas escolas modernas.

"Esse reagente é necessário para evitar as perdas e as sequidões de que somos vítimas e testemunhas. A *Mission des juifs*, que citais com frequência em vossa *Revista*, é um dos grandes fatores desse movimento.

"Eu vos recomendaria tão somente, com base em minha velha experiência, não ir longe demais. Os símbolos e as tradições não devem ser negligenciados como o são, em geral, pelos filósofos; mas o gênio e a vida espontânea da consciência e da razão devem também ser levados em conta para algumas coisas, sem o que a história da humanidade não passa de uma tábua de registro.

"Aceitai, senhor, o penhor de meus sentimentos mais respeitosos.

Ad. Franck."

Acabamos de expor a doutrina cabalística sem entrar em detalhes.

Por isso, damos *in extenso* o estudo seguinte para mostrar que há ainda, em pleno século XIX, eminentes cabalistas e que seus trabalhos resumem, do melhor modo possível, os dados da tradição esotérica.

CAPÍTULO VI

COMUNICAÇÃO FEITA À SOCIEDADE PSICOLÓGICA DE MUNIQUE NA SESSÃO DE 5 DE MARÇO DE 1887, POR C. DE LEININGEN

A ALMA SEGUNDO A CABALA

(Ver a figura da p. 156)

1. - A alma durante a vida

Entre todas as questões de que se ocupa a filosofia na qualidade de ciência exata, a de nossa própria essência, da imortalidade e da idade espiritual do nosso Eu interno, jamais deixou de preocupar a humanidade. Por toda parte e em todos os tempos, os sistemas e as doutrinas sobre esse assunto sucederam-se rapidamente, variados e contraditórios, e a palavra "Alma" serviu para designar formas de existências ou nuances de seres dos mais diversos. De todas essas doutrinas antagônicas, a mais antiga, sem dúvida nenhuma, é a filosofia transcendente dos judeus, a Qabalah,[62] também, talvez, a mais próxima da verdade. Transmitida

---

[62] Adotamos essa ortografia como a única solução autêntica a todas as dúvidas em meio às formas verdadeiramente fantasiosas propostas até aqui para essa palavra, como *Cabbala, Cabala, Kabbala, Kabbalah* etc. Trata-se de uma palavra hebraica composta das consoantes *q, b, l* e *h*. Ora, a letra que nos nomes gregos corresponde ao *k*, e nos latinos, ao *c*, parece

oralmente – como o indica o nome –, ela remonta ao berço da espécie humana e, assim, é, em parte, o produto dessa inteligência ainda não desvirtuada, desse espírito penetrante voltado à verdade que, de acordo com a antiga tradição, o homem possuía no estado original.

Se admitirmos a natureza humana como um todo complexo, nela encontraremos, segundo a Qabalah, três partes bem distintas: o corpo, a alma e o espírito. Elas se diferenciam entre si da mesma forma que o concreto, o particular e o geral, de modo que um é o reflexo do outro, e cada um deles oferece também, em si mesmo, essa distinção tríplice. Por conseguinte, uma nova análise dessas três partes fundamentais nelas distingue outras nuances que se elevam sucessivamente umas sobre as outras, desde as partes mais profundas, mais concretas, mais materiais, o corpo externo, até as mais elevadas, as mais gerais, as mais espirituais.

A primeira parte fundamental, o corpo, com o princípio vital, que compreende as três primeiras subdivisões, leva na Qabalah o nome de *Nephesch*; a segunda, a alma, sede da vontade, que constitui propriamente a personalidade humana, encerra as três subdivisões seguintes e chama-se *Ruach*; a terceira, o espírito, com suas três potências, recebe na Qabalah o nome de *Neschamah*.

Assim, conforme já assinalamos, essas três partes fundamentais do homem não são distintas e separadas entre si por completo; é preciso, ao contrário, representá-las como passando uma para a outra, gradualmente, do mesmo modo que as cores do espectro, que, conquanto sucessivas, não podem ser distinguidas totalmente com facilidade, por se encontrarem como fundidas umas às outras. A partir do corpo, ou seja, a potência mais ínfima de Nephesch, remontando pela alma, Ruach, até o mais alto grau do espírito, Neschamah, encontram-se todas as gradações, da mesma forma que se passa da sombra à luz pela penumbra; e, reciprocamente, a partir das partes mais elevadas do espírito até atingir as físicas e mais materiais, percorrem-se todas as nuances de radiação, de maneira que se passa da luz à escuridão pelo crepúsculo. E, acima de tudo isso, graças a essa união interior, a essa fusão das partes uma na outra, o número 9 se perde na Unidade para produzir o homem, espírito corporal, que une, em si, os dois mundos.

Se tentarmos representar essa doutrina por um esquema, obteremos a figura aqui apensa (ver p. 156).

---

ser verdadeiramente, nessa palavra hebraica, a letra *q*. Essa ortografia também foi recém-introduzida na literatura inglesa por *Mathers* em sua *Kabbala denudata*, aparecida há pouco em Londres, em edição de George Redway.

O círculo *a, a, a* designa Nephesch, e 1, 2, 3 são suas subdivisões; entre estas, 1 corresponde ao corpo, bem como à parte mais baixa, a mais material no homem; *b, b, b* é Ruach (a alma), e 4, 5, 6 são suas potências; enfim, *c, c, c* é Neschamah (o espírito) com os graus de sua essência, 7, 8, 9. Quanto ao círculo exterior 10, ele representa o ser humano vivo.

Consideremos mais de perto essas diferentes partes fundamentais, a começar por aquela do grau inferior, NEPHESCH. Esse é o princípio da vida, ou forma de existência concreta, e constitui a parte externa do homem vivo; o que aí domina é principalmente a sensibilidade passiva em relação ao mundo exterior; por outro lado, é nele que a atividade ideal é menos evidente. Nephesch está diretamente relacionado aos seres concretos que lhe são exteriores, e é apenas por influência destes que ele produz qualquer manifestação vital. Mas, ao mesmo tempo, também atua no mundo exterior, graças à própria potência criadora, que faz sobressair de sua existência concreta novas forças vitais, devolvendo, assim, incessantemente, tudo o que recebe. Esse grau concreto constitui um todo perfeito, completo por si mesmo e no qual o ser humano encontra sua representação exterior exata. Encarada como um todo perfeito, em si mesma, essa vida concreta compreende igualmente três graus, que são, entre si, como o concreto, o particular e o geral, ou seja, a matéria criada, a força criadora e o princípio, que são, ao mesmo tempo, os órgãos nos quais e pelos quais o interno – o espiritual – opera e se manifesta exteriormente. Esses três graus são cada vez mais elevados e interiores, e cada um deles encerra em si nuances diferentes. As três potências de Nephesch em questão estão dispostas e agem da maneira que vai ser explicada a seguir para as três subdivisões de Ruach.

Esse segundo elemento do ser humano, RUACH (a alma), não é tão sensível quanto Nephesch às influências do mundo exterior; nele, a passividade e a atividade encontram-se em proporções iguais; ele consiste, preferencialmente, em um ser interno, ideal, no qual tudo o que a vida corporal concreta manifesta exteriormente, como quantitativo e material, encontra-se interiormente em estado virtual. Esse segundo elemento humano flutua entre a atividade e a passividade, ou, se se desejar, entre a interioridade e a exterioridade; em sua multiplicidade objetiva, ele não se apresenta claramente nem como coisa real, passiva e exterior, nem como algo interior, intelectual e ativo, mas, sim, como algo mutável, que de dentro ou de fora se manifesta como ativo, conquanto seja passivo; ou como doador, apesar de possuir, também, natureza fortemente receptiva. Assim, a intuição e a concepção não coincidem exatamente na alma, apesar de não estarem muito claramente separadas, a fim de que não se fundam facilmente uma na outra.

O modo de existência de cada ser depende exclusivamente do grau mais ou menos elevado de sua coesão com a natureza e de sua maior ou menor atividade ou passividade, que são, na realidade, decorrência disso; a percepção do ser encontra-se em proporção à sua atividade. Quanto mais ativo é um ser, tanto mais é elevado e tanto mais lhe é possível examinar as profundezas íntimas do ser.

Esse Ruach, composto das forças que estão na base do ser material objetivo, desfruta ainda da propriedade de se destacar de todas as outras partes por um elemento especial, o dispor de si mesmo e manifestar-se exteriormente por ação livre e voluntária. Essa "alma", que representa igualmente o trono e o órgão do espírito, é a imagem do homem completo, como o dissemos; do mesmo modo que Nephesch, ela se compõe de três graus dinâmicos, que são, relativamente um ao outro, como o Concreto, o Particular e o Geral entre si, ou como a matéria acionada, a força atuante e o princípio: de maneira que existe uma afinidade não apenas entre o concreto em Ruach, que é seu grau mais baixo e mais exterior (o círculo 4 do esquema), e o geral em Nephesch, que forma sua esfera mais alta (o círculo 3 do esquema), mas também entre o geral em Ruach (círculo 6) e o concreto no espírito (círculo 7).

Ao mesmo tempo que Ruach, como Nephesch, encerra três graus dinâmicos, estes possuem três correspondentes no mundo exterior, como se evidenciará mais claramente ao se comparar o Macrocosmo ao Microcosmo. Cada forma particular de existência no homem vive sua vida própria na esfera do mundo que lhe corresponde e com a qual se encontra em relação de mudança contínua, dando e recebendo, por meio dos sentidos e órgãos internos especiais.

Por outro lado, esse Ruach, por causa da parte concreta, tem necessidade de se comunicar com o concreto abaixo dele, do mesmo modo que sua parte geral tende a levá-lo às partes gerais que lhe são superiores. Nephesch não poderia se unir a Ruach se não houvesse alguma afinidade entre eles; Ruach tampouco se ligaria a Nephesch e a Neschamah se não houvesse algum parentesco entre eles.

Assim sendo, a alma haure, por um lado, no concreto que a precede, a plenitude de sua própria realidade objetiva e, por outro, no geral que a domina, a interioridade pura, a Idealidade que constitui, por si mesma, sua atividade independente. Ruach é o liame entre o Geral ou Espiritual e o Concreto ou Material, unindo no homem o mundo interno inteligível com o mundo externo real; é, ao mesmo tempo, o suporte e a sede da personalidade humana.

A alma encontra-se, dessa forma, em dupla relação com seus três objetos, a saber: 1º) com o concreto, abaixo dela; 2º) com o particular, que corresponde à sua natureza e encontra-se fora dela; 3º) com o geral, acima dela. Ocorre nela, em dois sentidos inversos, uma circulação de três correntes entremeadas, pois: 1º) ela é excitada por Nephesch, abaixo dela, que, por seu turno, atua sobre si mesmo, inspirando-a; 2º) ela se comporta do mesmo modo, ativa e passivamente, em relação ao exterior, que corresponde à sua natureza, isto é, o Particular; 3º) essa influência, que ela transforma no próprio seio, após tê-la recebido de baixo ou do exterior, confere-lhe o poder de se elevar o bastante para estimular Neschamah nas regiões superiores. Por meio dessa operação ativa, as faculdades superiores excitadas produzem influência vital mais elevada e mais espiritual, que a alma, retomando seu papel passivo, recebe para a transmitir ao exterior e abaixo dela.

Assim, conquanto Ruach possua uma forma de existência particular e seja um ser de consistência própria, é bem verdade que o primeiro impulso de sua atividade vital lhe advém da excitação do corpo concreto que lhe é inferior. E, do mesmo modo que o corpo, por um intercâmbio de ações e reações com a alma, graças à impressionabilidade, é por ela penetrado, ao passo que ela própria se torna participante do corpo; assim também, a alma, pela união com o Espírito, é por ele completada e inspirada.

A terceira parte fundamental do ser humano, NESCHAMAH, pode ser designada pela palavra Espírito, no sentido em que é empregada no Novo Testamento. Nela, a sensibilidade passiva em relação à natureza exterior não mais se encontra; a atividade domina a receptividade. O espírito vive sua própria vida, somente em contato com o Geral ou com o mundo espiritual, com o qual se encontra em relação constante. Todavia, como Ruach, Neschamah, em razão da natureza ideal, não necessita apenas do Geral absoluto, ou Infinito divino; é-lhe igualmente necessário, em razão da natureza real, alguma relação com o particular e o concreto abaixo dele, e ele se sente atraído pelos dois.

O Espírito também se encontra em dupla relação com seu tríplice objeto; abaixo, em direção ao exterior, e acima, nele se produz ainda, em dois sentidos opostos, uma tríplice corrente entrelaçada, de todo semelhante à descrita mais acima para Ruach. Neschamah é um ser puramente interior, mas passivo e ativo ao mesmo tempo, do qual Nephesch, com o princípio vital e seu corpo, e Ruach, com suas forças, representam a imagem exteriorizada. O que há de quantitativo em Nephesch e de qualitativo em Ruach vem do espírito – Neschamah – puramente interior e ideal.

Agora, do mesmo modo que Nephesch e Ruach encerram três graus diferentes de existência, ou potencialidade de espiritualização, de modo que cada um é imagem reduzida do ser humano total (ver o esquema), também a Qabalah distingue três graus em Neschamah.

É particularmente a esse elemento superior que se aplica o que foi dito a princípio, que as diferentes formas de existência da constituição humana não são seres distintos, isolados, separados, mas que se encontram, ao contrário, entremeados uns nos outros; pois, aqui, tudo se espiritualiza mais e mais, tende mais e mais à unidade.

Das três formas superiores da existência do homem, englobadas pela mais ampla acepção do termo Neschamah, a mais inferior pode ser designada como o Neschamah propriamente dito. Essa possui, ainda, ao menos, algum parentesco com os elementos superiores de Ruach; consiste num conhecimento interior e ativo do qualificativo e do quantitativo abaixo dela. A segunda potência de Neschamah, oitavo elemento no homem, é chamada pela Qabalah *Chaijah*. Sua essência consiste no conhecimento da força interna superior, inteligível, que serve de base ao ser objetivo manifestado e, por conseguinte, não pode ser percebido nem por Ruach nem por Nephesch, nem reconhecido por Neschamah propriamente dito. A terceira potência de Neschamah, nono elemento e o mais elevado no homem, é *Jechidad* (isto é, a Unidade em si mesma); sua própria essência consiste no conhecimento da Unidade fundamental absoluta de todas as variedades, do Um absoluto originário de tudo que existe.

Agora, essa relação assinalada desde o início, do Concreto, do Particular e do Geral que ligam Nephesch, Ruach e Neschamah, de maneira que cada um ofereça a imagem do todo, será reencontrada no resumo de tudo quanto foi aqui exposto: primeiro grau de Nephesch, o corpo, o concreto no concreto; segundo grau, o particular no concreto; terceiro, o geral no concreto.

Do mesmo modo em Ruach: primeira potência, o concreto no particular; segunda, o particular no particular; terceira, o geral no particular.

Enfim, em Neschamah, primeiro grau, o concreto no geral; segundo grau (Chaijah), o particular no geral; terceiro (Jechidad), o geral no geral.

É assim que se manifestam as diversas atividades e as virtudes de cada um desses elementos do ser.

A alma (Ruach) possui, certamente, uma existência própria, porém é incapaz de desenvolvimento independente sem a participação da vida corporal (Nephesch), e o mesmo ocorre em presença de Neschamah. Além disso, Ruach está em dupla relação com Nephesch; influenciada por ele, encontra-se, ao mesmo tempo, voltada para fora, a fim de exercer livre reação, de sorte que a vida corporal concreta participa do desenvolvimento da alma; ocorre a mesma coisa com o espírito em relação à alma, ou com Neschamah em relação a Ruach; por meio de Ruach, ele se encontra em dupla relação com Nephesch. Todavia, Neschamah possui, ademais, no interior da própria constituição, a fonte de sua ação, enquanto as ações de Ruach e de Nephesch não são senão as emanações livres e vivas de Neschamah.

Da mesma maneira, Neschamah encontra-se, até certa medida, nessa mesma dupla relação com a Divindade, pois a atividade vital de Neschamah é já, por si mesma, uma excitação para a divindade, que tem de sustentá-la e proporcionar-lhe a influência necessária à sua subsistência. Assim, o espírito, ou Neschamah, e, por intermédio dele, Ruach e Nephesch vão beber completa e involuntariamente da fonte divina eterna, fazendo irradiar perpetuamente a obra de sua vida para o alto; enquanto a Divindade penetra sem parar em Neschamah e em sua esfera, para lhe conceder a vida e a duração, ao mesmo tempo que em Ruach e Nephesch.

Atualmente, de acordo com a doutrina da Qabalah, o homem, em vez de viver na Divindade e dela receber constantemente a espiritualidade de que necessita, encontra-se mais e mais afundado no amor a si mesmo e no mundo do pecado, desde o momento em que, depois de "sua queda" (ver Gênese, III, 6-20), trocou seu centro eterno pela periferia. Essa queda e o distanciamento cada vez maior da divindade, disso resultante, tiveram como consequência a perda dos poderes inerentes à natureza humana na humanidade inteira. A centelha divina foi retirada mais e mais do homem, e Neschamah perdeu a união íntima com Deus. Do mesmo modo, Ruach distanciou-se de Neschamah, e Nephesch perdeu sua união íntima com Ruach. Em razão dessa perda geral e do afrouxamento parcial dos laços entre os elementos, a parte inferior de Nephesch, originariamente no homem um corpo luminoso etérico, tornou-se nosso corpo material; graças a isso, o homem ficou sujeito à dissolução nas três partes principais de sua constituição.

Isso é tratado na doutrina da Qabalah sob a designação da alma *durante e após a morte*.

2. - A alma na morte

A morte do homem, segundo a Qabalah, é apenas sua passagem a uma nova forma de existência. O homem é chamado finalmente a retornar ao seio de Deus, porém essa reunião não lhe é possível no estado atual, em razão da grosseira materialidade do seu corpo; esse estado, bem como tudo o que há de espiritual no homem, deve sofrer uma depuração necessária para a obtenção do grau de espiritualidade requerido pela nova vida.

A Qabalah distingue duas causas que podem conduzir à morte: a primeira consiste no fato de a Divindade diminuir sucessivamente ou suprimir de forma brusca sua contínua influência sobre Neschamah e Ruach, de modo que Nephesch perca a força pela qual o corpo material é animado e, por isso, morra. Na linguagem do *Zohar*, poderia-se chamar esse primeiro gênero de "morte pelo alto, ou de dentro para fora".

Em oposição a essa, a segunda causa da morte é a que se poderia chamar "morte por baixo, ou de fora para dentro". Consiste em o corpo, forma de existência inferior e exterior, desorganizando-se sob a influência de qualquer perturbação ou lesão, perder a dupla propriedade de receber do alto a influência necessária para excitar Nephesch, Ruach e Neschamah, a fim de os fazer descer a ele.

Além disso, como cada um dos três graus de existência do homem tem, no corpo humano, sede particular e esfera de atividade correspondente ao grau de sua espiritualidade, e como todos os três se encontram ligados a esse corpo em diferentes períodos da vida,[63] é também em momentos diferentes e segundo uma ordem inversa que abandonam o cadáver. Disso resulta que o trabalho da morte se estende por um período de tempo bem mais longo do que se pensa comumente.

Neschamah, que tem sede no cérebro e, na qualidade de princípio de vida espiritual, superior, se uniu por último ao corpo material – união iniciada na puberdade –, é o primeiro a deixar o corpo; habitualmente, já mesmo antes do momento que designamos "Morte". Esta deixa em sua Merkabah[64] apenas uma iluminação; pois a personalidade do homem pode, como se verifica em Esarah Maimoroth, subsistir sem a presença efetiva de Neschamah.

Antes do momento que nos apresenta ser o da morte, a essência do homem é aumentada para um Ruach mais elevado, razão pela qual ele percebe o que em vida estava oculto a seus olhos; sua vista, com frequência, penetra o espaço, e ele pode distinguir os amigos e parentes falecidos. Tão logo chega o instante crítico, Ruach se difunde em todos os membros do corpo e se despede deles; daí resulta uma comoção, a *agonia*, em geral muitíssimo penosa. Em seguida, toda essência espiritual do homem se refugia no coração e ali se precaviam dos Masikim (ou

---

[63] Esse não é o lugar apropriado para explicar como os princípios espirituais se unem à matéria pelo ato da geração, assunto tratado de maneira bem explícita pela Qabalah.

[64] Merkabah significa propriamente *carro*; é o órgão, o instrumento, o veículo pelo qual Neschamah atua.

maus espíritos), que se precipitam sobre o cadáver, como uma pomba perseguida se refugia em seu ninho.

A separação de Ruach do corpo é bastante dolorosa porque Ruach, ou alma viva, flutua, como diz o Ez=ga=Chaiim, entre as altas regiões espirituais, infinitas (Neschamah), e as inferiores corporais, concretas (Nephesch), pendendo ora para uma, ora para outra, ela que, na qualidade de órgão da vontade, constitui a personalidade humana. Sua sede encontra-se no coração; este é, pois, como a raiz da vida; é o מלך (Melekh, Rei), o ponto central, o traço de união entre o cérebro e o fígado;[65] e, como é nesse órgão que a atividade vital se manifesta originalmente, é também por ele que termina. Assim, no momento da morte, Ruach escapa e, de acordo com o ensinamento do Talmude, sai do coração pela boca, num derradeiro sopro.

O Talmude distingue novecentas espécies de mortes diferentes, mais ou menos dolorosas. A mais suave de todas é a que chamamos o "beijo"; a mais penosa é aquela em que o moribundo experimenta a sensação de uma espessa corda de cabelos arrancada da garganta.

Uma vez separado Ruach, o homem nos parece morto. Não obstante, Nephesch ainda habita nele. Nephesch, vida corporal do concreto, é no homem a alma da vida elementar e tem sede no fígado. Ele, que é a potência espiritual inferior, possui ainda grande afinidade com o corpo e, consequentemente, muita atração por ele. É o princípio que se separa dele por último, como foi também o primeiro a ser unido à carne. Entretanto, logo após a partida de Ruach, os Masikim apoderam-se do cadáver (segundo Loriah, eles se amontoam acima dele até a altura de quinze varas); essa invasão, acrescida da decomposição do corpo, logo obriga Nephesch a se retirar; mas ele permanece ainda por muito tempo junto a seus despojos, para chorar sua perda. Comumente, é apenas quando sobrevém a putrefação completa que ele se eleva acima da esfera terrestre.

Essa desintegração do homem, que se segue à morte, não é, contudo, uma separação total; pois o que foi uma vez um único todo não pode se desunir absolutamente; sempre resta alguma relação entre as partes constitutivas. Desse modo, subsiste certa ligação entre Nephesch e o próprio corpo, já putrefato. Depois de esse recipiente material, exterior, haver desaparecido com as forças vitais

---

[65] A Qabalah diz: "Na palavra מלך (Rei), o coração é como o ponto central entre o cérebro e o fígado". O que se deve interpretar pelo sentido místico das letras: o cérebro, מו, é representado pela primeira letra da palavra מלך; o fígado, בבד, por sua última letra, e, enfim, o coração, לב, pelo ל, que está no meio; a letra ב no fim da palavra faz ך.

físicas, resta ainda alguma coisa do princípio espiritual de Nephesch, algo imperecível, que desce até o túmulo, nas ossadas, como diz o *Zohar*; é o que a Qabalah denomina *o sopro das ossadas*, ou o *espírito das ossadas*. Esse princípio íntimo, imperecível, do corpo material, que conserva de todo sua forma e seus aspectos, constitui o *Habal de Garmin*, que podemos traduzir mais ou menos como "o corpo da ressurreição" (corpo astral luminoso).

Após as diversas partes constitutivas do homem terem sido separadas pela morte, cada uma delas segue em direção à esfera para a qual a atraem sua natureza e sua constituição; ali são acompanhadas pelos seres que lhes são semelhantes e já as rodeavam no leito de morte. Como no Universo inteiro tudo está em tudo, nascendo, vivendo e perecendo conforme uma única e mesma lei, do mesmo modo que o menor dos elementos é a reprodução do maior; como os mesmos princípios regem igualmente todas as criaturas, desde a mais ínfima até os seres mais espirituais, às potências mais elevadas, o Universo todo que a Qabalah denomina AZILUTH, que compreende todos os graus desde a matéria mais grosseira até a espiritualidade – e mesmo o Um –, se divide em três mundos: ASIAH, JEZIRAH e BRIAH, que correspondem às três divisões fundamentais do homem: *Nephesch, Ruach e Neschamah*.

Asiah é o mundo em que nos movemos; entretanto, o que percebemos desse mundo pelos nossos olhos corporais é tão somente a esfera inferior, a mais material, assim como só percebemos pelos órgãos dos nossos sentidos os princípios mais inferiores, mais materiais do homem: seu corpo. A figura apresentada precedentemente[66] é um esquema do Universo, bem como do homem, pois, segundo a doutrina da Qabalah, o Microcosmo é absolutamente análogo ao Macrocosmo; o homem é a imagem de Deus, que se manifesta no Universo. Por conseguinte, o círculo *a, a, a* representa o mundo *Asiah*, e 1, 2, 3 são suas esferas correspondentes às de Nephesch (ver p. 156).

b, b, b representa o mundo *Yetzirah*, análogo a Ruach, e 4, 5, 6 são suas potências.

Finalmente, o círculo *c, c, c* simboliza o mundo *Briah*, cujas esferas 7, 8, 9 atingem, como as de Neschamah, a mais alta potência da vida espiritual.

Os três mundos, que correspondem, segundo sua natureza e o grau de sua espiritualidade, aos três princípios constitutivos do homem, representam também as diferentes moradas desses princípios. O corpo, como forma de existência mais material do homem, permanece nas esferas inferiores do mundo Asiah, no

---

[66] Vide p. 156.

túmulo; o espírito das ossadas permanece amortalhado em si, constituindo, como o dissemos, o Habal de Garmin. No sepulcro, ele se encontra em estado obscuro de letargia, que, para o justo, é um suave sono; diversas passagens de Daniel, dos Salmos e de Isaías fazem alusão a isso. E, como o Habal de Garmin conserva no sepulcro certa sensação obscurecida, o repouso dos que dormem esse derradeiro sono pode ser perturbado de todas as maneiras. É por isso que era proibido, entre os judeus, sepultar lado a lado pessoas que, durante a vida, haviam sido inimigas ou colocar um homem santo próximo a um criminoso. Ao contrário, tinha-se o cuidado de sepultar lado a lado pessoas que se haviam amado, para que, na morte, essa ligação continuasse. O maior tormento para os que dormem no sepulcro é a evocação; pois, mesmo quando Nephesch já deixou a sepultura, "o espírito das ossadas" ainda permanece apegado ao cadáver e pode ser evocado; mas essa evocação atinge igualmente Nephesch, Ruach e Neschamah. Por certo, já se encontram em moradas diferentes, mas nem por isso estão menos unidos um ao outro por meio de determinadas relações, de modo que um ressente o que os outros experimentam. Eis por que as Santas Escrituras (5, Moisés, 18, 11) proibiam evocar os mortos.[67]

Como nossos sentidos materiais só conseguem perceber o círculo mais baixo, a esfera mais inferior do mundo Asiah, apenas o corpo do homem permanece visível aos nossos olhos materiais, esse que, mesmo após a morte, continua nos domínios do mundo sensível; as esferas superiores de Asiah não são por nós perceptíveis, e, do mesmo modo, o Habal de Garmin escapa também à nossa percepção; por isso o *Zohar* diz: "Se isso fosse permitido aos nossos olhos, poderíamos ver na noite, quando vem o Schabbath, ou na Lua nova, ou nos dias de festas, os Diuknim (os espectros) reerguerem-se dos túmulos para louvarem e glorificarem o Senhor".

As esferas superiores do mundo Asiah servem de morada a Nephesch. O *Ezha-Chaiim* pinta essa morada como o *Gan-Eden* inferior,[68] "que, no mundo Asiah, se estende ao sul do país Santo, acima do Equador".

O segundo princípio do homem, Ruach, encontra no mundo Yetzirah uma morada apropriada ao seu grau de espiritualidade. E, como Ruach, constituindo a personalidade própria do homem, é o suporte e a sede da vontade, é nele que

---

[67] E eis aí por que, entre outras razões, a prática do espiritismo é condenável (nota de Papus).
[68] *Gan-Eden* significa jardim da volúpia. No Talmude e na Qabalah, segundo o *Cântico dos Cânticos*, 4, 13, é também chamado *Pardes*, ou jardim das delícias; veio daí a palavra *Paraíso*.

reside a força produtiva e criadora do homem; por isso o mundo Yetzirah é, como o indica seu nome hebraico, o *mundus formationis*, o mundo da formação.

Enfim, Neschamah corresponde ao mundo Briah que o *Zohar* denomina "o mundo do trono divino" e encerra o mais alto grau de espiritualidade.

Assim como Nephesch, Ruach e Neschamah não são formas de existência completamente distintas, mas, ao contrário, se deduzem progressivamente uma a partir da outra, de modo a elevar-se em espiritualidade, também as esferas dos diferentes mundos se encadeiam umas nas outras e se elevam desde o círculo mais profundo, mais material, do mundo Asiah, perceptível aos nossos sentidos, até as potências mais elevadas, mais imateriais do mundo Briah. Observa-se claramente por aí que, embora Nephesch, Ruach e Neschamah encontrem, cada qual, sua morada no mundo que lhes é conveniente, não deixam de permanecer unidos num mesmo todo. É especialmente pelos Zelem que essas relações íntimas das partes separadas se tornam possíveis.

Por "Zelem" a Qabalah entende a figura, a vestimenta sob a qual os diversos princípios do homem subsistem, pelo qual operam. Nephesch, Ruach e Neschamah, mesmo depois de a morte ter destruído seu invólucro corporal exterior, conservam ainda certa forma que corresponde à aparência corporal do homem original. Essa forma, por cujo intermédio cada parte persiste e opera em seu mundo, só é possível pelo Zelem; no Salmo 39, 7, assim é dito: "Eles estão, pois, como no Zelem (o fantasma)".

De acordo com Loriah, o Zelem, analogamente a toda natureza humana, se divide em três partes: uma luz interior espiritual e dois *Makifim*, ou luzes envolventes. Cada Zelem e seus Makifim correspondem, em sua natureza, ao caráter ou grau de espiritualidade de cada um dos princípios aos quais pertencem. É tão somente graças aos seus Zelem que é possível a Nephesch, a Ruach e a Neschamah se manifestarem exteriormente. É sobre eles que repousa toda a existência corporal do homem sobre a terra, pois todo o influxo do alto sobre os sentimentos e os sentidos internos do homem se faz por intermédio desses Zelem, suscetíveis, aliás, de serem enfraquecidos ou reforçados.

O processo da morte se produz unicamente nos diversos Zelem, pois Nephesch, Ruach e Neschamah não são modificados por ela. Por isso, diz a Qabalah que, trinta dias antes da morte do homem, os Makifim se retiram, inicialmente, de Neschamah, para desaparecerem a seguir e sucessivamente de Ruach e Nephesch; e é preciso compreender, nesse sentido, que eles deixam de operar em sua força; entretanto, no mesmo instante em que Ruach se desvanece, eles se agarram, como diz a Mischnath Chasidim, ao processo da vida "para provar o gosto da morte". Não obstante, devem-se olhar os Zelem como seres puramente mágicos; é a razão por que o próprio Zelem de Nephesch não pode agir diretamente no mundo de nossa percepção sensível externa.

O que se nos oferece na aparição de pessoas mortas é ou seu Habal de Garmin, ou a sutil matéria aérea ou etérea do mundo Asiah, de que o Zelem de Nephesch se reveste, a fim de se tornar perceptível aos nossos sentidos corporais.

Isso se aplica a toda espécie de aparições, seja a de um anjo, seja a alma de um morto, ou a de um espírito inferior. O que podemos ver e perceber por nossos olhos não é o Zelem, ele mesmo, mas apenas uma imagem, que, construída como "vapor" sutil do nosso mundo exterior, toma forma suscetível de redissolver-se imediatamente.

Tanto mais a vida dos homens sobre a terra oferece variedades, mais também é variada sua sorte nos outros mundos; pois, quanto mais ele infringiu aqui embaixo a lei divina, tanto mais terá de sofrer no outro mundo castigos e purificações.

Diz o *Zohar* a esse respeito: "A beleza do Zelem do homem piedoso depende das boas obras que ele cumpriu aqui embaixo"; e mais adiante: "O pecado mancha o Zelem de Nephesch". Loriah diz também: "No homem piedoso, os Zelem são puros e claros; no pecador, são inquietos e sombrios". Eis por que cada mundo tem, para cada um dos princípios do homem, seu *Gan-Eden* (Paraíso), seu *Nahar Dinur* (rio de fogo para a purificação da alma) e seu *Gei-Hinam*,[69] lugar de tortura pelo castigo; daí, também, a doutrina cristã do céu, do purgatório e do inferno.

Nossa intenção não é expor aqui a teoria da Qabalah sobre o estado da alma após morte e, notadamente, sobre os castigos a que é submetida. Disso se achará um relato muito claro na célebre obra de Dante, *A Divina Comédia*.

---

[69] *Gei-Hinam* era propriamente o nome de um lugar situado perto de Jerusalém, onde outrora eram feitos sacrifícios de crianças a Moloch; a Qabalah entende por esse nome o lugar de danação.

TERCEIRA PARTE

OS TEXTOS

Todos os dados científicos, filosóficos ou religiosos da Cabala são extraídos de dois livros fundamentais: o *Zohar* e o *Sepher Yetzirah*.

O primeiro deles é muito volumoso. Está traduzido em latim na *Kabbala denudata* e em inglês na *Kabbala unveiled*, de M. A. Matthers.

Fornecemos aqui a tradução da segunda dessas obras, tal como a publicamos em 1887, com os comentários e as notas. Em vários lugares se encontrarão repetições do que já desenvolvemos nos parágrafos precedentes; mas essas mesmas repetições mostrarão quais são os pontos sobre os quais o leitor deve, preferentemente, fixar a atenção.

Essa tradução do *Sepher Yetzirah* é seguida de duas obras cabalísticas bastante posteriores como composição: *Os 32 Caminhos da Sabedoria e As 50 Portas da Inteligência*. As notas que precedem essas obras indicam seu caráter.

§ 1. - O *SEPHER YETZIRAH*

AS 50 PORTAS DA INTELIGÊNCIA
OS 32 CAMINHOS DA SABEDORIA

Prefácio

Na base de todas as religiões e de todas as filosofias, encontra-se uma doutrina obscura, conhecida tão somente por uns poucos e cuja origem, malgrado os trabalhos dos pesquisadores, escapa a toda análise séria. Essa doutrina é designada sob nomes diferentes, de acordo com a religião que conserva suas chaves; porém, um estudo mesmo superficial permite reconhecê-la em toda parte, qualquer que seja o nome que a adorne. Aqui, o crítico revela jubiloso a origem da doutrina no Apocalipse, resumido do esoterismo cristão; mas ele logo se detém, pois a última Visão de São João assemelha-se à de Daniel, e o esoterismo das duas religiões, judaica e cristã, mostra-se idêntico na Cabala. Essa doutrina secreta tem origem na religião de Moisés, diz o historiador, e saudando seu triunfo se apresta a dar suas conclusões, quando os quatro animais da visão do Judeu se fundem em um único, e a Esfinge egípcia ergue silenciosamente sua cabeça de Homem acima dos discípulos de Moisés. Moisés era sacerdote egípcio; é, portanto, no Egito que se encontra a fonte do esoterismo simbólico, nesses mistérios em que toda filosofia grega, após Platão e Pitágoras, vem haurir seus ensinamentos. Todavia, as quatro personificações misteriosas se separam de novo, e Adda Nari, a deusa indiana, se ergue e nos mostra a cabeça do anjo equilibrando a luta entre a Besta feroz e o Touro pacífico, antes do nascimento do Egito e de seus mistérios sagrados.

Continuai vossas pesquisas, e essa origem misteriosa fugirá, sem cessar, à vossa frente: atravessareis todas as civilizações antigas tão penosamente reconstituídas e quando, enfim, cansado da corrida repousardes vosso espírito em plena raça vermelha, sobre a primeira civilização produzida pelo primeiro continente, ouvireis o profeta inspirado cantar os habitantes divinos do orbe superior, que lhe revelaram o segredo simbólico do santuário.

Deixemos aí esse Proteu inapreensível que se chama a origem do Esoterismo e consideremos a Cabala, na qual, com um pouco de trabalho, poderemos encontrar o fundo comum, a Religião Única, da qual todos os cultos são emanações. Para sabermos o que é a Cabala, ouçamos um homem profundamente instruído, tão sábio quanto modesto, que fala uma só vez sobre o que avança, porque seguro do que fala: Fabre d'Olivet.

Parece, no dizer dos mais famosos rabinos, que o próprio Moisés, prevendo o destino que seu livro teria de sofrer e as falsas interpretações que lhe seriam dadas na sequência dos tempos, recorreu a uma lei oral, que transmitiu de viva voz a homens de confiança, cuja fidelidade havia posto à prova, a que encarregou de transmiti-la no segredo do santuário a outros homens, que, transmitindo-a, por sua vez, a fizessem chegar à posteridade remota. Essa lei oral que os judeus modernos se orgulham de ainda possuir chama-se Cabala, de uma palavra hebraica que significa o que é recebido, o que vem de alhures, o que se passa de mão em mão.[1]

Dois livros podem ser considerados a base dos estudos cabalísticos: o *Zohar* e o *Sepher Yetzirah*. Nenhum deles foi, que eu saiba, totalmente traduzido para o francês; vou me esforçar por cumprir parte dessa lacuna, traduzindo o *Sepher Yetzirah* da melhor maneira possível. Rogo ao leitor que me perdoe antecipadamente os erros que possam se insinuar em meu trabalho, ao qual acrescento uma bibliografia que permita ao investigador consultar os originais e notas que esclareçam, tanto quanto possível, as passagens demasiado obscuras do texto.

---

[1] Fabre d'OLIVET, *La langue hébr. Restitues*, p. 29.

O *SEPHER YETZIRAH*

ENSAIO DE RECONSTITUIÇÃO DO TEXTO POR PAPUS

Fomos o primeiro, na França, a fornecer uma tradução comentada do *Sepher Yetzirah*, ou livro cabalístico da criação.

Essa tradução estava baseada nos textos que então possuíamos e eram incompletos.

Mais tarde, o sr. Mayer-Lambert, professor no seminário israelita, fez uma nova tradução, estabelecida segundo manuscritos hebraicos e árabes mais completos.

Mas um exame atento das duas traduções permite constatar que ambas apresentam lacunas e repetições.

Graças a essas repetições, foi-nos possível reconstituir, *com pouca diferença*, o texto do *Sepher Yetzirah*, de acordo com as observações a seguir.

Os autores antigos compunham os tratados do gênero que nos interessa fazendo, a princípio, um relato resumido do assunto a desenvolver; depois, desenvolvendo cada uma das questões especiais segundo o mesmo método.

Desse modo, o *Sepher Yetzirah* deveria se iniciar por um resumo dos assuntos a tratar, que são: as Dez Numerações, ou *Sephiroth*; as 22 letras e seu emprego pelo Criador para a constituição do Universo nos três planos: o Universo, o Ano, o Homem.

Em seguida, cada assunto deveria ser tratado repetindo-se inicialmente o relato geral, depois estendendo-o às diversas adaptações. Enfim, uma série de repetições nos conduziu a determinar que cada fim de capítulo ou de seção terminaria pela exposição das combinações cabalísticas das letras ou dos números dois a dois, três a três etc.

É por isso que propomos o texto novo do *Sepher Yetzirah* assim reconstituído:

1º) Como capítulo I, a exposição geral sobre as Dez Numerações e as 22 letras divididas em três mães, sete duplas e doze simples.

2º) Como capítulo II, o desenvolvimento concernente às Dez *Sephiroth*, com suas combinações no fim, segundo a permutação das letras do tetragrama.

3º) Como capítulo III, uma exposição geral das 22 letras em suas grandes divisões.

4º) O capítulo IV é consagrado ao desenvolvimento detalhado das correspondências analógicas das três letras-mães e da Trindade. Termina com um parágrafo sobre suas combinações.

O capítulo V estuda em detalhe as sete duplas e as correspondências do setenário. Termina igualmente com uma tábua das combinações: "Duas letras constroem duas casas, três edificam seis etc.".

O capítulo VI termina, enfim, os desenvolvimentos pela exposição das correspondências do duodenário, a propósito das doze simples.

A partir desse momento, o desenvolvimento para: fomos da unidade para o máximo de multiplicidade; detivemo-nos e retornamos, por meio de resumos sucessivos, à unidade do ponto de partida.

O capítulo VII consagra-se por inteiro a esse resumo progressivo, e nós o dividimos em três parágrafos: 1º) quadro das correspondências; 2º) derivados das letras; 3º) resumo geral.

Assim constituído, o *Sepher Yetzirah* forma um todo homogêneo, que parte de um ponto e retorna a ele, depois de ter percorrido os diversos graus das correspondências do ternário, do setenário e do duodenário no Universo, no Ano e no Homem.

O autor ou os interpoladores podem ter estabelecido algumas dessas correspondências de maneira original. Assim sendo, os sete dias da semana se relacionam aos planetas, segundo a ordem destes, no céu astrológico (Saturno, Júpiter, Marte, o Sol, Vênus, Mercúrio, a Lua), e não de acordo com sua relação exata extraída das linhas tiradas entre eles.

Desse modo, se os planetas forem dispostos ao redor de um círculo na ordem com o Sol no alto, poderá se observar que a correspondência dada pelo *Sepher Yetzirah* para os dias da semana se contenta em situar os dias diante dos planetas, começando pelo dia do *Shabat*, o sábado, atribuído a Saturno. Por isso, o domingo cai sobre Júpiter; a segunda-feira, sobre Marte; a terça, sobre o Sol; a quarta, sobre Vênus; a quinta, sobre Mercúrio; e a sexta-feira, sobre a Lua.

O autor devia conhecer a verdadeira chave das correspondências dos dias com os planetas, chave muito simples, obtida, como mostra a figura, traçando-se linhas retas entre os planetas, de modo a formar a estrela de sete pontas. Mas ele desejou exercitar o espírito do leitor para justificar sua expressão tão frequentemente repetida: "Procura, pensa, combina, imagina e restabelece a criatura no lugar determinado pelo Criador".

Que os leitores atenciosos não se esqueçam do fundamento do sistema: as três mães – a Me Sh; em sânscrito, se leem ESQUEMA, Sh-eM-A, o que indica que, ainda aqui, o sábio cabalista, autor do *Sepher Yetzirah,* colocou o esquema, e não a realidade das correspondências exatas, cuja palavra AZOTH é a única a dar a verdadeira chave, como o demonstra o admirável arqueômetro de Saint-Yves d'Alveydre. Munido de alguns desses dados primordiais, o leitor pode agora abordar proveitosamente a leitura e a meditação do *Sepher Yetzirah,* resumido da ciência viva dos Patriarcas.

O LIVRO CABALÍSTICO DA CRIAÇÃO – EM HEBRAICO, *SEPHER YETZIRAH*, por ABRAÃO

Transmitido sucessiva e oralmente aos seus filhos; depois, em vista do mau estado dos negócios de Israel, confiado pelo sábio de Jerusalém a arcanos e a letras de sentido o mais oculto.

CAPÍTULO I

EXPOSIÇÃO GERAL

É com os 32 caminhos da Sabedoria, caminhos admiráveis e ocultos, que IOAH יהוה, DEUS de Israel, DEUS VIVO e Rei dos Séculos, DEUS de misericórdia e de graça, DEUS sublime e muito elevado, DEUS que habita a Eternidade, DEUS santo, gravou seu nome por três numerações: SEPHER, SEPHAR e SIPUR, isto é, o NÚMERO, o NUMERANTE e o NUMERADO,[2] contidos em dez *Sephiroth*, isto é, em dez propriedades, exceto o inefável, e 22 letras.

As letras são constituídas de três mães, sete duplas e doze simples. As dez *Sephiroth*, exceto o inefável, são constituídas do número X, o dos dedos da mão e cinco contra cinco; mas no meio delas está a aliança da unidade. Na interpretação da língua e da circuncisão, reencontram-se as dez *Sephiroth*, exceto o inefável.

Dez, e não nove; dez, e não onze, compreende em tua sabedoria e estarás em tua compreensão. Exercita teu espírito sobre elas, procura, observa, pensa, imagina, restabelece as coisas no lugar e faze sentar o Criador em seu trono.

Dez *Sephiroth*, exceto o inefável, cujas dez propriedades são infinitas: o infinito do começo, o infinito do fim, o infinito do bem, o infinito do mal, o infinito em elevação, o infinito em profundidade, o infinito no Oriente, o infinito no

---

[2] Abendana traduziu esses três termos por a Escritura, os Números e a Palavra.

Ocidente, o infinito no Norte, o infinito no Sul, e o Senhor só está em cima; Rei fiel, ele a todos domina do alto de seu trono nos séculos dos séculos.

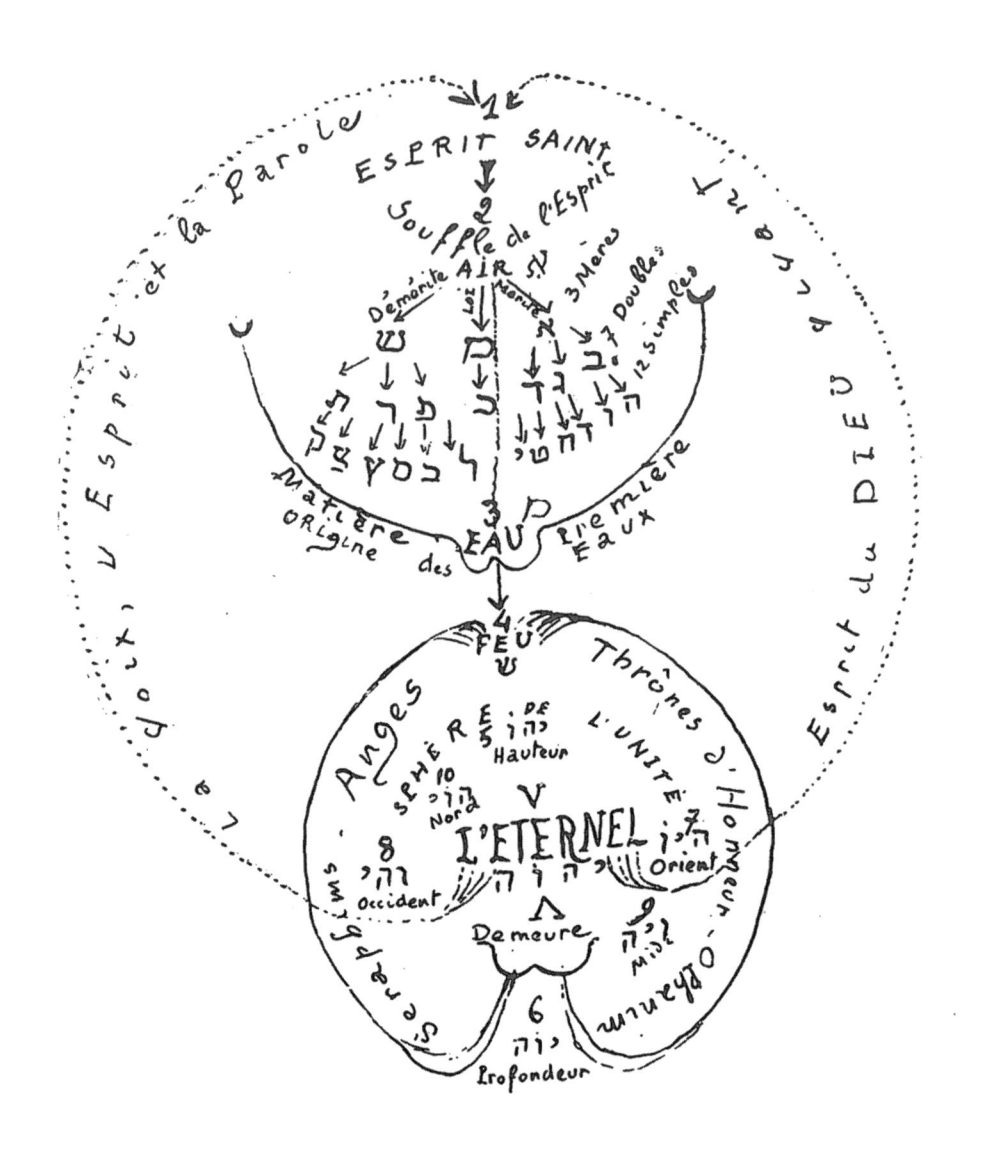

Vinte e duas letras fundamentais, três mães – *alef, mem, schin* – correspondem ao prato do mérito, ao prato do demérito e à balança da lei, que estabelece o equilíbrio entre eles; sete duplas – *beth, guimel, dalet, kaf, pé, resch, tav* –, que correspondem à vida, à paz, à sabedoria, à riqueza, à posteridade, ao favor, à dominação; doze simples – *he, vau, zayin, het, tet, yod, lamed, nun, samek, ayin, sade, qof* –, que correspondem à vista, ao ouvido, ao olfato, à palavra, à nutrição, à coabitação, à ação, ao andar, à cólera, ao riso, ao pensamento e ao sono.

Pelas quais Yah, o Eterno Sebaot, o Deus de Israel, Deus todo vivo, Deus todo-poderoso elevado, sublime, habitante da Eternidade e cujo nome é santo, traçou três pais e suas posteridades,[3] sete conquistadores e suas legiões,[4] doze arestas do cubo.[5] A prova da coisa é (dada por) testemunhas dignas de fé, o mundo, o ano e o homem, que têm a regra dos dez, três, sete e doze; seus prepostos são o dragão, a esfera e o coração.

---

[3] A água, o ar, o fogo e o que deles deriva.
[4] Os planetas e as estrelas.
[5] A palavra אלבסי não parece significar aqui *diagonal*.

CAPÍTULO II

AS *SEPHIROTH*, OU AS DEZ NUMERAÇÕES

Dez *Sephiroth*, exceto o inefável; seu aspecto é semelhante ao das chamas cintilantes; seu fim se perde no infinito. O verbo de Deus circula nelas; saindo e reentrando incessantemente, semelhantes a um turbilhão, elas executam, no mesmo instante, a palavra divina e inclinam-se perante o trono do Eterno.

Dez *Sephiroth*, exceto o inefável; considera que seu fim está junto do princípio como a chama está unida ao tição, pois o Senhor é único em cima e não tem segundo. Que número pode enunciar antes do número um?

Dez *Sephiroth*, exceto o inefável. Fecha os teus lábios e para a tua meditação; se teu coração desfalece, retorna ao ponto de partida. Por isso está escrito: Sair e retornar, pois é para isso que a aliança foi feita: Dez *Sephiroth*, exceto o inefável.

A primeira das *Sephiroth*, um, é o Espírito do Deus vivo; é o nome bendito e rebendito do Deus eternamente vivo. A voz, o espírito e a palavra, é o Espírito Santo.

Dois: é o Sopro do Espírito, e com ele estão gravadas e esculpidas as 22 letras, as três mães, as sete duplas e as doze simples, e cada uma delas é espírito.

Três: é a Água que vem do sopro, e com ela ele esculpiu e gravou a matéria-prima inanimada e vazia, edificou TOHU, a linha que serpenteia ao redor do mundo, e BOHU, as pedras ocultas enterradas no abismo e das quais saem as Águas.[6]

Quatro: é o fogo que vem da Água, e com esse fogo ele esculpiu o trono de honra, os Ophanim (rodas celestes), os Serafins, os Animais santos e os Anjos servidores, e de sua dominação ele fez sua morada, como diz o texto: Foi ele que fez seus anjos e seus espíritos ministrantes agitando o fogo.

Cinco: é o selo com o qual ele selou a altura quando a contemplou em cima dele. Selou-a com o nome IEV יהו.

Seis: é o selo com que ele selou a profundidade quando a contemplou embaixo dele. Selou-a com o nome IVE יוה.

Sete: é o selo com que ele selou o Oriente quando o contemplou à sua frente. Selou-o com o nome EIV היו.

Oito: é o selo com o qual ele selou o Ocidente quando o contemplou atrás dele. Selou-o com o nome VEI והי.

Nove: é o selo com o qual ele selou o Sul quando o contemplou à sua direita. Selou-o com o nome VIE ויה.

Dez: é o selo com o qual ele selou o Norte quando o contemplou à sua esquerda. Selou-o com o nome EVI הוי.

Esses são os dez Espíritos inefáveis do Deus vivo: o Espírito, o Sopro ou Ar, a Água, o Fogo, a Altura, a Profundidade, o Oriente, o Ocidente, o Norte e o Sul.

---

[6] Eis a variante dessa passagem por Mayer-Lambert: "Em terceiro lugar: Ele criou a água e o ar; ele traçou e cortou com ela o *tohu* e o *bohu*, o limo e a argila; fez disso como uma espécie de canteiro, cortou-os numa espécie de parede, cobriu-os com uma espécie de telhado; fez correr a água em cima, e isso se tornou a terra, como está escrito: *Pois à neve ele disse: seja da terra* (*Tohu* é a linha verde que rodeia o mundo inteiro; *bohu* são as pedras furadas e mergulhadas no Oceano, de onde sai a água, como está dito: *Ele estenderá sobre ela a linha de tohu e as pedras de bohu*)".
Esta última explicação é, provavelmente, uma interpolação. O autor do *Sepher Yetzirah* parece ter explicado תהו ובהו por דפש וטימ.

CAPÍTULO III

AS 22 LETRAS
(RESUMO GERAL)

As 22 letras são constituídas de três mães, sete duplas e doze simples.

As três mães são: E, M e S אמש, isto é, o Ar, a Água e o Fogo. A Água M מ muda; o Fogo S ש sibilante; o Ar A א intermediário entre as duas, como a balança da lei OCH הכ ocupa o meio entre o mérito e a culpabilidade. A essas 22 letras ele deu forma, peso e, misturando-as e transformando-as de diversos modos, criou a alma de tudo o que é para criar ou o será.

As 22 letras estão esculpidas na voz, gravadas no Ar, localizadas na pronúncia: na garganta, no palato, na língua, nos dentes e nos lábios.[7]

As 22 letras, os fundamentos, estão dispostas sobre a esfera em número de 231. O círculo que as contém pode girar diretamente, então significa felicidade, ou em retrocesso, então significa o contrário. E é por isso que ele as faz pesadas e as permuta, Aleph א com todas e todas com Aleph; Beth ב com todas e todas com Beth etc.

---

[7] Variação de Mayer-Lambert: "As guturais se pronunciam com o fim da língua; as linguais, pelo meio da língua, mais ou menos, pronunciando-se com a vogal; as sibilantes entre os dentes e com a língua inerte".

É por esse meio que nascem 231 portas; que se pensa que todos os idiomas e todas as criaturas derivam dessa formação; que, em consequência, toda criação procede de um nome único. Foi assim que ele fez את, ou seja, o Alfa e o Ômega, o que não mudará nem envelhecerá jamais.[8]

O signo de tudo isso são 22 totais e um só corpo.

Vinte e duas letras fundamentais: três principais, sete duplas, doze simples. Três principais, *alef, mem, schin*; o fogo, o ar e a água. A origem do céu é o fogo; a origem da atmosfera é o ar; a origem da terra é a água: o fogo sobe, a água desce, e o ar é a regra que estabelece o equilíbrio entre eles; o *mem* é grave; o *schin* é agudo; o *alef* é o intermediário entre eles. *Alef-mem-schin* está selado por seis selos e envolvido em macho e fêmea.[9] Sabe, pensa e imagina que o fogo suporta a água.

Sete duplas, *b, g, d, k, p, r, t*, usadas com duas pronúncias: *bet, bhet; guimel, ghimel; dalet, dhalet; kaf, khaf; pe, phe; resch, rhesch; tav, thav*: uma doce, a outra dura, à maneira do forte e do fraco. As duplas representam contrários. O contrário da vida é a morte; o contrário da paz é a desgraça; o contrário da sabedoria é a ignorância; o contrário da riqueza é a pobreza; o contrário do cultivo é o deserto; o contrário da graça é a feiura; o contrário do poder é a servidão.

Doze letras simples: *he, vau, zayin, het, tet, yod, lamed, nun, samekh, ayin, sade, qof*. Ele as traçou, talhou, multiplicou, pesou e permutou: de que modo as multiplicou? Duas pedras constroem duas casas; três constroem seis casas; quatro constroem 24 casas; cinco constroem 120 casas; seis constroem 720 casas; sete constroem 5.040. A partir daí, vai e conta o que tua boca não pode exprimir, o que teu ouvido não pode escutar.

Pelas quais Yah, o Eterno Sebaot, o Deus de Israel, Deus vivo, Senhor todo--poderoso, elevado e sublime, que habita a eternidade e cujo nome é santo, delineou o mundo. *YaH* compõe-se de duas letras; *YHVH*, de quatro letras. *Sebaot*: é como um signo em seu exército. *Deus de Israel* (Israel): é um príncipe diante de Deus. *Deus vivo*: três coisas são chamadas vivas – Deus vivo, água viva e a árvore da vida. *El*: forte. *Sadday* até aí ele basta. *Elevado*: pois ele reside na altura do mundo e está acima de todos os seres elevados. *Sublime*: pois ele carrega e sustém o alto e o baixo; enquanto os carregadores estão embaixo e a carga está no alto, ELE está no alto e carrega embaixo; ele carrega e sustém a eternidade.

---

[8] O autor certamente quer dizer que, se os números para nós são infinitos, não o são para Deus.

[9] Porque há seis combinações, três fortes e três fracas.

Habitante da Eternidade: pois seu reinado é cruel e ininterrupto. *Seu nome é santo*: pois ele e seus servidores são santos, e estes lhe dizem toda vez: santo, santo, santo.

A prova da coisa (é fornecida por) testemunhas dignas de fé: o mundo, o ano, a alma. As doze estão embaixo, as sete estão acima delas e as três acima das sete. Das três ele formou seu santuário, e todas estão ligadas ao Um: signo do Um que não tem segundo, Rei único em seu mundo, que é um e cujo nome é um.

CAPÍTULO IV

AS TRÊS MÃES

Três mães, E M e S אמש, são os fundamentos. Representam o prato do mérito, o prato da culpa e a balança da lei OCH חק, que está no meio.

Três mães, E M e S. Segredo insigne, muito admirável e muito oculto, gravado por seis anéis, dos quais saem o fogo, a água e o ar, que se dividem em machos e fêmeas. Três mães, E M e S, e delas três pais; com estes, todas as coisas são criadas.

Três mães, E M e S, no mundo: o Ar, a Água, o Fogo. No princípio, os Céus foram criados do Fogo; a Terra, da Água; e o Ar, do Espírito, que está no meio.

Três mães, E M e S, no ano: o Calor, o Frio e o Temperado. O Calor foi criado do Fogo; o Frio, da Água; e o Temperado, do Espírito, meio entre eles.

Três mães, E M e S, no Homem: a Cabeça, o Ventre e o Peito. A Cabeça foi criada do Fogo; o Ventre, da Água; e o Peito, meio entre eles, do Espírito.

Três mães, E M e S. Ele as esculpiu, as gravou e as compôs, e com elas foram criadas três mães no mundo, três mães no ano, três mães no homem, machos e fêmeas.

Ele fez Aleph א reinar sobre o Espírito, ligou-os por um laço e os compôs um com o outro, e com eles selou o ar no mundo, o temperado no ano, e o peito no homem, machos e fêmeas. Machos em E M e S אמש, isto é, no Ar, na Água e no Fogo, fêmeas em A S e M,[10] isto é, no Ar, no Fogo e na Água.

Ele fez Mem מ reinar sobre a Água, acorrentou-o de tal modo e combinou-os um com o outro de tal sorte que selou com eles a terra no mundo, o frio no ano, o fruto do ventre no homem, machos e fêmeas.

Ele fez reinar o Schin ש sobre o Fogo e o acorrentou e os combinou um com o outro, de tal modo que selou com eles os céus no mundo, o calor no ano e a cabeça no homem, machos e fêmeas.

De que maneira os misturou? *Alef, mem, schin; alef, schin, mem; mem, schin, alef; mem, alef, schin; schin, alef, mem; schin, mem, alef.* O céu é do fogo, a atmosfera é do ar, a terra é da água. A cabeça do homem é do fogo, seu coração é do ar, seu ventre é da água.

---

[10] Ver as observações para a explicação dessa passagem.

CAPÍTULO V

AS SETE DUPLAS

Sete duplas { T   R   PH   CH   D   G   B
              ת   ר   פ   כ   ד   ג   ב

constituem as sílabas: Vida, Paz, Ciência, Riqueza, Graça, Semente, Dominação.

Duplas porque são reduzidas, nos opostos, pela permutação; no lugar da Vida está a Morte; da Paz, a Guerra; da Ciência, a Ignorância; da Riqueza, a Pobreza; da Graça, a Abominação; da Semente, a Esterilidade; e da Dominação, a Escravidão. As sete duplas são opostas aos sete termos: o Oriente, o Ocidente, a Altura, a Profundidade, o Norte, o Sul e o Santo Palácio, fixado no meio que sustém tudo.

As sete duplas, ele as esculpiu, as gravou, as combinou e criou com elas os Astros no Mundo, os Dias no Ano e as Aberturas no Homem, e com elas esculpiu sete céus, sete elementos, sete animalidades vazias desde a obra. E por isso escolheu o setenário sob o céu.

1. Sete letras duplas, *b, g, d, k, p, r, t*; ele as traçou, talhou, misturou, equilibrou e permutou; criou com elas os planetas, os dias e as aberturas. 2. Fez reinar o *beth* e uniu a ele uma coroa, e os combinou um com a outra, e criou com ele Saturno no mundo, o sábado no ano e a boca na pessoa. 3. Fez reinar *guimel*, e

uniu a ele uma coroa, e os misturou um com a outra; com ele criou Júpiter no mundo, domingo no ano e o olho direito na pessoa. 4. Fez reinar o *dalet*, e uniu a ele uma coroa, misturou-os um com a outra, e criou com ele Marte no mundo, a segunda-feira no ano e o olho esquerdo no homem. 5. Fez reinar o *kaf*, uniu a ele uma coroa, e misturou-os um com a outra, e criou com ele o Sol no mundo, a terça-feira no ano, a narina direita na pessoa. 6. Fez reinar o *pe* e uniu a ele uma coroa, misturou-os um com a outra, e criou com ele Vênus no mundo, a quarta-feira no ano e a narina esquerda na pessoa. 7. Fez reinar o *resch* e uniu a ele uma coroa, e multiplicou-os, um com a outra, e criou com ele Mercúrio no mundo, a quinta-feira no ano, a orelha direita na pessoa. 8. Fez reinar o *tav*, uniu a ele uma coroa, multiplicou-os, um com a outra, e criou com ele a Lua no mundo, a sexta-feira no ano, a orelha esquerda na pessoa. 9. Ele separou as testemunhas e colocou-as cada qual à parte, o mundo à parte, o ano à parte e a pessoa à parte.

Duas letras constroem duas casas; três edificam seis; quatro, 24; cinco, 120; seis, 720; e, a partir daí, o número progride no inenarrável e no inconcebível.[11] Os astros no mundo são o Sol, Vênus, Mercúrio, a Lua, Saturno, Júpiter e Marte. Os dias do ano são os sete dias da criação, e as sete portas do homem são dois olhos, dois ouvidos, duas narinas e uma boca.

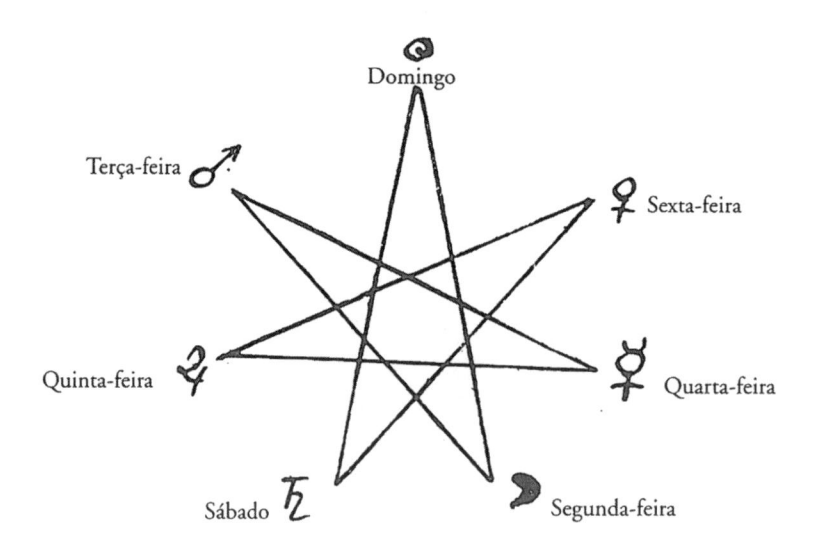

Sepher Yetzirah. Dias da semana e correspondências planetárias.

---

[11] Ver as observações.

CAPÍTULO VI

AS DOZE SIMPLES

Doze simples { K Ts Gh S N L I T H Z V E
ק צ ע ס נ ג ל י ט ח ז ו ה

Seu fundamento é: a Vista, o Ouvido, o Olfato, a Palavra, a Nutrição, o Coito, a Ação, a Locomoção, a Cólera, o Riso, a Meditação, o Sono. Sua medida é constituída dos doze termos do mundo:

O Norte-Este, o Sul-Este, o Este-altura, o Este-profundidade.

O Norte-Oeste, o Sul-Oeste, o Oeste-altura, o Oeste-profundidade.

O Sul-altura, o Sul-profundidade, o Norte-altura, o Norte-profundidade.

Os limites se propagam e avançam nos séculos dos séculos e são os braços do Universo.

Essas doze simples, ele as esculpiu, as gravou, as ajuntou, as pensou e as transmitiu, e criou com elas doze signos no Universo, a saber: Áries, Touro etc.

Doze meses no ano.

E essas letras são as doze diretrizes do homem, como segue:

Mão direita e mão esquerda, os dois pés, os dois rins, o fígado, o fel, o baço, o cólon, a bexiga, as artérias.

Ele fez reinar o *he,* uniu a ele uma coroa, misturou-os, um com a outra, e criou com ele Áries no mundo, *nisan* (março) no ano e o fígado no homem.

Fez reinar o *vau,* uniu a ele uma coroa, misturou-os, um com a outra, e criou com ele o Touro no mundo, *iyyar* (abril) no ano, a bílis no homem.

Fez reinar o *zain,* uniu a ele uma coroa, misturou-os, um com a outra, e criou com ele os Gêmeos no mundo, *sivan* (maio) no ano e o baço no homem.

Fez reinar o *heth,* uniu a ele uma coroa, misturou-os, um com a outra, e criou com ele Câncer no mundo, *tammuz* (junho) no ano e o estômago no homem.

Fez reinar o *teth,* uniu a ele uma coroa e multiplicou-os, um com a outra, e criou com ele o Leão no mundo, *ab* (julho) no ano, o rim direito no homem.

CAPÍTULO VII

§ 1. – QUADRO DAS CORRESPONDÊNCIAS

1. Ar, temperado, peito. Terra, frio, ventre. Céu, quente, cabeça; e essas são *alef, mem, schin*. 2. Saturno, sábado, boca. Júpiter, domingo, olho direito. Marte, segunda-feira, olho esquerdo. Sol, terça-feira, narina direita. Vênus, quarta-feira, narina esquerda. Mercúrio, quinta-feira, orelha direita. Lua, sexta-feira, orelha esquerda; essas são *beth, guimel, dalet, kaf, pe, resch, tav.* 3. Áries, *nisan*, fígado. Touro, *iyyar*, bílis. Gêmeos, *sivan*, baço. Câncer, *tammuz*, estômago. Leão, *ab*, rim direito. Virgem, *elul*, rim esquerdo. Balança, *tischri*, intestino abstinente. Escorpião, *marheschvan*, intestino obstinado. Sagitário, *kislev*, mão direita. Capricórnio, *tebet*, mão esquerda. Aquário, *schebat*, pé direito. Peixes, *adar*, pé esquerdo; e essas são he, vau, zayin, et, tet, yod, lamed, nun, samekh, ayin, sade, qof.

§ 2. – DERIVADOS DAS LETRAS

Com o *alef* foram formados: o ar, a atmosfera, o temperado, o peito e a regra do equilíbrio (braços da balança). Com o *mem* foram formados: a água, a terra, o inverno, o ventre, o prato do demérito. Com o *schin* foram formados: o fogo, o céu, o verão, a cabeça e o prato do mérito. Com o *beth* foram formados: Saturno, o sábado, a boca, a vida e a morte. Com o *guimel* foram formados: Júpiter, o domingo, o olho direito, a paz e a desgraça. Com o *dalet* foram formados: Marte, a segunda-feira, o olho esquerdo, a sabedoria e a tolice. Com o *kaf* foram formados: o Sol, a terça-feira, a narina direita, a riqueza e a pobreza. Com o *pe* foram formados: Vênus, a quarta-feira, a narina esquerda, o cultivo e o deserto. Com o *resch* foram formados: Mercúrio, a quinta-feira, a orelha direita, a graça e a feiura. Com o *tav* foram formadas: a Lua, a sexta-feira, a orelha esquerda, a dominação e a servidão. Com o *bet* foram formados: Áries, *nisan*, o fígado, a vista e a cegueira. Com o *vau* foram formados: o Touro, *iyyar*, a bílis, o ouvido e a surdez. Com o *zayin* foram formados: os Gêmeos, *sivan*, o baço, o olfato e a ausência de olfato. Com o *het* foram formados: o Câncer, *tammuz*, o estômago, a palavra e o mutismo. Com o *tet* foram formados: o Leão, *ab*, o rim direito, a deglutição e a fome. Com o *yod* foram formados: Virgem, *elul*, o rim esquerdo, o comércio sexual e a castração. Com o *lamed* foram formados: a Balança, *tischri*, o intestino abstinente, a atividade e a impotência. Com o *nun* foram formados: o Escorpião, *marheschvan*, o intestino obstinado, o andar e a claudicação. Com o *samekh* foram formados: o Sagitário, *kislev*, a mão direita, a cólera e a ingurgitação do fígado. Com o *ayin* foram formados: o Capricórnio, *tebet*, a mão esquerda, o riso e a ingurgitação do baço. Com *sade* foram formados: o Aquário, *sehebat*, o pé direito, o pensamento e a ingurgitação do coração. Com o *qof* foram formados: os Peixes, *adar*, o pé esquerdo, o sono e o langor. E todos são ligados ao Dragão, à esfera e ao coração.

Três[12] coisas estão no poder do homem (as mãos, os pés, os lábios); três coisas não estão no poder do homem (os olhos, as orelhas, as narinas). Há três coisas penosas de ouvir: a maldição, a blasfêmia e a má notícia; há três coisas agradáveis de ouvir: a bênção, o louvor e a boa notícia. Três coisas são más: o olhar do adúltero, o olhar do ladrão e o olhar do avarento; três coisas são agradáveis de ver: o olhar do pudor, o olhar da franqueza e o olhar da generosidade. Três odores são ruins: o odor do ar corrompido, o odor de um vento incômodo e o odor dos venenos; três odores são bons: o odor das especiarias, o odor dos festins e o odor dos perfumes. Três coisas são ruins para a língua: a tagarelice, o ano e o olho torto na pessoa; três coisas são boas para a língua: o silêncio, a reserva e a sinceridade.

---

[12] Acrescentado de acordo com o Sabbatai Donolo.

§ 3. – RESUMO GERAL

Três mães, sete duplas e doze simples. Tais são as 22 letras com as quais é feito o tetragrama IEVE והיה, isto é, Nosso Deus Sabaoth, o Deus sublime de Israel, o Altíssimo que se assenta nos séculos; e seu santo nome criou três pais, seus descendentes, sete céus com suas cortes celestes e doze limites do Universo.

A prova disso tudo, o testemunho fiel, é o universo, o ano e o homem. Ele os erigiu em testemunhas e os esculpiu por três, sete e doze. Doze signos e chefes no Dragão celeste, o Zodíaco e o Coração. Três, o fogo, a água e o ar. O fogo em cima, a água embaixo e o ar no meio. Isso significa que o ar participa dos dois.

O Dragão celeste, isto é, a Inteligência no mundo, o Zodíaco no ano e o Coração no homem. Três, o fogo, a água e o ar. O fogo superior, a água inferior, o ar no meio, pois ele participa dos dois.

O Dragão celeste está no universo semelhante a um rei no trono; o Zodíaco no ano semelhante a um rei na cidadela; o Coração no homem assemelha-se a um rei na guerra.

E Deus os fez opostos, Bem e Mal. Fez o Bem do Bem e o Mal do Mal. O Bem prova o Mal, e o Mal, o Bem. O Bem fervilha nos justos, e o Mal, nos ímpios. E cada qual é constituído do ternário.

Sete partes são constituídas de dois ternários no meio, dos quais se mantém a unidade.

O duodenário é constituído de partes opostas: três amigas, três inimigas, três vivas vivificam, três matam, e Deus, rei fiel, domina-as todas do limiar de sua santidade.

A unidade domina sobre o ternário; o ternário, sobre o setenário; o setenário, sobre o duodenário, mas cada parte é inseparável de todas as outras, e quando Abraão, nosso pai, o compreendeu e considerou, examinou, aprofundou, sopesou, esculpiu, gravou e compôs tudo isso, na verdade reuniu a criatura ao criador. Então o senhor do Universo manifestou-se nele, chamou-o seu amigo e se empenhou numa aliança eterna com ele e com sua posteridade, como está escrito: ELE acreditou em IOAH יהוה, e isso foi contado como obra de Justiça. ELE contratou com Abraão um pacto entre seus dez dedos do pé: é o pacto da circuncisão, e outro entre os dez dedos das mãos: é o pacto da língua. ELE ligou as 22 letras à sua língua e lhe desvendou seu mistério. ELE os fez descer na água, subir no fogo, atirou-os no ar, iluminou-os nos sete planetas e os derramou nos doze signos celestes.

§ 4. – OBSERVAÇÕES

Nessas curtas observações, não é nossa intenção tecer um comentário do *Sepher Yetzirah*. Para ter algum valor, esse comentário só poderia estar baseado sobre o texto hebraico, cuja língua, conservando ainda tripla significação,[13] é a única que permite traduzir por inteiro o pensamento do autor. De resto, os mais eminentes mestres do ocultismo, Guillaume Postel e o alquimista Abraão, fizeram, em latim, excelentes comentários, aos quais remetemos o leitor desejoso de aprofundar essas questões.

Queremos limitar nossa ambição em esclarecer, o melhor possível, as passagens bastante obscuras, por meio de notas e pela tradução de duas obras cabalistas muito pouco conhecidas: *As 50 Portas da Inteligência* e *Os 32 Caminhos da Sabedoria*.

De modo geral, poderia-se chamar o *Sepher Yetzirah*, de preferência, o livro da criação cabalística a chamá-lo o livro cabalístico da criação. É, na realidade, sobre o nome misterioso de IOAH יהוה que repousa o livro todo, e a criação do mundo por ELE-OS-DEUSES[14] limita-se à criação toda cabalística dos números e das letras. Por aí, o autor do *Sepher* proclama, desde o início, o método característico das Ciências Ocultas: a Analogia.

A forma que o artista dá à sua obra exprime exatamente a grandeza da ideia produtora; existe uma relação matemática entre a forma visível e a ideia invisível que lhe deu nascença, entre a reunião das letras formando uma palavra e a ideia que essa palavra representa; assim, criar palavras é criar ideias, e se compreende por que o *Sepher Yetzirah* se limita, para contar a criação de um mundo, a desenvolver a criação das letras hebraicas, que representa ideias e leis.

O *Zohar* é uma espécie de luz; o *Sepher Yetzirah*, uma escala de verdades. Aí são explicados os 32 signos absolutos da palavra, dos números e das letras; cada letra reproduz um número, uma ideia e uma forma, de maneira que as matemáticas são

---

[13] "Moisés seguiu a respeito o método dos Sacerdotes egípcios; pois devo dizer, antes de tudo, que os Sacerdotes tinham três maneiras de expressar seu pensamento. O primeiro era claro e simples; o segundo, simbólico e figurado; o terceiro, figurado ou hieroglífico... A mesma palavra tomava a seu gosto sentido próprio, figurado ou hieroglífico. Tal era o gênio de sua língua. Heráclito exprimiu perfeitamente essa diferença designando-a pelos epítetos de *falante*, de *significante* e de *ocultante*." (FABRE D'OLIVET).

[14] Tradução exata da palavra אלהים (AElohim). Aliás, pode-se ver no início do *Sepher Yetzirah* Deus designado no plural.

aplicadas às ideias e às formas não menos rigorosamente do que o são aos números, por uma proporção exata e uma correspondência perfeita.

Pela ciência do *Sepher Yetzirah* o espírito humano está fixado na verdade e na razão e pode se dar conta dos progressos possíveis da inteligência pelas evoluções dos números. O *Zohar* representa, pois, a Verdade absoluta, e o *Sepher Yetzirah* fornece os meios de apreendê-la, de se apropriar dela e de usá-la. (Éliphas Lévi, *História da Magia*.)

A lei geral que vai dar nascimento ao mundo, uma vez criada sob o nome de IOAH,[15] vamos vê-la se desenvolvendo no Universo através das dez *Sephiroth*, ou Numerações.

Que exprimem essas dez *Sephiroth*? Poucos termos provocaram mais comentários; segundo as raízes hebraicas dessa palavra, acredito que poderíamos expressar a ideia que ela encerra, pela seguinte definição: *ponto de parada de um movimento cíclico*. As dez *Sephiroth* não seriam senão dez concepções em graus diferentes de uma única e mesma coisa que os cabalistas designam como *En-Soph*, o inefável, que representa a essência divina na maior abstração e está designada no nome (IEVE) pela primeira letra reta I ' (יהוה).

O *Sepher* nos mostra a aplicação dessas ideias servindo-se da palavra (EVE) הוה, combinada de formas diferentes, para nos indicar as seis últimas *Sephiroth* (cap. I).

Ad. Franck, interpretando os cabalistas, diz também: "Conquanto todos igualmente necessários, os atributos e as distinções que as *Sephiroth* exprimem não podem nos fazer compreender a natureza divina da mesma eminência; mas

---

[15] Acredito prestar serviço aos leitores publicando parte do comentário de Fabre d'Olivet sobre esse nome misterioso, cujo estudo é, propositadamente, apenas abordado pelos escritores ocultistas: "Este nome oferece, em primeiro lugar, o signo indicador da vida, duplicado e formando a raiz essencialmente viva EE הה. Essa raiz jamais é empregada como nome e é a única que desfruta dessa prerrogativa. Ela é, desde a formação, não apenas um verbo, mas um verbo único, do qual todos os outros são apenas derivados: numa palavra, o verbo הוה (EVE) ser-sendo. Aqui, como se vê, e como tive o cuidado de explicá-lo em minha gramática, o signo da luz inteligível ו (Vau) está no meio da raiz de vida. Moisés, tomando esse verbo por excelência para formar dele o nome próprio do Ser dos Seres, acrescenta-lhe o signo da manifestação potencial e da eternidade ' (I), e obtém יהוה (IEVE), no qual o facultativo 'sendo' se encontra colocado entre um passado sem origem e um futuro sem termo. Esse nome admirável significa, exatamente, o Ser-que-é-que-foi-e--que-será".

no-la representa sob diversos aspectos, que, na linguagem dos cabalistas, são chamados de aspectos ou pessoas".[16]

Mas é Kircher que nos vai esclarecer completamente, mostrando, numa frase apenas, a origem dos trabalhos modernos sobre a unidade da força difundida no Universo, trabalhos prosseguidos frutuosamente por Louis Lucas.[17] Escutemos nosso autor:

É porque todas as Sephiroth, ou Números, são uma só e única força modificada, diferentemente, segundo os ambientes que atravessa.[18]

Dentro em pouco, a substância divina, vai, por meio de novas modificações, dar nascimento a concepções ainda desconhecidas, manifestadas pelas 22 letras. Aqui, as grandes leis que regem a natureza vão aparecer uma a uma nas aplicações analógicas empregadas pelo autor do *Sepher* ao falar do Universo, do ano e do homem.

A primeira distinção aparece na divisão ternária das letras, que se separam em mães, duplas (exprimindo dois sons, um positivo, forte, e outro negativo, brando) e simples (que exprimem um único som).

Essa ideia da Trindade encontra-se em toda parte no *Sepher*. Está, sobretudo, bem desenvolvida no capítulo III, onde é mostrada sua constituição: um positivo ש S, o Fogo; um negativo, a Água, מ M; e um neutro, o Ar, א A, intermediário entre os dois e resultante de sua ação recíproca.

Consideremos cada Trindade uma única pessoa e veremos aparecer uma Trindade positiva, uma Trindade negativa e a Unidade que as harmoniza no Setenário, como o diz o texto:

Setes partes são constituídas de dois Ternários, no meio dos quais se mantém a unidade.

Do mesmo modo, o duodenário é formado de quatro ternários opostos dois a dois.

Entretanto, em algumas dessas cifras, estão contidas todas as leis que a Ciência oculta considera as primordiais, os *porquês* da Natureza.

---

[16] FRANCK, *La Kabbale*.
[17] Vede *l'Occultisme contemporain*, por PAPUS (ed. Carré).
[18] KIRCHER, *OEdipus AEgyptiacus* (Cabala Hebraeorum, § 11).

E isso é tão verdadeiro que o autor termina seu livro sintetizando numa única frase as leis que analisou precedentemente.

Ao lado dessa evolução, partida da Divindade para difundir-se através da criação, cuja ideia, em suma, é bastante clara, aparecem, aqui e ali, passagens obscuras, cujo sentido se relaciona às práticas adivinhatórias e, por conseguinte, ocultas do santuário.

Algumas letras do alfabeto são suficientes para exprimir um número incalculável de ideias, e isso em razão de sua simples combinação. Assim, eis aqui três letras, o N, o M e o O, que vão exprimir uma ideia totalmente diferente, conforme se escreva NOM ou MON. É a essas combinações das letras e, consequentemente, dos números e das ideias que se relacionam as 231 portas do fim do capítulo II e as casas do capítulo IV.

As 231 portas ligam-se, na prática, a uma tábua chamada *Ziruph* na Cabala e indicam todas as palavras que podem ser formadas pelas 22 letras, substituindo-se umas pelas outras. Porém, no caso de que nos ocupamos, eis a explicação de Guillaume Postel:

Multiplicando as 22 letras pelos 11 números (as dez *Sephiroth* + o inefável), obtereis 242, das quais subtraireis os números para não terdes senão as portas ocultas, o que vos dará 242 – 11 = 231 portas.

A tábua das substituições serve para substituir a primeira letra do alfabeto pela última; a segunda pela penúltima; e assim por diante.

Tomemos um exemplo do francês, o alfabeto:
A B C D E F G H I J K L M N O P Q R S T U V X Y Z se tornará
Z Y X V U T S R Q P O N M L K J I H G F E D C B A,

de modo que, para escrever ART, se fará lendo o alfabeto colocado embaixo: ZHF. Esse método combinado com o seguinte oferece grande recurso para uso prático da Rota de Guillaume Postel.[19]

A segunda passagem (fim do Capítulo IV) refere-se ao número de combinações que podem ser formadas por determinado número de letras; assim, duas letras só podem formar duas combinações; três podem formar seis. Exemplo:

---

[19] Ver ÉLIPHAS LÉVI, *Dogma e Ritual de Alta Magia*, Capítulo XXI (São Paulo: Pensamento, 2ª ed., 2017).

1. ABC
2. ACB
3. BAC
4. BCA
5. CAB
6. CBA

e assim sucessivamente, segundo uma lei matemática. Como podemos ver, o *Sepher Yetzirah* é dedutivo; parte da ideia de Deus para descer aos fenômenos naturais. Dos dois livros de que me resta falar, um está estabelecido de acordo com o sistema do *Sepher Yetzirah* e se intitula *Os 32 Caminhos da Sabedoria*; o outro é indutivo; parte da Natureza para remontar à ideia de Deus e apresenta um sistema de evolução notável, que oferece uma analogia digna de interesse com as ideias modernas e os dados da Teosofia.[20] Quero falar das *50 Portas da Inteligência*.

De acordo com os cabalistas, cada um desses dois sistemas procede de uma das primeiras *Sephiroth*. Os 32 caminhos da Sabedoria derivam de *Chokmah*, e as 50 Portas da Inteligência, de *Binah*, conforme o ensina Kircher:

Do mesmo modo que os 32 caminhos da Sabedoria, emanados da Sabedoria, se difundem no círculo das coisas criadas, assim também de *Binah*, ou seja, da Inteligência, que vimos ser o Espírito Santo, se abrem 50 portas que conduzem aos ditos caminhos; seu objetivo é conduzir ao uso prático dos 32 caminhos da Sabedoria e da Potência.

São chamadas Portas porque, segundo os cabalistas, ninguém pode chegar a uma noção perfeita dos caminhos supramencionados se não tiver entrado inicialmente por essas Portas.

§ 5. – AS 50 PORTAS DA INTELIGÊNCIA

Iª CLASSE

PRINCÍPIOS DOS ELEMENTOS

Porta 1 – (a mais ínfima) Matéria primeira, *Hyle,* Caos.
Porta 2 – Vazio e inanimado: o que é sem forma.
Porta 3 – Atração natural, o abismo.

---

[20] Vede a segunda parte do *Traité élémentaire de Science occulte.*

Porta 4 – Separação e rudimentos dos Elementos.

Porta 5 – Elemento Terra não encerrando ainda nenhuma semente.

Porta 6 – Elemento Água agindo sobre a Terra.

Porta 7 – Elemento Ar exalando-se do abismo das águas.

Porta 8 – Elemento Fogo aquecendo e vivificando.

Porta 9 – Figuração das Qualidades.

Porta 10 – Sua atração para a mistura.

2ª CLASSE
DÉCADA DOS MISTOS

Porta 11 – Aparecimento dos Minerais pela disjunção da terra.

Porta 12 – Flores e substâncias para a geração dos metais.

Porta 13 – Mares, Lagos, Flores secretados entre os alvéolos (da Terra).

Porta 14 – Produção das Ervas, das Árvores, isto é, da Natureza vegetante.

Porta 15 – Forças e sementes dadas a cada uma delas.

Porta 16 – Produção da Natureza sensível, isto é,

Porta 17 – Dos Insetos e dos Répteis.

Porta 18 – Dos Peixes cada qual com as

Porta 19 – Das Aves suas propriedades especiais.

Porta 20 – Procriação dos Quadrúpedes.

3ª CLASSE
DÉCADA DA NATUREZA HUMANA

Porta 21 – Produção do homem.

Porta 22 – Limo da Terra de *Damas*, Matéria.

Porta 23 – Sopro de Vida, Alma ou

Porta 24 – Mistério de Adão e Eva.

Porta 25 – Homem-Todo, Microcosmo.

Porta 26 – Cinco potências externas.

Porta 27 – Cinco potências internas.

Porta 28 – Homem Céu.

Porta 29 – Homem Anjo.

Porta 30 – Homem imagem e semelhança de Deus.

4ª CLASSE
ORDENS DOS CÉUS, MUNDO DAS ESFERAS

Porta 31 – Da Lua.
Porta 32 – De Mercúrio.
Porta 33 – De Vênus.
Porta 34 – Do Sol.
Porta 35 – De Marte.
Porta 36 – De Júpiter.
Porta 37 – De Saturno.
Porta 38 – Do Firmamento.
Porta 39 – Do primeiro Móvel.
Porta 40 – Empíreo.

5ª CLASSE
DAS NOVE ORDENS DE ANJOS, MUNDO ANGÉLICO

Porta 41 – Animais santos .... Serafins.
Porta 42 – Ophanim, isto é, Rodas .... Querubins.
Porta 43 – Anjos grandes e fortes .... Tronos.
Porta 44 – Haschemalim, isto é .... Dominações.
Porta 45 – Serafim, isto é, ... Virtudes.
Porta 46 – Malachim.. Potestades.
Porta 47 – Elohim .... Principados.
Porta 48 – Ben Elohim .... Arcanjos.
Porta 49 – Querubim.. Anjos.

6ª CLASSE
EN-SOPH, DEUS IMENSO
MUNDO SUPERMUNDANO E ARQUÉTIPO

Porta 50 – Deus; Soberano Bem; Aquele que o homem mortal não viu nem foi penetrado por nenhuma pesquisa do espírito. É esta a 50ª porta à qual Moisés não chegou.

E tais são as 50 portas pelas quais o pesquisador cuidadoso e obediente à lei é preparado pela Inteligência ou pelo Espírito Santo para os 32 caminhos da Sabedoria.

"Os 32 caminhos da Sabedoria são os caminhos luminosos pelos quais os santos homens de Deus podem, por longo uso, longa experiência das coisas divinas e longa meditação sobre elas, chegar aos centros ocultos."

KIRCHER

§ 6. – OS 32 CAMINHOS DA SABEDORIA

O primeiro caminho é chamado Inteligência admirável, coroa suprema. É a luz que faz compreender o princípio sem princípio e é a glória primeira; nenhuma criatura pode atingir sua essência.

O segundo caminho é a Inteligência que ilumina; é a coroa de Criação e o esplendor da Unidade suprema de que ele se avizinha mais. É exaltado acima de toda cabeça e chamado pelos cabalistas: a Glória Segunda.

O terceiro caminho é chamado Inteligência santificante e é a base da Sabedoria primordial, chamada criadora da Fé. Suas raízes são אמן. É parente da fé, que dela emana efetivamente.

O quarto é chamado Inteligência de paragem ou receptora, porque a ergue como um marco para receber as emanações das inteligências superiores que lhes são enviadas. É dele que emanam todas as virtudes espirituais pela sutileza. Ele emana da coroa suprema.

O quinto caminho é chamado Inteligência radicular, porque, mais que todos, é igual à suprema unidade; emana das profundezas da Sabedoria primordial.

O sexto caminho é chamado Inteligência da influência mediana, porque é nele que se multiplica o fluxo das emanações. Faz essa influência influir sobre os homens abençoados que nele se unem.

O sétimo caminho é chamado Inteligência oculta, porque faz jorrar um esplendor extraordinário sobre todas as virtudes intelectuais contempladas pelos olhos do espírito e pelo êxtase da fé.

O oitavo caminho é chamado Inteligência perfeita e absoluta. É dele que emana a preparação dos princípios. Ele não tem raízes às quais adere se não nas profundezas da Esfera Magnificência da substância própria da qual emana.

O nono caminho é chamado Inteligência mundana. Ele purifica as Numerações, impede e detém os destroços de suas imagens; funde sua unidade para preservar, por sua união com ele, da destruição e da divisão.

O décimo caminho é chamado Inteligência resplendente, porque é exaltado acima de toda cabeça e tem a morada em BINAH; ilumina o fogo de todos os luminares e faz emanar a forma do princípio das formas.

O décimo primeiro caminho é chamado Inteligência do fogo. É o véu localizado diante das disposições e da ordem das sementes superiores e inferiores. Aquele que possui esse caminho frui de grande dignidade, a de estar perante a face da causa das causas.

O décimo segundo caminho é chamado Inteligência da luz, porque é a imagem da magnificência. Diz-se que é o lugar de onde vem a visão dos que veem aparições.

O décimo terceiro caminho é chamado Inteligência indutiva da Unidade. É a substância da Glória; faz conhecer a verdade a cada um dos espíritos.

O décimo quarto caminho é chamado Inteligência que ilumina; é o preceptor dos arcanos, o fundamento da Santidade.

O décimo quinto caminho é chamado Inteligência constitutiva porque constitui a criação no calor do mundo. Ele é ele-mesmo, segundo os filósofos; o calor de que fala a Escritura (Jó, 38); o calor e seu envolvimento.

O décimo sexto caminho é chamado Inteligência triunfante e eterna, voluptuosidade da Glória, Paraíso da volúpia preparada para os justos.

O décimo sétimo caminho é chamado Inteligência dispositiva; dispõe os piedosos à fidelidade e, por aí, os torna aptos a receberem o Espírito Santo.

O décimo oitavo caminho é chamado Inteligência ou Casa da afluência. É dele que se extraem os arcanos e os sentidos ocultos que dormitam em sua sombra.

O décimo nono caminho é chamado Inteligência do segredo ou de todas as atividades espirituais. A afluência que recebe vem da Bênção altíssima e da glória suprema.

O vigésimo caminho é chamado Inteligência da Vontade. Ele prepara todas as criaturas e cada uma delas, em particular, para a demonstração da existência da Sabedoria primordial.

O vigésimo primeiro caminho é chamado Inteligência que compraz a quem o procura; ele recebe a influência divina e influi, por sua bênção, sobre todas as existências.

O vigésimo segundo caminho é chamado Inteligência fiel, porque nele estão depositadas as virtudes espirituais que ali aumentam, até irem para os que habitam sob sua sombra.

O vigésimo terceiro caminho é chamado Inteligência estável. É a causa da consistência de todas as numerações (*Sephiroth*).

O vigésimo quarto caminho é chamado Inteligência imaginativa. Dá verossimilhança a todas as verossimilhanças dos seres criados, segundo seus aspectos, à sua conveniência.

O vigésimo quinto caminho é chamado Inteligência de Tentação ou de prova, porque é a primeira tentação pela qual Deus põe à prova os piedosos.

O vigésimo sexto caminho é chamado Inteligência que renova, porque é por seu intermédio que DEUS (bendito seja!) renova tudo o que pode ser renovado na criação do mundo.

O vigésimo sétimo caminho é chamado Inteligência que agita. Na realidade, é dele que é criado o Espírito de todas as criaturas do Orbe supremo e a agitação, isto é, o movimento a que elas são sujeitas.

O vigésimo oitavo caminho é chamado Inteligência natural. É por ele que é aperfeiçoada e tornada perfeita a natureza de tudo o que existe no Orbe do Sol.

O vigésimo nono caminho é chamado Inteligência corporal. Ele forma todo corpo corporificado sob todos os orbes e seu crescimento.

O trigésimo caminho é chamado Inteligência coletiva, porque é dele que os Astrólogos extraem, pela observação das estrelas e dos signos celestes, suas especulações e os aperfeiçoamentos da sua ciência, de acordo com os movimentos dos astros.

O trigésimo primeiro caminho é chamado Inteligência perpétua. Por quê? Porque regula o movimento do Sol e da Lua, segundo sua constituição, e os faz gravitarem, os dois, na órbita respectiva.

O trigésimo segundo caminho é chamado Inteligência adjuvante, porque dirige todas as operações dos sete planetas e de suas divisões e coopera nelas.

Eis aqui a prática desses 32 caminhos.

Quando desejam interrogar Deus por meio de algum caminho das coisas naturais, os cabalistas assim atuam:

Em primeiro lugar, consultam, numa preparação anterior, as 32 passagens do 1º capítulo do Gênese, isto é, os caminhos das coisas criadas, e sobre elas fazem seu estudo.[21]

A seguir, por meio de certas orações extraídas do nome ELOIM אלהים, rogam a Deus que lhes conceda largamente a luz necessária ao caminho procurado

---

[21] No 1º capítulo do Gênese, o nome divino Elohim é mencionado 32 vezes.

e se persuadem, por meio de cerimônias apropriadas, adeptos da Luz da Sabedoria, embora se conservem, pela fé inabalável e ardente caridade, no coração do mundo para interrogá-lo. Para que a oração tenha de imediato maior poder, eles se servem do nome de 42 letras[22] e, através dele, imaginam alcançar o que pedem.

Os leitores curiosos de novos detalhes sobre a Cabala os encontrarão nos relatos de todos os cabalistas contemporâneos: Éliphas Lévi, Stanislas de Guaita, Joséphin Peladan, Alber Jhouney. Os que desejam penetrar profundamente no sistema cabalístico esboçado simbolicamente no *Sepher Yetzirah* encontrarão desenvolvimentos consideráveis em meu estudo sobre o *Tarot des bohémiens*, alentado volume de cerca de 400 páginas, baseado no 3º nome divino.

§ 7. – A DATA DO *SEPHER YETZIRAH*

> "Procura, pensa, combina, imagina e restabelece a criatura no lugar assinalado pelo Criador."
> (*Sepher Yetzirah*. Tradução: Papus.)

Não foi sem certa apreensão que empreendemos este trabalho, talvez bastante presunçoso para o humilde estudante que somos. Mas deve essa apreensão nos impedir de revelar a parcela de verdade que pensamos possuir? Não o cremos. "A luz não deve ser posta sob o alqueire", disse o mestre, e o menor clarão, na escuridão, basta, com frequência, para revelar a estrada oculta que archotes mais cintilantes virão iluminar mais tarde. Ademais, nosso trabalho é a confirmação prática desse conselho dado pelo *Sepher Yetzirah* mesmo ao estudante oculto e que, de nossa parte, tomamos para epígrafe: "Procura, pensa, combina, imagina e restabelece a criatura no lugar assinalado pelo Criador".

Fixar uma data para uma obra como o *Sepher Yetzirah* não é coisa fácil para o crítico racionalista, e, para prová-lo, bastam-nos as divergências consideráveis de opinião que separam os diferentes críticos. Quase todos partem da ideia preconcebida de que toda obra mística ou cabalista não passa de um acervo, mais ou menos heterogêneo, de divagações pueris. Outros, como o dr. Karppe, em se

---

[22] Esse nome é extraído das combinações do Tetragrama; vede KIRCHER, *op. cit.*

defendendo disso, e de boa-fé, como o confirma o seu muito erudito e muito consciencioso *Étude sur les origines et la nature du Zohar*, acabam por chegar à mesma conclusão, ou quase.

É que todos, malgrado sua ciência, malgrado seu poder de raciocínio, não podem nada compreender – e com razão – desses escritos, nem neles descobrir o que pode distinguir aí claramente o mais modesto estudante de Ocultismo. Portanto, eles são levados fatalmente a ver em toda obra mística ou a simples derivação de um sistema filosófico ou religioso envolto em nebulosidades extravagantes e incompreensíveis, ou a vontade de fazer enquadrar, mais ou menos habilmente, a filosofia de uma escola num sistema religioso dado.

Tentar fazê-los admitir que, sob esses véus, podem se ocultar, se ocultam, na realidade, as mais poderosas doutrinas científicas e morais, e, sobretudo, que tais doutrinas remontam à mais alta Antiguidade, é querer conseguir de parte deles apenas o sorriso desdenhosamente indulgente de quem *crê* saber, para o ignorante que *quer* saber.

As provas sobre as quais eles apoiam seus julgamentos são tão irrefutáveis; dão tão pouca oportunidade à crítica que nos obriga a aceitá-las de olhos fechados? Não, certamente, e nos esforçaremos para demonstrá-lo.

Essas provas são de duas espécies:

1ª) Provas extraídas de ideias filosóficas gerais contidas no livro estudado. Nós as chamaremos provas filosóficas ou morais.

2ª) Provas extraídas da língua em que o livro foi escrito: nós as denominaremos provas gramaticais ou de escritura.

Tais provas, encontramo-las magistralmente aplicadas na obra recentíssima de S. Karppe, a que já nos referimos. Vejamos como o autor, apoiando-se nessas provas, se esforça por assinalar no *Sepher Yetzirah* uma origem relativamente recente.

Depois de haver discutido longamente as ideias filosóficas do *Sepher Yetzirah* – discussão na qual não o seguimos, uma vez que não é esse nosso objetivo –, ele conclui assim, advertindo o leitor de que se trata de uma opinião pessoal, dada sob reserva, sem fundamento científico:

"O *Sepher Yetzirah* não é, talvez, o ponto inicial, mas final, de longa série de ideias, e é possível que seja a obra de pedagogo preocupado em requintar num manual bastante breve, numa espécie de Mishná, todos os conhecimentos científicos elementares:

"Conhecimentos relativos à leitura e à gramática: as 22 letras do alfabeto, com todas as combinações, tais como figuram nos quadros destinados a ensinar as crianças a ler; tais como, de acordo com Sadyah, eram encontradas nas cidades da Palestina e do Egito; depois a divisão das letras segundo os órgãos que as pronunciam, a natureza das letras suscetíveis de dupla pronúncia etc.

"Conhecimentos cosmológicos e físicos, como o nome e a natureza dos elementos, as relações e as diferenças entre eles, sua densidade etc.

"Conhecimentos relativos à divisão do tempo, aos dias da semana, aos meses do ano e, ligando-se a eles, às noções sobre os planetas, os signos do Zodíaco.

"Conhecimentos relativos ao espaço, aos pontos cardeais, às direções da rosa dos ventos, aí compreendidas noções de geometria concernentes ao quadrado, ao cubo.

"Conhecimentos relativos à anatomia, como a divisão dos órgãos, seus nomes, suas funções, o papel capital do coração.

"Enfim, conhecimentos essenciais relativos à doutrina judaica, como o monoteísmo, a cosmogonia do *Gênese,* a circuncisão e também as concepções relativas à Mercabah.

"De maneira que o *Sepher Yetzirah* seria tão somente uma obra mística, não seria outra coisa senão um "enchiridion" elementar propondo-se a ligar entre elas, por meio dos números e das letras, todas as noções objeto do ensino da primeira idade."[23]

Essa não é a nossa opinião, certos que estamos de que uma doutrina muito mais elevada se esconde sob a terminologia do *Sepher Yetzirah.* De qualquer maneira, o fim dessa conclusão não nos parece sustentável. Quando homens do valor do nosso crítico confessam as dificuldades experimentadas perante semelhante obra, o que uma criança poderia compreender dela? E, depois, tudo isso pouco serve para prejulgar a época a que remonta o *Sepher Yetzirah,* pois a origem de todos os dados esparsos no livro, e tão claramente resumidos pelo crítico, perde-se na noite dos tempos. Mas confundiremos o exame dessas primeiras provas com o das provas gramaticais e de escritura, muito mais importantes e com as quais elas se encadeiam.

Para não prolongar este estudo além da medida, citaremos apenas as conclusões da discussão em sequência da qual Karppe fixa a data – provável para ele – do *Sepher Yetzirah,* remetendo ao próprio livro aqueles de nossos leitores desejosos de acompanharem a discussão integral.

Ele (o *Sepher Yetzirah*) existe certamente no momento em que Agobard escreve sua carta ao rei Luís, o Piedoso: na verdade, ele fez claramente alusão a isso... A carta de Agobard nos recua ao ano 829. Por outro lado, o autor do *Sepher*

---

[23] S. KARPPE, *Étude sur les origines et la nature du Zohar*, pp. 163 e seguintes.

Yetzirah conhece as distinções gramaticais concernentes à dupla pronúncia das letras *b, g, d, k, p, r, t*; conhece a divisão das letras por órgãos, mas ignora os pontos-vogais... Os pontos-vogais são a obra dos Massoretas; se o autor os tivesse conhecido, teria ficado surpreso por seu número 7 e não teria deixado de lhes dar lugar em sua obra. Todas essas considerações nos conduzem a pensar que o aparecimento do *Sepher Yetzirah* se situa no início da idade gramatical, isto é, entre o século VIII e o IX.[24]

As provas trazidas pelo autor, por ponderáveis que pareçam, não têm – assim pensamos – todo valor que se lhes poderia atribuir antes de um exame aprofundado. Concedemos-lhe de bom grado que a redação do documento por ele traduzido remonta à época em que ele o situou; suas notas sobre os conhecimentos gramaticais do redator do referido documento parecem absolutamente fundamentadas. Todavia, pelo fato de um livro, cujo autor e cuja data de resto se ignoram, parecer pertencer a uma época determinada, pode-se necessariamente concluir que esse livro é original e dessa mesma época? Havendo os exemplares hebraicos do *Sepher Yetzirah* desaparecido sem deixar vestígios, é possível concluir, em alguns mil anos, com base numa tradução francesa de nossa época, salva por acaso, que tal livro foi escrito por um místico francês do século XX? Sei perfeitamente que se me poderá objetar que as ideias que ele contém não se relacionam a outras obras dessa mesma época; mas quando foi que os místicos escreveram com as ideias *das pessoas razoáveis*?

As notas gramaticais provam apenas uma coisa: que o *Sepher Yetzirah* foi fixado pela escrita, pela primeira vez, por volta do século VIII. Não provam absolutamente que ele não existia, transmitido oralmente, antes dessa época.

O crítico faz dele um resumo dos conhecimentos adquiridos nesse momento; ora, a maioria desses conhecimentos não remonta a um tempo muito mais recuado? Outros, ao contrário, não lhe parecem singulares para a época?

Por exemplo, ele parece admitir que o autor do *Sepher Yetzirah* conhecia "a função capital do coração"; nesse caso, não seria ao IX, mas ao século XVII, que o autor deveria pertencer. Como, na verdade, poderia o autor do *Sepher Yetzirah* conhecer no século VIII ou IX a função capital do coração? Era essa verdade fisiológica admitida na ciência oficial de sua época? Não. Então, logicamente, devemos concluir ou que o *Sepher Yetzirah* é posterior a Harvey, ou que o cabalista desconhecido que redigiu esse livro se adiantou demasiado à ciência do seu tempo.

---

[24] S. KARPPE, *Loc. cit.*, p. 167.

A primeira conclusão é absurda; a segunda seria sustentável para nós, estudantes do Oculto, que sabemos que no *Sepher Yetzirah*, como no *Sepher Bereshit*, como em muitos outros livros antigos, se encobrem a ciência e a verdade; porém, não queremos insistir nessa observação, pois a passagem em apreço não nos parece suficientemente explícita.

Seja como for, o *Sepher Yetzirah* existia antes da época fixada pelo crítico; existia desde longos séculos, mas não estava escrito. Simples tradição oral, era secretamente transmitido de iniciado a iniciado. É o que explica por que os talmudistas anteriores ao século IX nunca falam dele; os talmudistas não cabalistas o ignoram, e os talmudistas iniciados não julgam conveniente expô-lo à luz do dia.

É isso o que explica, ainda, a palavra "de um cabalista do século XIV, Isaac Delatès, que, no prefácio da edição de Cremona do *Zohar*, se pergunta, primeiro, quem foi que permitiu a R. Akiba escrever, chamando-o Mishná, o *Sepher Yetzirah*, pois que se trata de um livro transmitido oralmente desde Abraão?"[25]

É o que explica, enfim, em parte, conforme acreditamos, as divergências entre as diferentes redações do *Sepher Yetzirah*, divergências importantes, sobretudo, nas correspondências das letras, como é possível constatar comparando a tradução dada por Papus e a dada por S. Karppe.

Se, até esse momento, não demonstramos que a crítica moderna não provou em absoluto a não antiguidade do *Sepher Yetzirah*, tampouco demonstramos a antiguidade dessa obra. Ora, pretendemos que é antiga, que remonta pelo menos à época patriarcal, se não a um tempo mais remoto, e que, se não é obra do próprio Abraão, como o quer a tradição cabalista, é anterior que posterior a ele.

A prova, baseada não na tradição oculta, sem valor para a crítica racionalista, mas num dado científico puro, está escrita em todas as letras no próprio texto da obra.

Comecemos por cotejar as duas traduções, a de Papus e a de Karppe, da passagem do *Sepher Yetzirah* que serve de ponto de partida à nossa demonstração.

Podemos constatar, inicialmente, que os dois textos, se não são idênticos, têm, pelo menos, uma analogia surpreendente. Quanto à última frase, é, quase literalmente, semelhante nos dois tradutores.

Ora, a passagem que acabamos de citar embaraçou bastante o autor do *Étude sur le Zohar*. Ele percebe que há aí algo importante, um problema interessante a resolver, mas não lhe apareceu a solução esclarecedora.

---

[25] S. KARPPE, *Loc. cit.*, p. 166.

PAPUS	S. KARPPE
CAPÍTULO VII	**CAPÍTULO VI**
§ 3. Três mães, 7 duplas e 12 simples. Tais são as 22 letras com as quais é feito o tetragrama IEVE יהוה, isto é, Nosso Deus Sabaoth, o Deus sublime de Israel, o Altíssimo que se assenta nos séculos; e seu santo nome criou 3 pais e seus descendentes, 7 céus com suas cortes celestes e 12 limites do Universo. A prova disso tudo, o testemunho fiel, é o universo, o ano e o homem. Ele os erigiu em testemunhas e os esculpiu por três, sete e doze. Doze signos e chefes no *Dragão celeste*, no Zodíaco e no coração. Três, o fogo, a água e o ar. O fogo em cima, a água embaixo e o ar no meio.	Eis as 3 mães: *alef, mem, schin*, e delas saíram 3 pais, *ar, água, fogo*; dos pais saíram as gerações, 7 constelações e suas milícias, e 12 arestas em diagonal. – A prova da coisa, as testemunhas fiéis são: o mundo, o ano, a pessoa, e a lei é: 12, 7, 3; *ele os suspendeu ao Dragão*, à esfera e ao coração. Três mães, *Alef, Mem, Schin* correspondendo ao *ar*, à água, *ao fogo*. O fogo no alto, a água embaixo e o ar, sopro, conservando o meio entre os dois outros.
O Dragão celeste está no universo semelhante a um rei em seu trono; o zodíaco no ano semelhante a um rei em sua cidadela, o coração no homem assemelha-se a um rei na guerra.	*Dragão no universo é como um rei em seu trono; a esfera no ano é como um rei em sua cidade; o coração na pessoa é como um rei em suas províncias.*

O melhor a fazer, de nossa parte, é citar suas próprias palavras. A propósito dessa frase: "ele os suspendeu ao Dragão", Karppe escreveu: "Interpretou-se essa palavra bem diversamente. O autor entende, evidentemente, que o Dragão é no universo o que a esfera é no ano, o que o coração é na pessoa, isto é, o centro ou a força impulsionadora de tudo. O Dragão, portanto, poderia ser algo como a constelação da Serpente, pontos de interseções em que se cruzam a órbita do Sol e do equador. Os dois pontos de interseção seriam a cabeça e a cauda do Dragão".[26] E, mais longe, a propósito da última frase da sua tradução por nós citada mais acima, ele escreve: "Isto é, o Dragão não deixa o palácio, o céu; a esfera fica vizinha do céu; e o coração é um centro puramente terrestre. Os três são uma manifestação de Deus, mas uma está mais distanciada dele que a outra, ou, ainda, o Dragão é um centro imóvel; a esfera se move sobre si mesma sem mudar sua

---

[26] S. KARPPE, *Loc. cit.*, p. 157, nota 1.

órbita; e o coração é como um rei na guerra, isto é, preside a ordem dos órgãos múltiplos enfileirados como em batalha em torno dele. Dou essas explicações sob muitas reservas, pois não cheguei a perceber muito claramente os pontos de vista do autor".[27]

Como vemos, Karppe confessa francamente não ter podido elucidar essa passagem, e, se ele não o pôde, é porque – não duvidamos disso – estava absolutamente e de boa-fé convencido, por seus trabalhos anteriores, de que o *Sepher Yetzirah* não podia remontar além do século VIII. É indubitável, na realidade, que ele deve ter pensado, antes de se dirigir em desespero de causa à constelação da Serpente, que nada tem a ver no caso, na constelação do Dragão, designada com todas as letras no livro, e que, segundo a estação em que é observada, "caça, às vezes, no céu de uma extremidade à outra... e às vezes introduz a cauda em sua boca como uma serpente enrolada".[28]

Queremos acreditar que, se o crítico não se detém no Dragão, é porque, evidentemente, essa constelação, no século IX, como hoje, não estava no céu "como um rei em seu trono", ou seja, o ponto fixo ao redor do qual parece girar todo o universo; numa palavra, o polo. Não obstante, ele compreendera perfeitamente que o *Sepher Yetzirah* designa, assim, o centro do mundo, e nós nos surpreendemos, na verdade, que ele tenha tentado fazer esse centro do ponto de interseção do equador e da eclíptica.

É-nos realmente impossível passar em silêncio o grave erro astronômico que constitui o fato de colocar os pontos de interseção do equador e da eclíptica na constelação da Serpente. O ponto equinoxial da primavera está atualmente em Peixes; o do outono, em Virgem; e, nos 25 mil anos que dura a revolução desses pontos, eles não poderiam estar jamais na Serpente, que não é uma constelação zodiacal.

Está fora de dúvida que o rei em seu trono no universo, o rei ao redor do qual gravita toda a corte das estrelas, é a estrela polar. Ainda hoje, embora saibamos perfeitamente o contrário, continuamos a tomar praticamente a estrela polar como centro do universo sideral; e o autor do *Sepher Yetzirah* conheceu tão bem quanto nós o sistema do mundo – e estamos disso persuadidos – e não poderia designar seu centro de outro modo nem com mais clareza. Por conseguinte, se ele indica o Dragão como polo, é que na época em que formulava o *Sepher Yetzirah* a estrela polar fazia parte dessa constelação.

---

[27] S. KARPPE, *Loc. cit.*, p. 157, nota 3.
[28] É a descrição que disso faz o *Sepher Raziel*, citado por KARPPE, Loc. cit., p. 157, nota 1.

Se seguirmos num mapa celeste o círculo descrito pelo polo durante o longo período de 25 mil anos, veremos que esse polo, atualmente muito perto da estrela *alfa* da Ursa Menor, gravitou no decorrer da época que se estende do ano 2000 antes de Nosso Senhor Jesus Cristo até cerca do ano 1000 da nossa era, num espaço quase completamente privado de estrelas brilhantes. A estrela de que ele mais se aproximou durante esse tempo, ainda que permanecendo a considerável distância, foi *Beta* da Ursa Menor. Cerca de mil anos antes da era cristã essa estrela devia marcar aproximadamente o polo, que dela se afastava aos poucos para chegar por volta do ano 850 à vizinhança da ordem atual.

Recuando ainda mais no tempo, de 3500 a 2000 anos antes de Jesus Cristo, constatamos que o polo, não tendo ainda atingido a constelação da Ursa Menor na qual se encontra hoje, cortava obliquamente a do Dragão. Foi por volta do ano 2800 que o polo se aproximou da brilhante *Alfa* do Dragão – quase tanto quanto está agora da *Alfa* da Ursa Menor; mas, durante toda a duração dos quinze séculos que separam o ano 3500 do ano 2000, foi certamente essa estrela que indicou o polo, sendo a brilhante a mais aproximada dele.

Nesse momento, o Dragão era, então, perfeitamente "o rei em seu trono", o centro do Universo; e, se o *Sepher Yetzirah* lhe dá esse título, é porque ele mesmo pertence a essa época.

Resta-nos examinar em que período da história se localiza a existência do patriarca hebreu, segundo a tradição cabalista, autor do *Sepher Yetzirah,* e se tal período se inscreve nos quinze séculos durante os quais o Dragão fixou o polo. Se abrirmos a *Histoire ancienne des peuples de l'Orient,* de Maspéro – nome certamente insuspeito à ciência moderna –, leremos:

Um fragmento de velha crônica inserido no Livro sagrado dos hebreus fala fluentemente de outro elamita que guerreou pessoalmente quase às fronteiras do Egito. É o Kuturlagamar que sustenta Rimsin contra Hamurábi e que não pôde travar sua queda. Ele já reinava havia treze anos sobre o Oriente, quando as cidades do Mar Morto, Sodoma, Gomorra, Adamah, Zeboim e Belã, se revoltaram contra ele: ele convocou às pressas seus grandes vassalos, Amraphel da Caldeia, Ariôk de Elassar, Tideal le Gouti, e partiu com eles para os confins do seu domínio... Entretanto, os reis das cinco cidades tinham reunido suas tropas e o esperavam de pé firme na planície de Siddim. E foram vencidos; uma parte dos fugitivos engolfou-se e pereceu nos poços de betume que perfuravam o solo; o resto escapou não sem dificuldade na direção da montanha. Kuturlagamar saqueou Sodoma e Gomorra e restabeleceu, em toda parte, sua hegemonia, depois retornou carregado de despojos: a tradição hebraica acrescenta que ele foi interceptado na direção das fontes do Jordão pelo patriarca Abraão.[29]

Ei-nos, pois, fixados, pela própria crítica histórica, na época em que vivia Abraão. Ele foi o contemporâneo e o adversário de Kuturlagamar, o Chodorlahomor da Bíblia, que sustenta, sem sucesso, seu vassalo Rimsin contra Hamurábi. Ora, Hamurábi é o sexto rei da primeira dinastia babilônica, que começou a reinar na Caldeia por volta do fim do século XXV antes da nossa era. Ainda que os assiriólogos estejam longe de um acordo sobre a data precisa do reinado desse príncipe – Oppert, por exemplo, o faz reinar de 2394 a 2339, e Carl Niebuhr, de 2081 a 2026 –, nenhum deles, todavia, o coloca após o ano 2000. As listas fornecidas por G. Smith e Pinches mantêm o meio entre essas duas datas extremas, e aqui nos deteremos e colocaremos, com eles, o reinado de Hamurábi de 2287 a 2232.

Por outro lado, a Bíblia nos informa que Abraão tinha 86 anos por ocasião do nascimento de Ismael; sobreviveu, provavelmente, alguns anos depois de sua incursão contra Kuturlagamar. Tendo o patriarca cerca de 80 quando da guerra de Rimsin contra Hamurábi, deve ter vivido entre 2300 e 2200 antes de nossa era. Portanto, nada se opõe, histórica e astronomicamente falando, a que ele seja o autor do *Sepher Yetzirah*, como o quer a tradição, já que em sua época o polo estava no Dragão.

E, se nos objetarem que tomamos nossos desejos por realidade, e que se trata tão somente de simples coincidências, não estaríamos no direito de responder: é também sobre uma simples coincidência que foi fixado o reinado de Hoang-Ti em 2700, segundo uma observação inscrita nos anais de seu reino, da mesma estrela Alfa do Dragão? É ainda uma coincidência o fato de a orientação das galerias das pirâmides de Gizé terem sido abertas a 27° de inclinação, diante da polar da época: Alfa do Dragão? Coincidências sempre todas as outras datas atribuídas às obras antigas segundo as concordâncias astronômicas nelas descobertas?

Resumamos e concluamos: o *Sepher Yetzirah* é antigo. Não pode pertencer ao século VIII da nossa era, como também não pode pertencer aos essênios, que teriam sido seus autores segundo Jellinek, citado por Karppe, que se recusa, aliás, a lhe outorgar tal antiguidade. Ele – o *Sepher Yetzirah* – se situa perfeitamente na época em que vivia Abraão, e, se não se pode situá-lo numa época posterior, tendo em vista o polo haver abandonado o Dragão alguns séculos mais tarde, nada se opõe, ao contrário, a que esse livro lhe seja mesmo anterior, uma vez que doze

---

[29] MASPÉRO, *Histoire ancienne des peuples de l'Orient classique*, t. II, pp. 47 e seguintes.

séculos separam o tempo provável em que vivia o patriarca daquele em que o polo penetrou na constelação do Dragão.

Se o cabalista que fixou mais tarde, pela escrita, o *Sepher Yetzirah* deixou o Dragão no Universo como o rei em seu trono, em nada modificando a tradição oral que recebera, foi porque não o devia fazer. Ele simplesmente espessou o véu que havia tantos séculos cobria a obra oculta, véu que somente pode ser erguido por quem procura, pensa, combina, imagina e restabelece a criatura no lugar assinalado pelo Criador.

DR. SAÏR A. C.

§ 8. – RESUMOS DO *ZOHAR*

Notas sobre a Origem da Cabala

שלשלתהקבלה

R. Gedalyah ihn Yachnir hen Don Yosef d'Imola (1523-1588)
dito no Schelscheleth ha quabalah, Ravena, 1549

"No fim do ano 5050 da criação (1290 a.D.), havia várias pessoas que declaravam que todas as partes do *Sohar* escritas no dialeto de Jerusalém (dial. talmúdico) são compostas de R. S. B. I., e que todas as partes em língua sagrada (hebreu puro) não lhe devem ser atribuídas.

Outras afirmam que R. Moses Ben Nachman descobrira esse livro em terra santa, remeteu-o à Catalunha, de onde passou a Aragão, e tombou R. M. de L.

Outras, enfim, dizem que R. M. de L. era um h. sábio e encontrou todos esses comentários na sua imaginação, e para tirar proveito dele em relação aos sábios, e publicou (a), de R. S. B. I. Ele fez isso porque, muito pobre, era obrigado a fazer face a grandes despesas.

Por mim, acredito que todas essas opiniões não têm nenhum fundamento, mas que R. S. B. I. e sua sociedade santa compuseram realmente essa obra e muitas outras: contudo, eles não tinham julgado o tempo idôneo para reunir essas obras, que ficaram copiadas, na maioria, e foram mais tarde reunidas em ordem. Isso não dá motivo para nos surpreendermos: pois foi assim que o mestre Ichuda o St redigiu a *Mishná* em se servindo de diferentes *mss.* espalhados sobre os 4 p. D. S., e foi assim também que fez R. Ashi para as Guemará.

Essa passagem absolutamente clássica da Cabala foi o ponto de partida de longa discussão sobre a antiguidade do *Zohar*. David Luriah, um dos mais importantes defensores, resumiu suas conclusões nos cinco artigos seguintes (Kadmooth ha Zohar).

1. R. M. D. L. não compilou o *Zohar*.

2. Os *gaonim* (657-1036) fizeram citações do *Zohar* sob o nome de Midrash Yerashalim. Shérira Gaon (969-1038), em particular, se servia da expressão הקבלה הסמת. Groetz, o adversário da antiguidade do *Sohar*, reconhecia pessoalmente que os *gaonim* conheciam o livro Nistaroth ha R. S. B. I., que era o *Sohar*. Enfim, Saadya Gaon, do qual existe em Oxford um *mss*. Como do *Sepher Yetzirah* cita a Midrash de R. S. B. I. (900).

3. O *Zohar* foi terminado antes do Talmude.

4. Grande parte do *Sohar* foi composta no tempo de R. S. B. I. e de seus discípulos.

5. O dialeto aramaico do *Sohar* é prova de sua origem contemporânea das midraschim do período talmúdico.

Acrescentemos a isso o testemunho de St. Agobard (800), que cita os livros misteriosos dos hebreus. As palavras esparsas em Fílon, no Sirach e no livro da Sabedoria, obra contemporânea do nascimento de J. C., os testemunhos de Menahyen de Recanati (1280), de R. Jose ben Abr. Eba Wakkar de Toledo (1290), que citam como obra de filosofia mística diversos midraschim, dos quais o *Zohar* começou a ser publicado em cópias em 1200.

1ª edição { 1558, infó Cremona. Vincenzeo Conti. 400 p. (Zohar ha Gadol).
1558, in 4º, Mantone. J. Winkel, 3 vol. 700 p.
aprox. (Zohar ha Keton).

Depois grande número: orientais e ocidentais.

Como obras anteriores ao *Zohar* (cf. *Molitor*, pp. 36-7) nada encontrei de melhor: tudo quanto se encontra em *Molitor* está conforme com as tradições, salvo a p. 38, os dois tratados, Haminchad e Higgereth Trasadoth, rejeitados como muito recentes.

O IDRA SUTA OU O GRANDE SÍNODO

Comentário do Siphra Dzeniûta por Shimon bar Yochai

I

Jerusalém acabava de ser destruída pelos romanos. Era proibido aos judeus, sob pena de morte, voltar a chorar sobre as ruínas de sua pátria. A nação inteira estava dispersa, e as tradições santas, perdidas. A verdadeira Cabala dera lugar a sutilezas pueris e supersticiosas. Os que ainda pretendiam conservar a herança da doutrina oculta eram apenas os adivinhos e os feiticeiros proscritos pelas leis das nações. Foi então que um rabino venerável, chamado Shimon bar Yochai, reuniu em torno de si os últimos iniciados na ciência primitiva e resolveu explicar-lhes o livro da alta teogonia, denominado *O Livro do Mistério Oculto*. Todos eles conhecem seu texto de cor, mas apenas o rabino Shimon bar Yochai conhecia o sentido profundo desse livro, que, até então, fora transmitido de boca em boca e de memória em memória, sem jamais ter sido explicado nem sequer ter sido escrito.

Para os reunir em torno de si, eis as palavras que ele lhes enviou:

"Por que, nestes dias de grandes tormentos, permaneceremos nós como uma casa apoiada sobre uma única coluna, ou como um homem que se mantém sobre um único pé? É tempo de agir pelo Senhor, pois os homens perderam o verdadeiro sentido da lei.

"Nossos dias se abreviam, o mestre nos chama; a vindima está abandonada, e os vindimadores, extraviados, nem mesmo sabem mais onde está a vinha.

"Reuni-vos neste campo que foi uma eira e hoje está abandonado. Vinde como que para um combate, armados de conselho, de sabedoria, de inteligência, de ciência e de atenção; que vossos pés sejam livres como as vossas mãos.

"Reconhecei como único mestre Aquele que dispõe da vida e da morte, e proferiremos juntos as palavras de verdade que os santos do céu gostam de ouvir, e eles virão em torno de nós para nos escutar.

"No dia estabelecido, os rabinos reuniram-se no meio dos campos, num espaço circular rodeado de uma muralha.

"Chegaram em silêncio. Rabi Shimon sentou-se no meio deles e, vendo-os todos reunidos, chorou.

"– Desgraçado de mim – gritou ele –, se revelo os grandes mistérios! Desgraçado de mim, se os deixo no esquecimento!

"Os rabinos permaneceram silenciosos.

Um deles, enfim, chamado rabi Abba, tomou a palavra e disse:

"– Com a permissão do mestre. Não está escrito: Os segredos do Senhor pertencem àqueles que o temem? E todos nós que aqui estamos não tememos o Senhor e já não somos iniciados nos assuntos secretos do Templo?

"Ora, eis os nomes dos que estavam presentes: rabi Eleazar, filho de rabi Shimon, rabi Abba, rabi Jehuda, rabi José, filho de Jacó, rabi Isaac, rabi Thiskia, filho de Raf, rabi José e rabi Jesa.

"Todos, para entrarem no segredo, puseram a mão na de rabi Shimon e ergueram, com ele, o dedo para o céu.

"Depois, vieram sentar-se na eira, onde ficavam ocultos e protegidos por grandes árvores.

"Rabi Shimon bar Yochai levantou-se e fez uma oração; após o que se sentou novamente e disse-lhes:

"– Vinde e colocai, todos vós, a vossa mão direita sobre meu peito.

"Eles o fizeram, e ele, tomando todas essas mãos nas suas, disse com solenidade:

"– Maldito aquele que faz um ídolo para si e o esconde! Desgraça àquele que cobre a mentira com os véus do mistério!

"Os oito rabinos responderam:

"– Amém.

"Rabi Shimon tornou a falar:

"– Só há um verdadeiro Deus, diante do qual os deuses não existem, e só há também um verdadeiro povo, é o que adora o verdadeiro Deus.

"Depois, ele chamou seu filho Eleazar e fê-lo sentar-se à sua frente. Do outro lado, colocou rabi Abba e disse:

"– Nós formamos o triângulo, que é o tipo primordial de tudo quanto existe; figuramos a porta do templo e suas duas colunas.

"Rabi Shimon não falava mais, e seus discípulos se calavam.

"Ouviu-se então uma voz confusa, como a de uma grande assembleia.

"Eram os espíritos do céu, que haviam descido para ouvir.

"Os discípulos estremeceram; mas rabi Shimon lhes disse:

"– Nada temais e rejubilai-vos. Está escrito: Senhor, eu ouvi o rumor da tua presença e tremi.

"Deus reinou sobre os homens de outrora pelo temor, mas presentemente ele nos governa pelo amor.

"Não disse ele: Amarás teu Deus? E não disse ele próprio: Eu vos amei?.

"Ele depois acrescentou:

"– A doutrina secreta é para as almas recolhidas; as almas agitadas e sem equilíbrio não podem compreendê-la. Pode-se fixar um prego numa parede móvel, prestes a esboroar-se ao menor choque?

"O mundo inteiro está alicerçado no mistério, e se deve haver discrição quando se trata dos negócios terrestres, quanto mais não devemos ser reservados quando se trata desses dogmas misteriosos que Deus não revela nem mesmo aos mais elevados de seus anjos?

"O céu se debruça para nos ouvir, mas eu não lhe falarei sem véus. A terra emudece para nos ouvir, mas eu nada lhe direi sem símbolos.

"Somos, neste momento, a porta e as colunas do universo."

Enfim, rabi Shimon falou, e uma tradição conservada no arcano dos arcanos assegura-nos que, quando ele abriu a boca, a terra tremeu sob seus pés, e seus discípulos sentiram o abalo.

II

Ele falou inicialmente dos reis que reinaram sobre Edom antes da vinda do rei de Israel, imagens de poderes mal equilibrados que se manifestaram no início, no universo, antes do triunfo da harmonia.

– Deus – disse ele –, quando quis criar, lançou um véu sobre sua glória e nas dobras desse véu projetou sua sombra.

Dessa sombra, destacaram-se os gigantes, que disseram: Nós somos reis, e que não passavam de fantasmas.

Eles apareceram porque Deus se ocultara fazendo a noite no caos e desapareceram quando se ergueu no Oriente a cabeça luminosa, a cabeça que a humanidade se outorga em proclamando Deus, o sol regulador de nossas aspirações e de nossos pensamentos.

Os deuses são miragens da sombra, e Deus é a síntese dos esplendores. Os usurpadores caem quando o rei ascende ao seu trono, e, quando Deus aparece, os deuses se vão.

III

Então, após ter ele permitido à noite existir, a fim de deixar aparecerem as estrelas, Deus se voltou para a sombra que fizera e a olhou, para lhe dar uma figura.

Imprimiu uma imagem sobre o véu com que tinha coberto sua glória, e essa imagem lhe sorriu, e ele quis que essa imagem fosse a sua, a fim de criar o homem à semelhança dessa imagem.

Ele experimentou, de algum modo, a prisão que queria dar aos espíritos criados. Olhou essa figura que deveria ser um dia a do homem, e seu coração se enternecia, pois já lhe parecia estar ouvindo os lamentos da sua criatura.

Tu, que queres submeter-me à lei – dizia ela –, prova-me que essa lei é a justiça e submete-te a ela tu mesmo.

E Deus se fazia homem para ser amado e compreendido pelos homens.

Ora, só conhecemos dele essa imagem impressa no véu que nos esconde o esplendor. Essa imagem é a nossa, e ele quer que para nós ela seja a dele.

Assim, nós o conhecemos sem o conhecer; ele nos mostra uma forma e não a tem. Nós no-lo representamos como um ancião, ele que, de modo algum, tem idade.

Ele está sentado num trono do qual se escapam eternamente milhões de centelhas, e ele lhes diz do devir dos mundos.

Sua cabeleira resplende e agita estrelas.

Os universos gravitam em redor de sua cabeça, e os sóis vêm banhar-se em sua luz.

IV

A imagem divina é dupla. Há a cabeça de luz e a cabeça de sombra, o ideal branco e o ideal negro, a cabeça superior e a cabeça inferior. Uma é o sonho do Homem-Deus, a outra é a suposição do Deus-Homem. Uma representa o Deus do sábio, e a outra, o ídolo do vulgo.

Toda luz, na verdade, supõe uma sombra, e só se torna claridade pela oposição dessa sombra.

A cabeça luminosa verte sobre a cabeça negra um orvalho de esplendor. "Abre-me, minha bem-amada – diz Deus à inteligência –, porque minha cabeça está cheia de orvalho, e sobre os anéis dos meus cabelos rolam as lágrimas da noite."

Esse orvalho é o maná de que se nutrem as almas dos justos. Os eleitos têm fome dele e o recolhem a mancheias nos campos do céu.

As gotas são pérolas redondas, brilhantes como o diamante e límpidas como o cristal.

Elas são alvas e esplendem em todas as cores, pois a simples e única verdade é o esplendor de todas as coisas.

V

A imagem divina tem treze raios: quatro de cada lado do triângulo em que a encerramos e um na ponta superior do triângulo.

Desenhai-a no céu com vosso pensamento, traçai suas linhas indo de estrela em estrela, ela encerrará 360 miríades de mundos.

Pois o ancião superior chamado o Macroprosopo ou a grande hipótese criadora chama-se também Arich-Anphin, ou seja, o rosto imenso, o Outro, o deus humano, a figura de sombra; o Microprosopo, ou seja, a hipótese restrita, chama-se Seir-Anphin, ou o rosto encolhido.

Quando esse rosto olha a face de luz, aumenta e se torna harmonioso. Tudo entra na ordem; isso, porém, não pode durar sempre, pois os pensamentos do homem são variados como ele.

Mas sempre um fio de luz liga a sombra à claridade. Esse fio atravessa as concepções inumeráveis do pensamento humano e as liga todas ao esplendor divino.

A cabeça de luz derrama sua alvura sobre todas as cabeças pensantes, quando são submissas à lei e à razão.

VI

A cabeça do ancião supremo é um receptáculo fechado, em que a sabedoria infinita repousa como um vinho delicioso que jamais agita sua borra.

Essa sabedoria é impenetrável, possui-se em silêncio e frui de sua eternidade inacessível às vicissitudes do tempo.

Ele é a luz, mas é a cabeça negra que é a lâmpada. O óleo da inteligência lhe é medido, e sua claridade se revela por 32 caminhos.

O Deus revelado é o Deus velado. Essa sombra humana de Deus é como o misterioso Éden, de onde saía uma fonte que se dividia em quatro rios.

Nada jorra do próprio Deus. Sua substância não se derrama em absoluto. Dele nada sai e nada entra nele, pois ele é impenetrável e imutável. Tudo o que começa, tudo o que aparece, tudo o que se partilha, tudo o que se escoa e passa, começa, aparece, partilha-se, escoa e passa em sua sombra. Ele, por si, é imutável em sua luz e permanece calmo como um vinho velho que jamais se agita e que repousa sobre sua borra.

VII

Não tenteis penetrar os pensamentos da cabeça misteriosa. Seus pensamentos íntimos são ocultos, porém seus pensamentos exteriores e criadores irradiam como uma cabeleira.

Cabeleira branca e sem sombra, cujos cabelos não se misturam, em absoluto, uns com os outros.

Cada cabelo é um fio de luz que se liga a milhões de mundos. Os cabelos são divididos sobre sua fronte e descem dos dois lados; mas cada lado é o lado direito. Pois na imagem divina constituída da cabeça branca não há, de modo algum, lado esquerdo.

O lado esquerdo da cabeça branca é a cabeça negra, pois, no simbolismo tradicional, o baixo equivale à esquerda, e a esquerda é como o baixo.

Ora, entre o alto e o baixo da imagem de Deus não deve haver mais antagonismo que entre a mão esquerda e a mão direita do homem, uma vez que a harmonia resulta da analogia dos contrários.

Israel no deserto se desencoraja e diz: Deus está conosco ou não está?

Ora, eles falavam d'Aquele que se conhece e não se conhece.

Separavam, assim, a cabeça branca da cabeça negra.

O deus de sombra tornava-se, assim, um fantasma exterminador.

Eles eram punidos porque haviam duvidado por falta de confiança e de amor.

Não se compreende Deus, mas ama-se; e é o amor que produz a fé.

Deus se oculta ao espírito do homem, mas se revela ao seu coração.

Quando o homem diz: Não creio em Deus, é como se dissesse: Não o amo.

E a voz de sombra lhe responde: Morrerás, porque teu coração abjura a vida.

O Microprosopo é a grande noite da fé, e é nela que vivem e suspiram todos os justos. Eles estendem as mãos e se agarram aos cabelos do pai, e desses cabelos luzentes tombam gotas de luz e vêm iluminar sua noite.

Entre os dois lados da cabeleira suprema está a senda da alta iniciação, a senda do meio, a senda da harmonia dos contrários.

Aí, tudo se compreende e se concilia. Aí, só o bem triunfa, e o mal não existe mais.

Essa senda é a do supremo equilíbrio e se denomina o juízo final de Deus.

Os cabelos da cabeça branca se derramam igualmente numa perfeita ordem dos dois lados, porém não cobrem as orelhas.

Pois as orelhas do Senhor estão sempre abertas para ouvir a prece.

E nada poderia impedi-las de ouvir o grito do órfão e o lamento do oprimido.

OS CLÁSSICOS DA CABALA – OS TALMUDISTAS E O TALMUDE

A importância do Talmude, negada com derrisão pela ignorância dos cristãos e cegamente sustentada pela superstição do vulgo dos judeus, assenta inteiramente sobre as grandes e imutáveis verdades da santa Cabala.

O Talmude, cujo nome se compõe de Tau, sagrado, e de uma palavra hebraica que significa ensinamento, contém sete partes distintas, que a ciência deve evitar confundir: a MISCHNA, ou o Talmude de Jerusalém, os dois CHEMARA, ou o Talmude da Babilônia, as THOSPHATA, ou adições, as BERICHTA, ou apêndices, as MARASCHIN, ou comentários alegóricos, e as HAGGADA, ou relatos tradicionais.

Os talmudistas, redatores dessa obra misturada, pertencem a três classes de rabinos, cuja autoridade sucessiva conservou, interpretou e comentou os textos primitivos. Eram eles os tenaimes, ou iniciados; os amoraimas, ou discípulos vulgares dos tenaimes; vieram depois os massoretas e os chachamines, cegos conservadores dos textos, calculadores sistemáticos dos signos, cujo valor absoluto ignoravam, doutores que não viam na Cabala senão alguns jogos matemáticos de uma GEMATRIA mal-entendida e de uma insuficiente TEMURÁ.

Entre os judeus, como entre os cristãos, as tendências da Igreja oficial ou da sinagoga foram sempre dirigidas à materialização dos signos, a fim de substituir a hierarquia de influência temporal à hierarquia de ciência e virtude. Foi assim que, antes da vinda do Cristo, a profecia, representando a iniciação e o progresso, sempre estivera em luta aberta ou em hostilidade surda com o sacerdócio: foi assim que o farisaísmo do tempo de Jesus perseguiu a nova escola essênia, de que ele era o fundador, e se opôs, mais tarde, aos amplos ensinamentos dos discípulos de Hillel e Chamai. Mais tarde, os kohanines foram ainda hostis aos israelitas iniciados da escola de Alexandria, e a sinagoga dos chachamines e dos massoretas não deixou em paz os kohanines, ou excelentes mestres, senão graças a um ocultismo que foi, indubitavelmente, uma das raízes secretas das instituições maçônicas durante as sombras da Idade Média. Não é à sinagoga oficial que se deve pedir as chaves da alta Cabala e o sentido oculto do Talmude; os representantes atuais da antiga teologia bíblica vos dirão que o maimônides, essa grande luz de Israel, não apenas não era cabalista como olhava como inútil e perigoso o estudo da Cabala. Maimônides, contudo, venerava o Talmude e se assemelhava, assim, a esses utopistas em misticidade, que rejeitam o cristianismo, mas adoram o Evangelho. Jamais, em tempo algum, as inconsequências assustaram o espírito humano.

Se o Talmude não fosse originariamente a grande chave cabalista do judaísmo, não se compreenderia nem sua existência nem a veneração tradicional de que é objeto. Na realidade, citamos o texto do catecismo israelita que faz todos os crentes judeus considerarem o Talmude o compêndio clássico e autêntico das leis secretas de Jeová, reservadas pela sabedoria de Moisés ao ensinamento tradicional da tribo sacerdotal. Sabemos, aliás, que o corpo dessa teologia oculta é positivamente o que todos os iniciados sérios consideraram o conjunto da Cabala. Por isso, a chave dessa ciência, que abre, ela só, todas as portas secretas e permite penetrar em todas as profundezas da Bíblia, deve adaptar-se, igualmente, a todos os mistérios do Talmude, outra bíblia convencional, tão somente imaginada para a prova das chaves bíblicas. Foi por isso que os talmudistas, desejosos de que os sensatos compreendessem o sentido alegórico de certas passagens evidentemente absurdas dos livros sagrados, ultrapassaram essa mesma absurdidade e deram por explicação de um texto improvável um comentário perfeitamente impossível. Eis um exemplo desse método:

O autor do livro alegórico de Jó representa a força brutal, sob o emblema de dois monstros, um terrestre e outro marinho, e os denomina, respectivamente, Beemot e Leviatã. Não é certamente sem intenção cabalística que ele emprega o número dois, ou binário, pois a força brutal faz sempre concorrência a si mesma pelas leis fatais ou providenciais do equilíbrio; e, do mesmo modo que, na geração eterna das coisas, a harmonia resulta da analogia dos contrários, assim nos excessos titânicos da força, a harmonia se conserva ou se restabelece pelo antagonismo dos iguais. Foi o que pretendeu dizer o autor do livro de Jó, e eis agora como os talmudistas vão mais longe, a propósito dessa ficção.

"Eloim permitira ao mar dar-se um mestre visível e à terra dar-se um rei."

– Isto nos lembra a fábula das rãs e da grua.

"O mar pariu Leviathan, e a terra fez sair Behemoth de suas entranhas revolvidas.

"Leviatã era a grande serpente do mar.

"Beemot era o querub de cornos imensos."

– Veio daí o nosso diabo.

"Mas Leviatã encheu de tal modo o mar que as águas gritaram para Eloim, não sabendo onde se refugiar.

"A terra, de seu lado, lamentava-se, esmagada sob os pés de Beemot e por ele despojada de toda a verdura.

"Eloim apiedou-se e ergueu Leviatã do mar e Beemot da terra.

"E ele os salgou, para os conservar para o banquete do último dia.

"Então os eleitos comeram da carne do Leviatã e do Beemot e acharam-na deliciosa, porque é o Senhor que a conserva e a prepara."

– Onde está Voltaire para rir dessa monstruosa salgação, desse Deus cozinheiro e de banquete, consumidor de horrorosas múmias! Convenhamos com ele, inicialmente, que as alegorias rabínicas ferem, com frequência, esse bom gosto francês e essa fina flor de delicadeza literária que eles nem podiam conhecer nem adivinhar. Que diriam, porém, os galhofeiros se lhes fizessem compreender na fábula do Leviatã e do Beemot a solução do enigma do mal? Que teriam eles a responder se lhes dissessem, por exemplo, que o diabo do cristianismo representa os excessos cegos da força vital, mas que a natureza conserva e mantém o equilíbrio, que mesmo as monstruosidades têm sua razão de ser e, cedo ou tarde, servirão de alimento à harmonia universal? Não temais, portanto, os fantasmas. Tudo o que está acima do homem deve ser mais belo e melhor que o homem; embaixo, há a besta, e a besta, conquanto desmedida, deve ser a auxiliar ou o alimento do homem! Crianças covardes, não mais temais, portanto, que o diabo vos devore! Sede homens e sois vós que comereis o diabo, pois que o diabo, isto é, o espírito de absurdidade e de ininteligência, não pode se elevar mais alto que a besta. Eis o que é preciso compreender para o festim final e cabalístico do Beemot e do Leviatã!

Figurai-vos agora um comentarista, kohamine ou massoreta, tomando ao pé da letra a alegoria talmúdica dos fatos, discutindo gravemente a realidade literal, provando a existência real do Leviatã e do Beemot, estabelecendo, por exemplo, que a Lua é a salgadeira do Padre Eterno, que ele pôde transportar para lá o Leviatã e o Beemot, depois de os ter escavado e enchido de sal etc., e tereis uma ideia de toda a redação do Talmude, e de suas luzes veladas, e de seus ingênuos desvarios.

O primeiro Talmude, o único verdadeiramente cabalístico, a Mishná, foi redigido durante o século da era cristã pelo último chefe dos tenaimes, Rabbj--Jehuda-Hakadosch-Hanassi, isto é, Juda, o santíssimo e o príncipe. Os nomes de Kadosch e de príncipe eram dados aos grandes iniciados da Cabala e foram conservados entre os adeptos da maçonaria oculta e da rosa-cruz. Rabi Jehuda compôs seu livro de acordo com todas as regras da alta iniciação, escreveu-o por dentro e por fora, como diziam Ezequiel e São João, e nele indica o sentido transcendental pelas letras sagradas e pelos números correspondentes ao Bereshit das seis primeiras *Sephiroth*. A Mishná compõe-se de seis livros denominados *Sederin*, cuja ordem e assunto correspondem aos signos absolutos da filosofia cabalística, como vamos explicar.

Já dissemos que os cabalistas não definem Deus, mas o adoram em suas manifestações, que são a ideia e a forma, a inteligência e o amor; eles supõem um poder supremo apoiado em duas leis, que são a sabedoria fixa e a inteligência ativa, ou seja, em outros termos, necessidade e liberdade. É assim que formam um primeiro triângulo, concebido como segue:

KETHER, a coroa
BINAH, a inteligência   CHOKMAH, a sabedoria

Depois, como miragem dessa concepção suprema em nosso ideal, eles estabelecem um segundo triângulo em sentido inverso. A justiça absoluta correspondendo à sabedoria suprema ou à necessidade; o amor absoluto correspondendo à inteligência ativa ou à liberdade; e a beleza suprema que resulta das harmonias da justiça e do amor, correspondendo ao poder divino.

GEDULAH, o amor   GEBURAH, a justiça
TIPHARETH, a beleza

Reunindo esses dois triângulos e entrelaçando-os, forma-se o que se chama a estrela flamejante, ou o selo de Salomão, isto é, a expressão completa da filosofia teológica de Bereshit ou da gênese universal.

É sobre essa base que rabi Jehuda estabeleceu as divisões de sua obra. O primeiro livro, ou Sederim, correspondendo à noção de *Kether*, tem por título ZERAIM, as sementes, porque na ideia da coroa suprema está contida a noção de princípio fecundante e de produção universal.

O segundo livro corresponde à *Sephirah* de *Chokmah*; intitula-se MOED e trata das coisas sagradas nas quais não há o que mudar, porque elas representam a ordem eterna.

O terceiro livro, relativo à *Binah*, a liberdade ou a força criadora, trata das mulheres, da família, e tem o nome de NASCHIM.

O quarto livro, inspirado pela ideia de *Geburah* ou de justiça, trata das iniquidades e de sua pena. Seu título é NAZCHIM.

O quinto livro, correspondendo a *Gedulah*, isto é, à misericórdia e ao amor, tem por título KADOSCHIM e trata das crenças consoladoras e das coisas santas.

Enfim, o sexto livro, análogo à *Sephirah* de Tiphareth, contém os segredos mais ocultos da vida e da moral que a concerne; trata da purificação, isto é, da medicina das almas, e tem o nome misterioso de THAROTH ou TAROT, exprimindo, por si só, todo sentido oculto das rodas simbólicas de Ezequiel e do nome de *Torá*, dado ainda em nossos dias pelos rabinos à escritura no todo.

No frontispício da Mishná, rabi Jehuda-Hakadosch-Hanassi colocou a tradição dos sábios do judaísmo. São os provérbios e as sentenças dos sucessores de Salomão, na extensão da soberana sabedoria:

Dizia Simon, o Justo: por três coisas subsiste o mundo:

"Pelo ensinamento da lei,

"Os deveres do culto

"E as obras de caridade".

Assim, eis aqui, ainda, o triângulo cabalístico, a lei estável, o culto progressivo e a caridade, que são a vida e a razão comum do culto e da lei.

Disse Antígono: "Não sejais como o criado que obedece pelo salário. Que vossa recompensa esteja na própria obediência, e que o respeito das coisas superiores seja inerente a vós mesmos".

Isso nada tem de supersticioso e deveria ser meditado por grande número de católicos.

"A jornada é curta – dizia rabi Tarphon –, a necessidade é grande, e os operários são preguiçosos; eles não ganharão menos liberalmente o preço da jornada, porque o mestre responde por eles e supre, por sua atividade, a indolência deles."

"Promessa da salvação de todos; negação ousada do pecado e do mal, responsabilidade da providência, que exclui a ideia do castigo na necessidade temporária do sofrimento, considerado tão somente o aguilhão da indolência dos homens."

Akabiah dizia: "Sabe bem três coisas e não pecarás jamais:

"De onde vens,

"Aonde vais

"E a quem deves prestar contas".

– Eis aí três coisas que é necessário saber, para não fazer mais o mal deliberadamente.

O que sabe bem essas três coisas não quer mais pecar; do contrário, seria louco.

Aquele que ainda não as sabe também não pode pecar: como, com efeito, faltar a deveres que se ignoram?

Tais são as máximas recolhidas por mestre Judas, o santo e o príncipe, no frontispício do livro das sementes, ou dos princípios universais. Ele vai, em seguida, do figurado ao positivo e trata da agricultura. Volney e Dupuis encontrariam aí o calendário nos mais altos mistérios da religião judaica. E por que, com efeito, não haveria de estar aí o calendário? A coroa de Kether não corresponde ela à coroa do ano, e não são as festas religiosas os florões visíveis desse diadema das altas crenças? Mas a filosofia transcendental do Talmude deixa bem distante todas as superstições das crenças materializadas. "Aquele que diz: Quero pecar, e o dia do perdão virá para me absolver, torna inútil o dia do perdão, e de modo algum será absolvido de suas iniquidades voluntárias."

"Os pecados", dizem ainda os talmudistas, "quando ocorrem entre o homem e Deus, Deus pode absolvê-los no dia do perdão; mas, quando ocorrem entre o homem e o homem, isto é, quando dizem respeito à justiça entre os irmãos, somente o homem os pode perdoar, declarando perante a lei que o dano foi reparado."

Isso é magnífico e dispensa comentários.

Tal é a sabedoria que preside as festas de Israel, descritas no segundo livro do Talmude de Jerusalém, tão estreitamente ligado ao primeiro, pois que um trata da cultura dos campos e das almas, e o outro, do culto de Deus e do calendário simbólico.

O terceiro livro, ou *Sederim,* é consagrado mais especialmente às mulheres e ao culto da família. A jurisprudência talmúdica não separa a mulher do homem e não procura, por questões irritantes de igualdade ou de superioridade respectivas, estabelecer o antagonismo no amor, o que seria negar e destruir o amor; para os cabalistas, a mulher não é nem igual, nem a serva, nem a senhora, nem a associada do homem: ela é o próprio homem, concebido do lado afetuoso e maternal; a mulher possui todos os direitos do homem no homem, e o homem se respeita na mulher.

"Que a loucura humana não separe jamais o que a sabedoria divina se compraz em unir! E desgraça aos que vivem sós!!!"

As questões de emancipação da mulher e de igualdade civil são, na realidade, sonhos de mulheres celibatárias, e, perante a lei natural, o celibato é uma monstruosidade.

"Ó alma de minha alma, coração de meu coração, carne da minha carne, diria, com ênfase oriental, um iniciado nos mistérios da Mishná, falas de te tornares meu igual? Queres ser outra coisa senão eu mesmo! Queres arrancar teu coração do meu coração, queres fazer dois do que era um; e, do mesmo modo que Deus te havia formado da própria carne e dos ossos do meu peito, queres tirar de ti sem mim algo de monstruoso para te completar e me substituir em teu ser! Mas, quando te houveres tornado minha rival em amores, poderás ser jamais minha igual em desolação e em remorso?"

"O altar chora", dizia um rabino talmudista, "quando o esposo se separa da esposa."

O quarto livro da Mishná, sobre as injustiças e os desgostos, é um compêndio de leis civis bem superiores a todos os códigos da Idade Média, e é à fonte dessa legislação secreta que se deve atribuir a conservação de Israel, através de tantas perseguições, e seu resgate pela indústria que é o derradeiro termo material da civilização e a salvaguarda de todos os direitos políticos, tão penosa e tão completamente reconquistados em nossos dias pelos filhos reabilitados dos antigos párias de Israel.

Os livros intitulados *Kadoschime* e *Tharoth* completam, pelo detalhe, o conjunto das altas tradições judaicas e fecham magnificamente o ciclo das revelações de rabi Jehuda. Há grande distância dessa bela obra iniciática nos comentários das duas Guemarás e na exegese aristotélica de Mosé Maimônides.

Esse Maimônides, não obstante, era um sábio doutor e, inclusive, grande homem; mas estava prevenido contra as chaves cabalísticas do Talmude pelo horror da superstição e pela reação contra o misticismo. Em seu *Noré Newouchine* (o guia dos extraviados) e em seus oito capítulos, ele reconduziu as tradições do Talmude às leis vulgares da natureza e da razão; depois, no *Jad Hacksaka* (a Mão forte), reuniu as crenças judaicas num símbolo de treze artigos, obra-prima de simplicidade e de racionalidade, mas que, sem ele próprio, Maimônides, saber, se reporta de tal forma aos princípios da mais pura cabala que as primeiras chaves do Tarô, essa grande roda cabalística, correspondem, precisamente, pelos signos hieroglíficos, aos treze artigos fundamentais do símbolo de Maimônides.

(Excerto de *La clef des grands mystéres*, por ÉLIPHAS LÉVI.)

§ 9. – A CABALA PRÁTICA

Os 72 gênios correspondendo aos 72 nomes, segundo LENAIN

PRIMEIRO GÊNIO

Nome: Vehuiah X.
Atributo: Deus elevado e exaltado acima de todas as coisas.
Nome divino que lhe corresponde: Jehova X.
Habita: Região do fogo.
Signo: Áries X.
Para ser iluminado pelo espírito de Deus.
Versículo-sequência: 5º v. do salmo 3.
Et tu Domine susceptor meus et gloria mea et exultans caput meum.
Espírito sutil. Dotado de grande sagacidade, apaixonado pelas ciências e pelas artes, capaz de empreender e executar as coisas mais difíceis. Observação: *Energia*.
Mau gênio: Homem turbulento. Cólera.

2º gênio   יליאל   (Jeliel)
Deus protetor

ND   *Aydy*

Para apaziguar as sedições populares. Para obter a vitória contra os que vos atacam injustamente.

20º v., s. 21.

Tu autem Domine ne elongareris auxilium tuum a me ad defensionem meam conspice.

Espírito jovial, maneiras agradáveis e galantes, apaixonado pelo sexo.

Gênio contrário: Tudo que é molesto aos seres animados.

3º gênio   סיטאל   (Sitael)
Deus, a esperança de todas as criaturas

11º ao 15º degrau da Esfera

Contra as adversidades.

Com os nomes divinos e (2º v. do s. 90).

Dixit Domino susceptor meus es tu et refugium meum: Deus meus sperabo in eum.

Protege contra as armas e os animais ferozes.

* Ama a verdade, manterá sua palavra, obsequiará os que tiverem precisão de seus serviços.

Gênio contrário: Hipocrisia, ingratidão, perjúrio.

4º gênio   עלמיה   (Elemiah)
Deus oculto

Alla

16º ao 20º degrau

Contra os tormentos do espírito e para conhecer os traidores.

4º v., s. 6.

Convertere Domine et eripe animam meam: salvum me fac propter misericordiam tuam.

Rege viagens, expedições marítimas.

* Industriosos, felizes nos empreendimentos, apaixonados pelas viagens.

Gênio contrário: Má educação, descobertas perigosas, causa entraves a todos os empreendimentos.

5º gênio	מחשיה	(Mahasiah)
	Deus salvador	

Toth, Teut, Theuth

21º ao 25º

Para viver em paz com toda gente.

Pronunciar os nomes divinos e o 4º v., s. 33.

Exquisivi Dominum et exaudivit me et ex omnibus tribulationibus meis eripuit me.

Rege: Alta Ciência, Filosofia oculta, Teologia, Artes liberais.

* Aprende facilmente, apaixonado por prazeres honestos.

Gênio contrário: Ignorância, libertinagem, más qualidades do corpo e do espírito.

6º gênio	ללהאד	(Lelahel)
	Deus louvável	

Abgd

26º ao 30º

Para adquirir as luzes e curar as doenças.

11º v., s. 9.

Psalite Domino qui habitat in Sion: annuntiata inter gentes studia ejus.

Amor, Fama, Ciência, Artes e Fortuna.

* Advertência: Ambição, Celebridade.

Gênio contrário: Má ambição, fortuna por meios ilícitos.

7º gênio   אכאיה   (Achaiah)

Deus bom e paciente

31º a 35º

8º v., s. 102.

Miserator et Misericors Dominus, longanimis et multum misericors.

Paciência, Segredos da natureza.

* Ama instruir-se, glorioso de executar os trabalhos mais difíceis.

Gênio contrário: Inimigo das luzes.

8º gênio   כהתאל   (Cahetel)

Deus adorável

Moti

36º a 40º

6º v., s. 94.

Venite adoremus et procidamus et ploremus ante Dominum qui fecit nos.

Para obter a bênção de Deus e afastar os maus espíritos.

Rege a produção agrícola, inspira ao homem elevar-se a Deus.

* Ama trabalho, agricultura, campo, caça.

Mau gênio: Tudo o que é prejudicial às produções da terra, blasfêmia contra Deus.

9º gênio   הויאל   (Aziel)

Deus misericordioso

Agzi

41º a 45º

6º v., s. 24.

Reminiscere miserationum tuarum, Domine, et misericordiarum tuarum quae a saeculo sunt.

Misericórdia de Deus, amizade e favor dos grandes, execução de promessa feita.

Rege boa-fé e reconciliação.

* Sinceros nas promessas, perdoarão facilmente.
Gênio contrário: Ira, hipocrisia.

10º gênio   אלדיה   (Aladiah)

Deus propício

Sire e Erpi

41º a 50º

22º v., s. 32.
Fiat misericordia tua, Domine super nos, quemadmodum speravimus in te.
Bom para os que têm crimes ocultos e temem ser descobertos.
Rege raiva e peste, cura de doença.
* Boa saúde, feliz em seus empreendimentos.
Gênio contrário: Má saúde, maus negócios.

11º gênio   לאויה   (Lauviah)

Deus louvado e exaltado

Deus

51º a 55º

50º v., s. 17.
Vivit Dominus et benedictus Deus meus et exsultatur Deus salutis meae.
Contra o raio e para obter a vitória.
Rege a fama.
* Grande personagem, sábio, célebre pelos talentos pessoais.
Gênio contrário: Orgulho, ciúme, calúnia.

12º gênio   חהעיה   (Hahaiah)

Deus refúgio

Θηος

56º a 60º

Contra as adversidades.
22º v., s. 9.

Ut quid Domine recessisti longe despicis in opportunitatibus in tribulatione.
Rege os sonhos. Mistérios ocultos aos mortais.
* Costumes brandos, espirituais, discretos.
Gênio contrário: Indiscrição, mentira, abuso de confiança.

13º gênio   יללאל   (Iezalel)
Deus glorificado sobre todas as coisas

Boog

61º a 65º

6º v., s. 97.
Jubilate Deo omnis terra, cantate et exultate et psallite.
Rege a amizade – reconciliação, fidelidade conjugal.
* Aprende com facilidade. Muita destreza.
Gênio contrário: Ignorância, mentira, erro.

14º gênio   מכהאל   (Mebahel)
Deus conservador

Dios

66º a 70º
Contra os que tentam usurpar a riqueza de outrem.
9º v., s. 9.
Et factus est Dominus refugium pauperis: adjutor in opportunitatibus in tribulatione.
Rege justiça, verdade, liberdade; liberta oprimidos e protege prisioneiros.
* Ama jurisprudência, distingue-se no tribunal.
Gênio contrário: Calúnia, falso testemunho, processos.

15º gênio   חדיאל   (Hariel)
Deus criador

Idio

71º a 75º
Contra ímpios da religião.

Pronunciam-se seus nomes com os nomes divinos.
22º v., s. 93.
Et factus est mihi Dominus in refugium et Deus meus in adjutorium spei meae.
Rege Ciências e Artes.
* Têm sentimentos religiosos, puros de costumes.
Gênio contrário: Cismas, guerras de religiões, ímpios, seitas religiosas.

16º gênio   חקמיה   (Hakamiah)
Deus que erige o Universo

Dieu

76º a 80º

Contra os traidores, para obter a vitória e libertar dos que nos querem oprimir.
Pronunciar seu nome com o que se segue:
Ó Deus todo-poderoso dos exércitos, tu que eriges o Universo e proteges a nação francesa, eu te invoco, eu, um tal, pelo nome de Hakamiah, a fim de que livres a França de seus inimigos.
1º v., s. 87.
Domine Deus salutis meae in die clamavi et nocte coram te.
Rege cabeças coroadas, grande capitão. Dá a vitória.
* Caráter franco, leal, bravo, suscetível em pontos de honra, paixão por Vênus.
Gênio contrário: Traidor.

17º gênio   לאויה   (Lauviah)
Deus admirável

Goth

81º a 85º

Invocação a *jejum*.
1º v., s. 8.
Domine Dominus noster quam admirabile est nomen in universa terra.
Contra os tormentos do espírito, a tristeza.
Rege altas ciências. Descobertas maravilhosas. Dá revelações em sonho.
* Ama música, poesia, literatura e filosofia.
Gênio contrário: Ateísmo.

18º gênio   כליאל   (Caliel)
Deus pronto a escutar

Boog

86º a 90º

Para obter rápido socorro.

9º v., s. 7.

Judica me Domine secundum justitiam meam et secundum innocentiam meam super me.

Faz conhecer a verdade nos processos, faz triunfar a inocência.

* Justo, íntegro, ama a verdade, magistratura.

Gênio contrário: Processos escandalosos, homens vis.

19º gênio   לוויה   (Lauviah)
Deus que ouve os pecadores

Bogy

91º a 95º

Invocar cerca de meio-dia.

1º v., s. 39.

Expectans, expectavi Dominum et intendit mihi.

Para obter a graça de Deus.

Rege memória, inteligência dos homens.

* Amável, jovial, modesto, suporta adversidades com resignação.

Gênio contrário: Perdas, deboche, desespero.

20º gênio   פהליה   (Pahaliah)
Deus redentor

Tios

95º a 100º

2º v., s. 119.

Domine libera animan meam a labiis iniquis et a lingua dolosa.

Contra os inimigos da religião, para converter os povos ao cristianismo.

Rege religião, teologia, moral, castidade, piedade.

* Vocação para o estado eclesiástico.

Gênio contrário: Irreligiosos, apóstatas, libertinos, renegados.

21º gênio   גלכאל   (Nelebael)
Deus só e único

Bueg

101º a 105º

18º v., s., 30.

Egon autem in te speravi, Domine, dixi deus Meus es tu, in manibus tuis sortes meae.

Contra os caluniadores, os encantamentos e para destruir os maus espíritos.

Rege Astronomia, Matemática, Geografia e todas as ciências abstratas.

* Ama poesia, literatura, apaixonado pelo estudo.

Gênio contrário: Ignorância, erros, preconceitos.

22º gênio   ייאל   (Ieiaiel)
O Direito de Deus

Good

106º a 110º

5º v., s. 120.

Dominus custodit te: Dominus protectio tua super manum dexteram tuam.

Rege fortuna, fama, diplomacia, comércio, influi sobre viagens, descobertas, protege contra tempestades e naufrágios.

* Ama comércio, industrioso, ideias liberais e filantrópicas.

Gênio contrário: Piratas, escravos.

23º gênio   מלהאל   (Melahèl)
Deus que liberta dos maus

Dieh

111º a 115º

8º v., s. 120.

Dominus custodiat introitum tuum et exitum tuum et ex hoc nunc et in saeculum.

Contra as armas e para viagem em segurança.

Rege água, produção da terra e principalmente plantas necessárias à cura das doenças.

* De natural ousado, feito de ações honrosas.

Gênio contrário: Tudo o que é prejudicial à vegetação causa doenças e pestes.

24º gênio   ההויה   (Hahuiah)

Deus bom por si mesmo

116º a 120º

Nome divino no 18º vers., salmo 32.

Ecce oculi Domini super metuentes eum et in eis qui sperant in misericordia ejus.

Para obter a graça e a misericórdia de Deus.

Rege exilados, prisioneiros fugitivos, condenados contumazes.

Protege contra animais nocivos.

Preserva dos ladrões e dos assassinos.

* Ama a verdade, as ciências exatas, sincero em palavras e em ações.

Gênio contrário: Domina seres nocivos.

25º gênio   גתהיה   (Nith-Haiah)

Deus que dá a Sabedoria

Orsy

121º a 125º

Nome divino no 1º v., s. 9.

Confitebor tibi Domine in toto corde meo: narrabo omnia mirabilia tua.

Serve para alcançar a sabedoria e descobrir a verdade dos mistérios ocultos.

Rege ciências ocultas. Dá revelação em sonho, particularmente aos que nasceram no dia que ele preside.

* Influi sobre os que praticam a magia dos sábios.

Gênio contrário: Magia negra.

26º gênio הָאָאִיה (Haaiah)
Deus oculto

Agdy e Abdi

126º a 130º

Nome divino: 145º v., s. 118.

Clamavi in tato corde meo exaudi me Domine: justificationes tuas requiram.

Para ganhar seu processo.

* Protege os que buscam a verdade. Influi sobre política. Diplomatas, agentes e expedições secretas.

Gênio contrário: Traidores, conspiradores.

27º gênio ירתאל (Jerathel)
Deus que pune os perversos

Teos

131º a 135º

Nome divino: 1º v., s. 139.

Eripe me Domine ab homine malo; a viro iniquo eripe me.

Serve para confundir perversos e caluniadores e para libertar dos inimigos.

Rege propagação de luz, civilização.

* Ama paz, justiça, ciências e artes; se distinguirá na literatura.

Gênio contrário: Ignorância, escravidão, intolerância.

28º gênio שאהיה (Seeiah)
Deus que cura os doentes

Adad

136º a 140º

Nome divino: 15º v., s. 70.

Deus ne elongeris a me: Deus meus in auxilium meum respice.

Contra as enfermidades e o trovão; protege contra incêndios, ruínas de construções, quedas, *doenças*.

Rege saúde, simplicidade.

* Tem muito discernimento.
Gênio contrário: Catástrofes, causa apoplexias.

29º gênio   דייאל   (Reiiel)

Deus pronto a socorrer

Zimi

141º a 145º

Nome divino demanda o 4º vers., s. 53.
Ecce enim Deus adjuvat me et Dominus susceptor est animae meae.
Contra os ímpios e inimigos da religião; para livrar de todos os inimigos, tanto visíveis quanto invisíveis.
* Virtude e zelo para propagar a verdade; fará todos os esforços para destruir a impiedade.
Gênio contrário: Fanatismo, hipocrisia.

30º gênio   ומאל   (Ornael)

Deus paciente

Tura

146º a 150º

Nome divino: 6º v., s. 70.
Quoniam tu es patientia mea Domine; Domine spes mea a juventute mea.
Contra o desgosto, o desespero e para ter paciência.
Rege reino animal, vela pela geração dos seres.
Químicos, médicos, cirurgiões.
* Se distinguirá na anatomia e na medicina.
Gênio contrário: Fenômenos monstruosos.

31º gênio   לבבאל   (Lecabel)

Deus que inspira

Teldi

151º a 155º

Para ter luzes.
Demanda nome divino: 16º v., s. 70.

Quoniam non cognovi litteraturam; introibo in potentias Domini; Domine memorabor justitiae tuae solius.
Rege vegetação e agricultura.
* Ama astronomia, matemática e geometria.
Gênio contrário: Avareza, usura.

32º gênio   ושדיה   (Vasariah)
Deus justo

Anot

156º a 160º
Contra os que nos atacam em justiça.
Nomear pessoa que nos ataca, citar o motivo.
Pronunciar nomes divinos do 4º vers., salmo 32.
Quia rectum est verbum Domini et opera ejus in fide.
Rege justiça.
* Memória feliz, fala facilmente.
Gênio contrário: Qualidades ruins do corpo e da alma.

33º gênio   יהויה   (Iehuiah)
Deus que conhece todas as coisas

Agad

161º a 165º
11º v., s. 33.
Dominus scit cogitationes hominum quoniam vanae sunt.
Serve para conhecer os traidores.
Gênio contrário: Encoraja revoltas.

34º gênio   להחיה   (Lehahiah)
Deus clemente

Aneb

166º a 170º
5º v., s. 130.

Speret Israel in Domino ex hoc nunc et usque in saeculum.
Serve contra a cólera.
* Célebre por seus talentos e suas ações, confiança e fervor nas orações.
Gênio contrário: Discórdia, guerra, traição.

35º gênio   כוקיה   (Chevakiah)
Deus que dá a alegria

Anup

171º a 175º
Para entrar em graça com os que foram ofendidos.
Pronunciar o pedido, os nomes divinos e citar a pessoa.
1º v., s. 114.
Dilexi quoniam exaudiet Dominus vocem orationis meae.
Recitar todos os dias até a reconciliação.
Rege testamentos, sucessões e todas as partilhas amigáveis.
* Gosta de viver em paz com toda gente. Gosta de recompensar a fidelidade dos que estão a seu serviço.

36º gênio   מנדאל   (Menadel)
Deus adorável

Alla

176º a 180º
Para se manter no emprego e conservar os meios de existência que se possui.
Pede nomes divinos e 8º v., s. 25.
Domine dilexi decorem domus tuae et locum habitationis gloriae tuae.
Serve contra as calúnias e para libertar os prisioneiros.
Gênio contrário: Protege os que tentam fugir para escapar à justiça.

37º gênio   אניאל   (Aniel)
Deus das virtudes

Abda

181º a 185º

Nomes divinos e 8º v., s. 79.

Deus virtutem converte nos et ostende faciem tuam et salvi erimus.

Para alcançar a vitória e fazer levantar o assédio de uma cidade.

Rege ciências e artes. Revela os segredos da natureza, inspira filósofos, cientistas, sábios.

* Cientista ilustre.

Gênio contrário: Espírito perverso, charlatães.

38º gênio   העמיה   (Haamiah)
Deus a esperança de todas as crianças da terra

אגלא *Agla (Dieu triun et un)*

186º a 190º

Para adquirir todos os tesouros do céu e da terra.

9º v., s. 90.

Quoniam tu es Domine spes mea altissimum posuisti refugium tuum.

Contra as fraudes, as armas, os animais ferozes e os espíritos infernais.

Rege tudo o que se refere a Deus.

Gênio contrário: Mentira.

39º gênio   דהעאל   (Rehael)
Deus que recebe os pecadores

Goot

191º a 195º

13º v., s. 29.

Audivit Dominus et misertus est mei: Dominus factus est meus adjutor.

Para a cura das doenças.

Rege saúde e longevidade.

Influi sobre o amor paternal e filial.
Gênio contrário: Terra morta ou terra danada.
A coisa mais cruel conhecida: Infanticídios e parricídios.

40º gênio ייזאל (Ieiazel)
Deus que rejubila
___

Goed

196º a 200º

Nomes divinos e 15º v., s. 87.
Ut quid Domine repellis orationem meam avertis faciem tuam a me.
Esse salmo tem propriedades maravilhosas.
Serve para libertar os prisioneiros, ter consolações e ficar livre dos inimigos.
Rege tipografia e livraria.
* Literatos e artistas.
Mau gênio: Influência sobre os espíritos sombrios e os que fogem da sociedade.

41º gênio הההאל (Hahahel)
Deus em três pessoas
___

Gudi
201º a 205º

2º v., s.119.
Domine libera animam meam a labiis iniquis et a lingua dolosa.
Contra ímpios e caluniadores.
Rege o cristianismo.
* Grandeza de alma, energia. Consagrar-se ao serviço de Deus.
Gênio contrário: Apóstata, renegado.

42º gênio   מיכאל   (Mikael)
Virtude de Deus, Casa de Deus, Semelhante de Deus

Biud

206º a 210º

Pede nome divino: 7º v., s. 120.

Dominus custodit te ab omni malo: cutodiat animam tuam Dominus.

Serve para viajar em segurança.

Descobre as conspirações.

* Ocupar-se dos negócios políticos, cérebro muito diplomático.

Gênio contrário: Traições, notícias falsas, malevolência.

43º gênio   וליה   (Veuahiah)
Rei dominador

Solu

211º a 215º

14º v., s. 87.

Et ego ad te Domine clamavi et mane oratio mea praeveniet te.

Para destruir o inimigo e ser libertado da escravidão.

* Gosta de glória e estado militar.

Mau gênio: Discórdia entre príncipes.

44º gênio   ילהיה   (Ielahiah)
Deus eterno

Bosa

216º a 220º

Êxito de um empreendimento útil.

Pede nomes divinos e 108º v., s. 118.

Voluntaria oris mei bene placita fac Domine et judicia tua doce me.

Proteção de magistrados. Processo.

Protege contra as armas, dá a vitória.

* Gosta de viagens para instruir-se; todos os seus empreendimentos terão êxito; se distinguirá pelos talentos militares e pela bravura, e seu nome se tornará célebre nos fastos da glória.

Gênio contrário: Guerras.

45º gênio	סאליה	(Sealiah)
	Motor de todas as coisas	

Hobo

221º a 225º

18º v., s. 93.

Si dicebam motus est pes meus misericordia tua Domine adjuvebat me.

Serve para confundir perversos e orgulhosos; realça os humilhados e rebaixados.

Rege vegetação.

* Gosta de instruir-se, muita facilidade.

Gênio contrário: Domina sobre a atmosfera.

46º gênio	עראל	(Ariel)
	Deus revelador	

Pino

226º a 230º

Para ter revelações.

Pronunciar pedido aos nomes divinos do 9º v., s. 144.

Suavit Dominus universus et miserationes ejus super omnia opera ejus.

Para agradecer a Deus os bens que nos envia.

Descobre tesouros ocultos, revela os maiores segredos da natureza, faz ver em sonho os objetos que se deseja.

* Espírito forte, sutil, ideias novas e pensamentos sublimes, discreto, circunspecção.

Gênio contrário: Adversidade de espírito.

47º gênio   עשליה   (Asaliah)
Deus justo que indica a verdade

Hana

231º a 235º

25º v., s. 103.

Quam magnificata sunt opera tua Domine! Omnia in sapientia fecisti impleta est terra possessione tua.

Para louvar a Deus e elevar-se até ele quando ele nos envia luzes.

Rege a justiça, faz conhecer a verdade no processo.

* Caráter agradável, apaixonado por adquirir luzes secretas.

Gênio contrário: Ações imorais e escandalosas.

48º gênio   מיהאל   (Michael)
Deus, pai protetor

Zaca

236º a 240º

3º v., s. 97.

Notum fecit Dominus salutare suum in conspectu gentium revelavit justitiam suam.

Para conservar a paz e a união entre os esposos.

Protege os que recorreram a ele, dá pressentimentos e inspirações secretas sobre tudo o que lhes sucederá.

Rege geração de seres.

* Apaixonado para o amor, gosta de passeios e prazeres em geral.

Gênio contrário: Luxo, esterilidade, inconstância.

49º gênio   והואל   (Vehuel)
Deus grande e elevado

Mara

241º a 245º

Nome divino: 3º v., s. 144.

Magnus Dominus et laudabilis nimis et magnitudinis ejus non est finis.

Desgosto, espírito contrariado.

Serve para exaltar-se em Deus, para bendizê-lo e glorificá-lo.

* Alma sensível e generosa. Literatura, jurisprudência, diplomacia.

Gênio contrário: Egoísmo, rancor, hipocrisia.

50º gênio   דניאל   (Daniel)

O signo da misericórdia. O Anjo das confissões

Pola

246º a 250º

8º v., s. 102.

Miserator et misericors Dominus, longanimis et misericors.

Para obter a misericórdia de Deus e ter consolações.

Rege justiça, advogados, procuradores.

Dá conclusões aos que hesitam.

* Industrioso e ativo nos negócios, gostará de literatura e se distinguirá pela eloquência.

Gênio contrário: Cavalheiro de indústria.

51º gênio   חהשיה   (Hahasiah)

Deus oculto

Bila

251º a 255º

32º v., s. 103.

Sit gloria Domini in saeculum laetabitur Dominus in operibus suis.

Elevar sua alma, descobrir mistérios da sabedoria.

Rege química e física.

Revela pedra filosofal e medicina universal.

* Gostará de ciência abstrata.

Se apegará em conhecer propriedades e virtudes ligadas aos animais, aos vegetais e aos minerais.

Se distinguirá na medicina.

Gênio contrário: Charlatão.

52º gênio   עממיה   (Imamiah)
Deus elevado acima de todas as coisas

Abag

256º a 260º

18º v., s. 7.

Confitebor, Domine secundum justitiam ejus et psallam nomini Domini altissimi.

Destrói a pujança dos inimigos e os humilha.

Rege as viagens em geral, protege os prisioneiros que recorreram a ele e lhes inspira o meio de alcançar a liberdade.

* Temperamento forte e vigoroso, suportará adversidade com paciência e coragem, gostará do trabalho.

Gênio contrário: Orgulho, blasfêmia, malignidade.

53º gênio   נגאאל   (Nanael)
Deus que rebaixa os orgulhosos

Obra

261º a 265º

Nome divino e v. 75, s. 118.

Cognovi Domine quia aequitas judicia tua et in virtute tua humiliasti me.

(Esse salmo é dividido em 22 partes iguais, correspondendo às 22 letras hebraicas e aos 22 nomes sagrados de Deus, que correspondem a cada uma dessas letras. Os cabalistas dizem que a Santa Virgem os recitava diariamente.)

Rege as altas ciências.

* Humor melancólico, ama fugir ao repouso, meditações, muito versado nas ciências abstratas.

Gênio contrário: Ignorância.

54º gênio   גיתאל   (Nithael)
Rei dos céus

Bora

266º a 270º

19º v., s. 102.

Dominus in coelo paravit sedem suam: et regnum ipsius omnibus dominabitur.

Para obter misericórdia de Deus e viver longamente.

Imperador, rei e príncipe.

* Célebre por seus escritos e sua eloquência, muita reputação entre os eruditos.

Gênio contrário: Ruína dos impérios.

55º gênio   מבהיה   (Mebaiah)
Deus eterno

Alay

271º a 275º

Roga ao nome divino e 13º v., s. 101.

Tu autem Domine in aeternum permanes et memoriale tuum in generationem.

Bom para ter consolações e para os que desejam ter filhos.

Rege moral e religião.

* Se distinguirá pelos favores, pela piedade.

Gênio contrário: Inimigos da virtude.

56º gênio   פויאל   (Poiel)
Deus que sustenta o Universo

Illi

276º a 280º

15º v., s. 144.

Allevat Dominus omnes qui corruunt et erigit omnes elisos.

Para obter o que se solicita.

Rege renome, fortuna e filosofia.

* Estimado por todos em razão da modéstia e do humor agradável.

Gênio contrário: Ambição, orgulho.

57º gênio גממיה (Nemmamiah)
Deus louvável

Popa

281º a 285º

19º v., s. 113.

Qui timent Dominum speraverunt in Domino; adjutor eorum et protector eorum est.

Para prosperar em todas as coisas e libertar os prisioneiros.

Rege grande capitão.

* Gostará do estado militar; se distinguirá pela atividade e suportará a fadiga com muita coragem.

Gênio contrário: Traição.

58º gênio יילאל (Ieialel)
Deus que atende às gerações

Para

286º a 290º

Nome divino e 3º v., s. 6.

Et anima turbata est valde; sed tu Domine esque quo?

Serve contra o desgosto e cura as doenças, principalmente o mal dos olhos.

Influi sobre o *ferro* e os que o comercializam.

* Bravo, franco, apaixonado por Vênus.

Gênio contrário: Cólera, maldade, homicídio.

59º gênio הדהאל (Harahel)
Deus que conhece todas as coisas

Ella

291º a 295º

Pronunciar o nome do gênio com seus atributos e o 3º v., s. 112.

A solis ortu usque ad occasum, laudabile nomen Domini.

Contra a esterilidade das mulheres e para tornar os filhos submissos aos pais.

Rege tesouro e banco. Tipografia, livraria.
* Gostará de instruir-se, fará negócios (sobretudo na Bolsa).
Gênio contrário: Falência fraudulenta, ruína.

60º gênio	מצדאל	(Mizrael)
	Deus que conforta os oprimidos	

Gena

296º a 300º

18º v., s. 144.
Justus Dominus in omnibus viis suis, et sanctus in omnibus operibus suis.
Para curar a doença de espírito e nos livrar dos que nos perseguem.
* Virtuoso, longevidade.
Gênio contrário: Seres insubordinados.

61º gênio	ומבאל	(Umabel)
	Deus acima de todas as coisas	

Sila

301º a 305º
Nome divino e 2º versículo do salmo 112.
Sit nomen Domini benedictum ex hoc nunc et usque in saeculum.
Para obter a amizade de uma pessoa.
* Gosta de viagens e prazeres honestos, coração sensível.
Gênio contrário: Libertinos, vícios contra a natureza.

62º gênio	יההאל	(Iah-hel)
	Ser supremo	

Suna

306º a 310º
159º v., s. 118.
Vide quoniam mandata tua delexi domine, in misericordia tua vevifica me.

Para adquirir a sabedoria.

Rege filósofos, iluminados.

* Gosta de tranquilidade e solidão, modesto, virtuoso.

Gênio contrário: Escândalo, luxo, inconstância, divórcio.

63º gênio   עניאל   (Anianuel)

Deus infinitamente bom

Miri

311º a 315º

Nome divino e 11º v., s. 2.

Servite Domino in timore; et exaltate ei cum tremore.

Para converter as nações ao cristianismo.

Gênio: protege contra os acidentes, cura as doenças.

Rege comércio, banqueiro.

* Espírito sutil e engenhoso, industrioso e ativo.

Gênio contrário: Loucura, prodigalidade.

64º gênio   מהיאל   (Mehiel)

Deus que vivifica todas as coisas

Alli

316º a 320º

Nome divino e 18º v., s. 32.

Ecce oculi Domini super metuentes eum; et in eis qui sperant super misericordia ejus.

Bom contra as adversidades.

Gênio: Protege contra a raiva e os animais ferozes.

Rege cientistas, professores, oradores e outros.

* Se distinguirá na literatura.

Gênio contrário: Falsos cientistas, críticos.

65º gênio   דמכיה   (Demabiah)
Deus fonte de sabedoria

Tara

321º a 325º

15º v., s. 89.

Convertere Domine et usque qua? et deprecibilis esta super servos tuos.

Contra os sortilégios para obter a sabedoria e conquistar sucessos úteis.

Rege mares, rios, fontes. Marítimos.

* Marinheiro. Reúne considerável fortuna.

Gênio contrário: Tempestade, naufrágios.

66º gênio   מנקאה   (Manakel)
Deus que apoia e provê a todas as coisas

Pora

326º a 330º

22º v., s. 37.

Ne derelinquas me Domine, Deus meus; ne discesseris a me.

Serve para apaziguar a cólera de Deus e cura a epilepsia.

Rege vegetação, animais aquáticos. Influência, sonhos.

* Brandura de caráter.

Gênio contrário: Más qualidades físicas e morais.

67º gênio   איאל   (Etaiel)
Deus, delícia dos filhos dos homens

Bogo

331º a 335º

Pede nome divino e 4º v., s. 36.

Delectare in Domino et dabit tibi petitiones cordis tui.

Para ter consolações nas adversidades e adquirir sabedoria.

Influi sobre a Ciência Oculta.

Faz conhecer *a verdade* aos que recorrem a ele em seus trabalhos.

* Solicitações iluminadas do espírito de Deus, gostará da solidão, se distinguirá na Alta Ciência.

Gênio contrário: Erro, preconceito.

68º gênio   הבויה   (Xabuiah)

Deus que dá com liberalidade

Depos

336º a 340º

1º v., s. 105.

Confitemini Domino quoniam bonus quoniam in saeculum misericordia ejus.

Para conservar a saúde e curar as doenças.

Rege agricultura e fecundidade.

* Gosta do campo, caça, jardim e tudo o que se relaciona à agricultura.

Gênio contrário: Esterilidade, fome, peste, insetos nocivos.

69º gênio   ראהאל   (Rochel)

Deus que vê tudo

Deos

341º a 345º

5º v., s. 15.

Dominus pars haereditatis meae et calicis mei; tu es qui restitues haereditatem meam mihi.

Para encontrar os objetos perdidos ou roubados e conhecer a pessoa que os subtraiu.

* Distinto no tribunal, nos costumes e nos usos de todos os povos.

Gênio contrário: Direito, testamento, legados.

70º gênio   יבמיה   (Jabamiah)

Verbo que produz todas as coisas

Aris

346º a 350º

Pede nome divino e 1º versículo do *Gênese*. No começo Deus criou o Céu e a Terra.

Rege geração dos seres e fenômenos da natureza.
Protege os que desejam se regenerar.
* Se distinguirá pelo gênio. Uma das grandes luzes da Filosofia.
Gênio contrário: Ateísmo.

71º gênio   הייאל   (Haiel)
Deus senhor do Universo

Zeut

351º a 355º

29º v., s. 108.
Confitebor Domino nimis in ore meo et in medio multorum laudabo eum.
Serve para confundir o perverso e livrar-nos dos que nos querem oprimir.
Gênio: protege os que recorrem a ele.
Influi sobre o ferro.
* Bravo.
Gênio contrário: Discórdia, traidores, celebridade criminosa.

72º gênio   מומיה   (Mumiah)
Ω

356º a 360º
Pronunciar os nomes divinos, a saber: α alpha e Ω ômega, com o nome e os atributos do gênio, bem como o pedido e o 7º versículo do salmo 114.
Convertere anima mea in requiem tuam: quia Dominus benefecit tibi.
Deve-se, com o talismã *divino,* ter o do gênio escrito sobre o outro lado, o qual deve ser preparado sob influências favoráveis.
Protege nas operações misteriosas, faz triunfar todas as coisas.
Rege química, física e medicina. Influência de saúde e longevidade.
* Doutor em medicina.
Gênio contrário: Desespero e suicídio.

A evocação dos gênios deve ser feita na estação que corresponde ao seu elemento ou, sobretudo, sobre as partes do mundo que eles presidem.

    Fogo   Oriente   Primavera
    Água   Ocidente   Outono

				Domingo					
Dia	1	☉	4	☽	7	♂	10	☿	
	2	♀	5	♄	8	☉	11	☽	
	3	☿	6	♃	9	♀	12	♄	
Noite	1	♃	4	♀	7	♄	10	☉	
	2	♂	5	☿	8	♃	11	♀	
	3	☉	6	☽	9	♂	12	☿	
				Segunda-feira					
Dia	1	☽	4	♂	7	☿	10	♃	
	2	♄	5	☉	8	☽	11	♂	
	3	♃	6	♀	9	♄	12	☉	
Noite	1	♀	4	♄	7	☉	10	☽	
	2	☿	5	♃	8	♀	11	♄	
	3	☽	6	♂	9	☿	12	♃	
				Terça-feira					
Dia	1	♂	4	☿	7	♃	10	♀	
	2	☉	5	☽	8	♂	11	☿	
	3	♀	6	♄	9	☉	12	☽	
Noite	1	♄	4	☉	7	☽	10	♂	
	2	♃	5	♀	8	♄	11	☉	
	3	♂	6	☿	9	♃	12	♀	

					Quarta-feira				
Dia	1	☿	4	♃	7	♀	10	♄
	2	☽	5	♂	8	☿	11	♃
	3	♄	6	☉	9	☽	12	♂
Noite	1	☉	4	☽	7	♂	10	☿
	2	♀	5	♄	8	☉	11	☽
	3	☿	6	♃	9	♀	12	♄

					Quinta-feira				
Dia	1	♃	4	♀	7	♄	10	☉
	2	♂	5	☿	8	♃	11	♀
	3	☉	6	☽	9	♂	12	☿
Noite	1	☽	4	♂	7	☿	10	♃
	2	♄	5	☉	8	☽	11	♂
	3	♃	6	♀	9	♄	12	☉

					Sexta-feira				
Dia	1	♀	4	♄	7	☉	10	☽
	2	☿	5	♃	8	♀	11	♄
	3	☽	6	♂	9	☿	12	♃
Noite	1	♂	4	☿	7	♃	10	♀
	2	☉	5	☽	8	♂	11	☿
	3	♀	6	♄	9	☉	12	☽

					Sábado				
Dia	1	♄	4	☉	7	☽	10	♂
	2	♃	5	♀	8	♄	11	☉
	3	♂	6	☿	9	♃	12	♀
Noite	1	☿	4	♃	7	♀	10	♄
	2	☽	5	♂	8	☿	11	♃
	3	♄	6	☉	9	☽	12	♂

PLANETAS

Bons   ♃   ♀
Maus   ♄   ♂
Indiferentes   ☉   ☽

☿ bom com o bom, mau com o mau.

ZODÍACO

Dia	♈	meia-noite à 1 hora
	♉	1 h às
	♊	2 h às
	♋	3 h às
	♌	4 h às
	♍	5 h às
	♎	6 h às
	♏	7 h às
	♐	8 h às
	♑	9 h às
	♒	10 h às
	♓	11 h às 12

ZODÍACO

Noite   O mesmo que o dia.

Para o estudo especial dos Gênios e a construção dos quadros, ver o esboço hermético do Todo Universal segundo a Teosofia cristã, por Jacob (1 vol. in-18, 1902, Paris, Chacornac éditeur).

QUARTA PARTE

Bibliografia Resumida da Cabala

CAPÍTULO I

INTRODUÇÃO À BIBLIOGRAFIA DA CABALA

§ 1. – PREFÁCIO

Não existe – pelo menos não conhecemos – bibliografia especial da Cabala em língua francesa. Há nos manuais correntes listas de obras classificadas sob essa rubrica; porém, essas listas são feitas sem ordem nem método e bastante incompletas. As mesmas observações podem ser feitas a respeito dos artigos dos dicionários consagrados à Cabala e de alguns volumes a que nos remetem, salvo no tocante ao estudo consagrado a esse assunto no *Dictionnaire des sciences philosophiques*.

Havia a esse respeito uma lacuna muito prejudicial aos pesquisadores sérios, lacuna que tentamos preencher na fraca medida de nossos meios. Por conseguinte, nosso objetivo não é tanto apresentar uma interminável lista de obras colhidas a torto e a direito (o que já seria de alguma utilidade), mas estabelecer determinadas divisões nessa lista, e, consequentemente, evitar longas pesquisas aos filósofos e aos historiadores, os quais, na sequência dos trabalhos de Ad. Franck sobre a Cabala e de outros eminentes críticos sobre a Escola de Alexandria e as doutrinas neoplatônicas, buscam, cada vez mais, aprofundar essas questões.

Seria necessário, primeiro, passar em revista as principais bibliografias feitas no estrangeiro ou nos últimos séculos sobre a Cabala. Teremos de estabelecer o caráter especial de cada um desses trabalhos, sua utilidade ou seus defeitos.

A esse propósito, indicaremos as fontes diversas em que nos haurimos, uma vez que o primeiro dever do escritor é "dar a César o que é de César", com o risco de perder um pouco de prestígio e de ganhar muita satisfação moral.

Só então poderemos abordar com algum proveito a bibliografia propriamente dita, dividindo os livros de acordo com os idiomas nos quais estão escritos; a seguir, de acordo com os assuntos tratados; e, enfim, condensando numa breve lista as obras de conhecimento indispensável. Teremos igualmente a preocupação de estabelecer nessas grandes divisões outras separações mais acessórias, como a distinção entre as obras de estudos puramente científicos sobre a Cabala e aquelas produzidas pelos cabalistas místicos e inspiradas pela Cabala. Esperamos, assim, alcançar melhor nosso objetivo, que é, antes de tudo, ser útil e facilitar a tarefa aos que, mais competentes que nós, quiserem se servir dos nossos esforços.

§ 2. – PRINCIPAIS BIBLIOGRAFIAS CABALÍSTICAS

Um estudo minucioso sobre cada um dos escritores que se ocuparam da bibliografia da Cabala demandaria, por si só, um volume. Não se pode esperar de nós uma análise completa de cada uma dessas obras. Nós nos contentaremos em indicar rapidamente o caráter geral das principais dessas bibliografias, remetendo o leitor desejoso de detalhes mais amplos à Bibliothèque Nationale, da qual fornecemos os números do catálogo, o que facilitará e abreviará muito as pesquisas.

JEAN BUXTORF

Jean Buxtorf é o chefe de uma família que, durante dois séculos, alcançou celebridade na literatura hebraica.[1] Nasceu em 25 de dezembro de 1564, em Camen, na Westfália, e morreu na Basileia em 13 de setembro de 1629. Ensinou hebraico nessa cidade durante 38 anos.

JOHAN BUXORF. *De Abreviationis hebraicis liber novus et copiosus qui assesserunt operis talmudici brevis recencio, cum ejusdem librorum et capitum Indice*

---

[1] *Biographie universelle*, t. VI.

item "Bibliotheca rabbinica" novo ordine alphabetico disposita Basilea, typis Conradi Waldkirchi impensis Ludovici Konig, 1613, in-8º. (Bib. Nat. A. 7505).

Esse pequeno volume de 335 páginas, embora incompleto, tem enorme valor, pois é o primeiro trabalho seriamente elaborado. Foi completado pelos trabalhos ulteriores do autor e de seu filho.

Esse livro foi impresso da direita para a esquerda, ao contrário das nossas obras comuns. O trabalho a seguir é, todavia, muito mais completo.

BARTOLOCCI

Se não pela ordem de data, ao menos pela ordem de importância, a primeira grande bibliografia referente à Cabala é a de Bartolocci.

Bartolocci (Giuglio) era um religioso italiano da ordem de São Bernardo. Passou a maior parte da vida como professor de língua hebraica no colégio da Sapiência, em Roma. Nasceu em 1613 em Celano, nos Abruzos, e morreu de apoplexia em 1º de novembro de 1687.

BIBLIOTHECA MAGNA RABBINICA. *De scriptoribus et scriptis rabbinicis, ordine alphabitico hebraice et latine digestis, auctore D. Iulio Bartoloccio de Celleno, Congrego S. Bernardi Reform. Ord. Cistere et S. Sebastiani ad Catacumbes Abbato*, 4 vol., Roma, 1678-92. (Bib. Nat. A. 764).

Essa bibliografia está estabelecida sobre o plano alfabético. Os quatro volumes infólio que a constituem estão impressos em duas colunas; o início do volume está à direita, abrindo a obra, como nos livros em língua hebraica; ademais, todas as passagens hebraicas citadas são traduzidas em latim, e inúmeras tábuas, minuciosamente elaboradas, permitem encontrar, com muita facilidade nessa imensa quantidade, os assuntos tratados.

Encontram-se, sobre cada assunto, não apenas obras hebraicas, mas ainda todos os tratados sobre a questão. Assim, por exemplo, vê-se na p. 166 do tomo I um estudo sobre os *Pontos*, seguido de referências bibliográficas de 23 obras hebraicas e de sete obras latinas.

Cada uma dessas referências está estabelecida, em geral, por capítulo e por página, ou seja, com toda a consciência que presidiu a edificação desse tratado admirável.[2]

---

[2] Há cerca de quatro mil obras escritas em língua hebraica, citadas no curso desse importante trabalho.

A obra de Bartolocci foi continuada e completada pela seguinte:

IMBONATUS. *Bibliotheca latino-hebraica sive de scriptoribus latinis qui ex diversis nationibus, contra Judaeos, vel de re hebraica utcumque scripsere: additis observationibus criticis, et philologico-historicis, quibus quae circa patriam, aetatem, vitae institutum, mortemque; auctorum consideranda veniunt, exponuntur, auctore et vindice* P. CAROLO IOSEPH IMBONATO MEDIOLANCASI, *Cong. S. Bernardi Ord. Cistere Monacho*, Rome, 1694, in-folio (Bib. Nat. A. 765).

Encontram-se nela as mesmas qualidades existentes na *Bibliothèque Rabbinique*.

Encontramos, agora, sempre por ordem de data:

BASNAGE. *Histoire des juifs depuis Jésus-Christ jusqu'à présent*. Roterdã, 1707, in-12º, 5 vol. (Bib. Nat. H. 6947-52).

Esse tratado contém um índice dos autores citados, do qual se podem extrair sérias informações bibliográficas.

Chegamos, enfim, a um dos que mais contribuíram para a difusão desses estudos:

WOLF

Wolf (Jean-Christophe) nasceu em 21 de fevereiro de 1683 em Wernigerode, na Alta Saxônia. Morreu em 25 de julho de 1739, aos 56 anos.

O. CHRISTOPH. WOLF. *Bibliotheca hebraea, sive notitia tum auctorum hebraicorum cujuscumque aetatis, tum scriptorum, quae vel hebraice primum exarata, vel ab aliis conversa sunt, ad nostram aetatem deducta*, Hambourg et Leipzig, 1715, 4 vol. in-4º, Bib. Nat. (Invent. A. 2967).

O tomo I contém a informação de 2.231 autores hebreus; o segundo, a indicação bibliográfica de todas as obras impressas ou manuscritas relativas ao Antigo Testamento, à Massorá, ao Talmude e à gramática hebraica, à biblioteca judaica e antijudaica; à informação das paráfrases caldaicas, dos livros sobre a Cabala e, enfim, dos escritos anônimos dos judeus. Os dois últimos volumes contêm as correções e os suplementos.[3]

A obra de Wolf está impressa sem colunas, da esquerda para a direita. Contém igualmente o tratado de *Gaffarel* sobre os manuscritos utilizados por Pico de la Mirandola: *accedit in calce* JACOBI GAFFARELLI *index codicum cabbalistic, mss, quibus Jo. Picus Mirandulanus comes, usus est.*

Os quatro volumes de Wolf, resumos do trabalho de Bartolocci com inúmeras adições de obras mais recentes que a *Magna Bibliotheca Rabbinica,* formariam um conjunto quase perfeito, sem uma singular mania que deprecia muitas das obras do autor. Essa mania consiste em retraduzir em latim os títulos de obras e os nomes de autores quaisquer que sejam, salvo, todavia, no que concerne aos alemães, cujos nomes dos autores estão muito bem traduzidos em latim, mas cujas obras são mencionadas na língua original. Daí resulta uma lamentável confusão no espírito do pesquisador e dificuldades que deveriam ser evitadas num compêndio bibliográfico. Por isso, aconselhamos recorrer sempre, de preferência, à obra de Bartolocci, exceto no que diz respeito aos autores modernos. Para darmos um exemplo do gênero de Wolf, basta que o leitor se reporte às listas que fornecemos depois dele.

Citemos, para terminar, como muito mais modernas, as obras seguintes, sendo que, infelizmente, só conhecemos a última de nome.

FURST. *Bibliotheca Judaica: Bibliographisches Handbruch umfassend die "Druckwerke der Judischen Literatur" einschliesslich der über juden und judenthum veroffentlichten Schriften nach alfabetischer ordnung der verfasser bearbeitet. Mit einer Geschichte der Judischen Bibliographie Sowie mit indices versehen und Herausgegeben,* von D. JULIUS FURST, *leherer an der universitat zu Lepzig. Leipzig, Verlag von Wilhelm Engelmann,* 1863 (Bib. Nat., Q. 5139, 5140, 5141).

Nada de muito particular a assinalar nesse trabalho senão o dicionário hebraico, colocado no fim do terceiro volume, impresso como um de nossos dicionários, ou seja, da esquerda para a direita.

Catalogue of hebraica and hudaica in the library of the corporation of the City of London, Londres, 1891, gr., in-8º, 231 páginas.

---

[3] WEISS, *Biograph*. Univ., t. XLV.

§ 3. – NOSSAS FONTES

Além das obras precedentes, consultamos, na maioria das enciclopédias, as listas no fim dos estudos sobre a Cabala.

Citaremos, por isso, especialmente a *Grande Encyclopédie* (verbete do sr. Isidore Loeb), a *Encyclopédie des sciences religieuses*, de Lichtenberger (verbete "Kabbale", de Nicolas), o *Dictionnaire de la conversation*, o *Dictionnaire encyclopédique*, de Larousse, a *Encyclopédie*, de Diderot (verbete "Cabbale", do padre Pestré, seguido de uma nota de d'Alembert; esse verbete é um dos melhores publicados sobre o assunto), a *Biographie universelle*, de Michaud (verbete do sr. Tabaraud).

E, entre as obras estrangeiras, a *Englisch cyclopédia*, a *Encyclopédia Britannica* e a *Bibliotheca Britannica*, de Watt, bibliografia importantíssima sob diferentes pontos de vista.

Entre as obras que nos foram de grande utilidade para o estabelecimento de nossa bibliografia, citaremos primeiro a do sr. Ad. FRANCK sobre a *Kabbale*, que constitui o único compêndio francês em que se encontra uma boa bibliografia do assunto.

Não falaremos de *Basnage, Bartolocci, Buddeus, Buxtorf, Imbonatus, Isid, Loeb, Molitor, Wolf* e *Watt,* aos quais tomamos algo por empréstimo.

As coleções da *Bibliothèque Nationale* sobre a Cabala nos forneceram, igualmente, alguns números da nossa lista.

Finalmente, não saberíamos terminar sem assinalar quanto nos foi útil a *biblioteca particular* de nosso amigo *Stanislas de Guaita,* o cabalista justamente considerado, para o catálogo das obras místicas referentes à questão.

PLANO DA NOSSA BIBLIOGRAFIA

1ª Ordem

Classificamos as obras, de um lado, por idiomas; de outro, por matérias tratadas.

A classificação por idiomas foi feita de acordo com a própria ordem das nossas pesquisas.

A classificação por matérias foi feita de acordo com a ordem adotada pelos catálogos da Bibliothèque Nationale. Acrescentamos-lhe algumas rubricas extraídas da nossa classificação geral das obras concernentes à tradição hebraica.

2º Fontes. Caráter de cada obra

Cada uma das obras citadas é precedida de um número de ordem.

Entre o nome do autor e o título da obra, ou antes desse título, quando a obra é anônima, encontra-se uma letra que traz *a fonte* de onde extraímos a indicação da dita obra.

No fim das indicações bibliográficas, há indicações particulares:

(SCT). Se o caráter da obra é puramente científico, se se trata de um estudo didático ou bibliográfico.

(MYS). Se a obra é de origem ou de tendências *ocultistas* ou *místicas*.

(PHIL). Se a obra é *filosófica*.

3º Índices alfabéticos

Enfim, para permitir ao pesquisador a maior facilidade possível, acrescentamos à nossa bibliografia dois índices alfabéticos, um por nomes de autores, outro por títulos de obras.

Vê-se por todos esses pormenores que procuramos, antes de tudo, fazer um trabalho útil, poupar aos outros as tentativas que, pessoalmente, experimentamos em nossas investigações; nosso mais vivo desejo é agora sermos saqueados o mais frequentemente possível, para maior proveito do estudo. Desejaríamos ver essa bibliografia, incompleta e resumida, ser retomada e aumentada por um autor mais competente que nós. A França teria, assim, uma obra que esse ensaio apenas apontou, obra essa que nossas inúmeras ocupações nos proíbem empreender no momento. De nossa parte, arroteamos o terreno; quem quererá, agora, fazê-lo prosperar?

CATÁLOGO DAS FONTES DE NOSSA BIBLIOGRAFIA

(B). Basnage.
(BC). Bartolocci.
(BD). Buddeus.

(BN). Bibliothèque Nationale.
(BX). Buxtorf.
(DV). (*Diversos autores*).
(F). Ad. Franck.
(G). Biblioteca de Guaita.
(I). Imbonatus.
(L). Isidore Loeb.
(M). Molitor.
(P). Papus.
(W). Wolf.
(Wt). Watt.

CARÁTER DE CADA OBRA

(SCT). *Científico* (bibliografias, estudos didáticos etc.).
(MYS). *Místico* (inspirado pela Ciência Oculta ou de tendências místicas).
(PHIL). *Filosófico* (intermediário entre os caracteres precedentes).

CAPÍTULO II

CLASSIFICAÇÃO POR IDIOMAS

§ 1. – OBRAS EM LÍNGUA FRANCESA

1. AD. FRANCK (P), *La Kabbale,* Paris, 1843, in-8º (SCT).

2. RICHARD SIMON (F), *Histoire critique du Vieux Testament* (SCT).

3. BURNET (F), *Archéologie philosophique,* cap. IV (SCT).

4. HOTTINGER (F), *Théorie philosophique* (SCT).

5. BASNAGE (F), *Histoire de juifs* (SCT).

6. E. AMELINEAU (F), *Essai sur le gnosticisme égyptien, ses développements et son origine égyptienne,* 1 vol. in-4º, aparecido em 1887 (Bib. Nat. 0³ A 690) (SCT).

7. PAUL ADAM (P), *Etre,* romance (MYS).

8. AMARAVELLA (P), *La constitution du microcosme* (revue *le Lotus*) (MYS).

9. F. CH. BARLET (P), *Essai sur l'évolution de l'Idée,* 1891, in-18º (SCT e PHIL).

10. BERTHELOT (P), *Des origines de l'Alchimie,* Paris, 1887, in-8º (SCT).

11. DE BRIÈRE (P), *Essai sur le symbolisme antique des peuples de l'Orient,* Paris, 1854, in-8º (SCT).

12. RENÉ CAILLIÉ (P), *L'étoile, la revue des hautes études* (artigos diversos). Avignon, 1889-92 (MYS).

13. AUGUSTIN CHABOSEAU (P), *Essai sur la philosophie bouddhique,* pp.156 e 157, Paris, 1891, in-8º (PHIL).

14. P. CHRISTIAN (P), *L'Homme rouge des Tuileries,* Paris, 1854, in-8º (MYS).

15. (DIVERSOS) (P), *Congrès spirite de 1889,* 1 vol. in-8º, pp. 70, 89 e seguintes (MYS).

16. COURT DE GÉBELIN (P), *Oeuvres* (PHIL).

17. HENRY DELAAGE (P), *La science du vrai,* Paris, 1884, in-18º (PHIL).

18. LOUIS FIGUIER (P), *L'Alchimie* (PHIL e SCT).

19. PAUL GIBIER (P), *Analyse des choses* (MYS).

20. ÉLIPHAS LÉVI (P), *Dogme et rituel de la haute magie,* Paris, 1854, in-8º; *La clef des grands mystères; Histoire de la magie, Fables et symboles* (MYS e SCT).

21. FABRE D'OLIVET (P), *La langue hébraïque restituée,* Paris, 1825, 2 vol., in-4º (PHIL e SCT).

22. S. DE GUAÏTA (P), *Au seuil du mystère,* Paris, 1890, in-8º (SCT e MYS); *Le Temple de Satan,* Paris, 1891, in-8º (MYS).

23. ALBERT JHOUNEY (P), *Le royaume de Dieu,* Paris, 1888, in-8º (MYS).

24. H. C. AGRIPPA (P), *Philosophie occulte,* 2 vol., La Haye, 1727, in-8º (SCT e MYS).

25. LACOUR (P), *Les AEloim ou dieux de Moïse,* Bordeaux, 1839, in-8º (MYS).

26. LACURIA (P), Harmonies de l'Être exprimées par les nombres, Paris, 1853, in-8º (MYS).

27. LÉONCE DE LARMANDIE (P), *Eoraka,* romance, Paris, 1891, in-8º (MYS).

28. JULIEN LEJAY (P), *La science secrète,* Paris, 1890, in-8º (MYS e PHIL).

29. LENAIN (P), *La science cabalistique,* Amiens, 1823, in-8º (MYS).

30. JULES LERMINA (P), *A brûler,* novela, Paris, 1889, in-8º (MYS).

31. EMILE MICHELET (P), *L'esotérisme dans l'art*, Paris, 1891, in-18º (MYS).

32. MOLITOR (P), *La philosophie de la tradition*, Paris, 1834, in-8º (MYS).

33. GEORGE MONTIÈRE (P), *La chute d'Adam*, Paris, 1890 (revista *l'Initiation*) (MYS).

34. PAPUS (P), *Traité élémentaire de science occulte*, Paris, 1887, in-8º (MYS); *le Tarot des bohémiens*, Paris, 1889, gr. in-8º (MYS e PHIL); *Traité méthodique de science occulte*, Paris, 1891, gr. in-8º (PHIL e SCT).

35. JOSÉPHIN PELADAN (P), *La décadence latine*, 11 vol., Paris, 1884-91, in-18º (MYS).

36. ALBERT POISSON (P), *Théories et symboles des alchimistes*, Paris, 1891, in-8º (PHIL).

37. DUQUESA DE POMAR (P), *Thésophie sémitique*, Paris, 1887, in-8º (MYS).

38. PADRE ROCA (P), *Nouveaux Cieux, nouvelle Terre*, Paris, 1889, in-8º (MYS).

39. R. P. ESPRIT SABATHIER (P), *Ombre idéale de la sagesse universelle*, 1679 (MYS e PHIL).

40. L.-C. DE SAINT-MARTIN (P), *Le crocodile*, Paris, em II, in-8º (Bib. Nat. Ye 10.272) (MYS).

41. ED. SCHURÉ (P), *Les grands initiés*, Paris, 1889, in-8º (MYS e PHIL).

42. SAINT-YVES D'ALVEYDRE (P), *Mission des juifs*, Paris, 1884, gr. in-8º (SCT e PHIL).

43. J.-A. VAILLANT (P), *Les rômes, histoire vraie des vrais bohémiens*, Paris, 1854 (MYS).

44. G. VITOUX (P), *L'occultisme scientifique*, Paris, 1891, in-8º (MYS e PHIL).

45. WRONSKI (HOENÉ) (P), *Messianisme ou réforme absolue du savoir humain*, Paris, 1854, in-folio (PHIL).

46. (P), *De la magie trancendante et des méthodes de guérison dans le Talmud* (MYS).

47. (P), *La verge de Jacob*, Lyon, 1693, in-12 (MYS).

48. LAGNEAU (P), *Harmonie mystique*, p. 1636, in-8º (MYS).

49. ABRAHAM LE JUIF (G), *La sagesse divine*, dedicado a seu filho Lamech, manuscrito do fim do século XVIII, 2 vol. Pet. in-8º (trad. de um manuscrito alemão) (MYS).

50. GAFFAREL (G), *Curiosités inouïes* (MYS).

51. JÉROME CARDAN (G), *De la subtilité* (MYS).

52. SIEUR DE SALERNE (G), *La géomancie et nomancie des anciens, la nomancie cabalistique*, in-16, 1669 (MYS).

53. D'ECKHARTHAUSEN (G), *La nuée sur le sanctuaire ou quelque chose dont la philosophie orgueilleuse de notre siècle ne se doute pas* (MYS).

54. M. P. R. Q. D. G. (G), *La physique de l'ecriture*, in-8º (MYS).

55. KELEPH BEN NATHAN (G), *La philosophie divine, appliquée aux lumières naturelle, magique, astrale, surnaturelle,* céleste et divine, *ou immuables vérites que Dieu a révélées de Lui-même et de ses oeuvres dans le triple miroir analogique de l'Univers, de l'homme et ae la révéation* écrite, 1793, in-8º (MYS).

56. QUANTIUS AUCLERC (G), *La Threicie, ou la seule voie des sciences divines et humaines du culte vrai et de la morale*, Paris, ano VIII (MYS).

57. L. GRASSOT (d. m. m.) (G), *La philosophie céleste*, Bordeaux, ano IX (1803), pet. in-8º MYS).

58. F. VIDAL COMNÈM (G), *L'harmonie du monde ou it est traité de Dieu et de la nature-essence*, Paris, 1671, in-12 (MYS).

59. PIERRE FOURNIÉ (clérigo tonsurado) (G), *Ce que nous avons été, ce que nous sommes et ce que nous deviendrons*, Londres, 1864, in-8º (MYS).

60. DRACH (G), (Le Chevalier Drach), antigo rabino, *De l'harmonie de l'eglise et de la synagogue,* Paris, 1844, 2 vol. Gr. in-8º (MYS).

61. ADOLPHE BERTET (G) (cabalista puro, discípulo direto de Éliphas Lévi), doutor em direito civil, advogado junto à corte de Chambéry, *Apocalypse du Bienheureux Jean dévoilée* (Kabbale et Tarot, em todas as páginas), Paris, Arnauld de Vresse, 1861, in-8º (MYS).

62. GOULIANOF (G) (le chevalier de), *Essai sur les hiéroglyphes d'Horapollon et quelques mots sur la CABALE,* Paris, 1827, in-4º (MYS).

63. ANÔNIMO (G), *Cabala magica tripartita,* isto é, três tábuas cabalísticas..., com sua explicação e seu uso etc., S. L., 1747, in-8º (alemão e tradução francesa) (PHIL e MYS).

64. ISAAC OROBIO (G), *Israél vengé,* ou *Exposition naturelle des prophéties hébraïques que les chrétiens attribuent à Jésus, leur prétendu messie,* Londres, 1770, pet. in-8º (PHIL e MYS).

65. ALEXANDRE WEILL (G), X (*Lois et mystères de l'Amour),* segundo os rabinos e a Cabala, trad. de um missal hebraico, Paris, Dentu, 1880, pet. in-8º (PHIL e MYS).

66. LODOIK (conde de Divonne, SX 1X) (G)., *La voie de la science divine* (tradução do inglês de Law, discípulo de Böhme, precedido da *Voix qui crie dans le désert,* Paris, 1805, in-8º (MYS).

67. LOPOUKINE (místico cabalista russo) (G), *Quelques traits de l'Eglise intérieure,* Moscou, 1801 (com figuras), in-8º (MYS).

68. MUNCK (L), *Mélanges de philosophie juive et arabe,* Paris, 1859, pp. 275 e 490 (SCT), (L) *La Palestine,* pp. 520 e 524 (SCT).

69. HERZOG (DV), *Encyclopédie,* t. VII, pp. 203, 205 e 206 (SCT).

70. MARQUÊS LE GENDRE (WT), *Traité de l'Opinion,* cap. VII (SCT).

70. Bis. MALFATTI DE MONTEREGGIO (D.) (P), *La Mathèse,* tradução para o francês de Ostrowski, Paris, 1839, in-8º (MYS).[4]

70. Ter. S. KARPE, *Le Zohar,* Paris, Alcan, 1900, in-8º.

§ 2. – OBRAS EM LÍNGUA LATINA

71. RAYMOND LULLE (F), *OEuvres,* 10 vol. infólio, Mogúcia, 1721 (PHIL).

72. PIC DE LA MIRANDOLE (F), *Conclusiones cabalisticae,* Roma, 1486 (PHIL).

73. HEUCHLIN (F), *De arte cabbalistica* (PHIL).

---

[4] No momento de começar a imprimir este trabalho, recebemos uma nova obra de EUGÈNE NUS, *A la recherche des destinées,* na qual há um capítulo todo dedicado à Cabala, 1 vol., in-18, Paris, 1897. – 70 ter.

74. *De Verbo Mirifico* (PHIL).

75. H.-C. AGRIPPA (F), *De occulta philosophia* (SCT e MYS).

76. POSTEL (F), *Abscunditorum a constitutione mundi clavis,* Basileia, 1547, in-4º, e Amsterdã, 1646, in-12º (MYS).

77. PISTORIUS (F), *Artis cabalisticae scriptores,* Basileia, 1587, infólio (PHIL e MYS).

78. KIRCHER (F), *OEdipus Aegyptiacus,* Roma, 1623, infólio (SCT e PHIL).

79. KNORR DE ROSENROTH (F), *Kabbala denudata* (SCT e PHIL).

80. RICCI (F), *De celesti agricultura* (MYS e PHIL).

81. JOSEPH VOYSIN (F), *Disputatio cabalistica* (MYS).

82. GEORGES WACHTER (F), *Concordia rationis et fidei, sive Harmonia philosophiae moralis et religionis christianae,* Amsterdã, 1692, in-8º (MYS).

83. *Elucidarius cabalisticus,* Roma, 1706, in-8º (PHIL).

84. TOLUK (F), *De Ortu Cabbalae,* Hamburgo, 1837 (MYS).

85. BRUCKER (Jean-Jacques) (F), *Institutiones philosophiae,* Leipzig, 1747, in-8º, edição refeita e anotada por Fred. Born, Leipzig, 1790 (SCT e MYS).

86. PARACELSO (F), *Opera.*

87. HENRY MORUS (F), *Psycho-Zoïa ou la Vie de l'Ame,* 1640-1647, in-8º, tradução latina, 3 vol., infólio, 1679 (MYS).

88. ROBERT FLUDD (F), *OEeuvres,* 5 vol., in-folio (MYS).

89. VAN HELMONT PÈRE (J.-B.) (F), *Ortus medicinae,* Amsterdã, 1648-52, in-4º, Veneza, 1651, infólio (PHIL).

90. MERCURE VAN HELMONT (F), *Alphabete vere naturalis hebraice brevissima delineatio,* Sulgbach, 1607, in-12 (PHIL).

91. JACOB BOEHME (F), *Aurora,* 1612 (MYS).

92. *De tribus principiis,* 1619 (MYS).

93. BARTOLOCCI (F), *Magna bibliotheca rabbinica,* 4 vol., infólio (SCT).

94. BUDDEUS (F), *Introductio ad Historiam philosophiae Hebraeorum,* 1702 e 1721, in-8º (SCT).

95. ARIAS MONTANUS (B), *Antiquitatum Judaïcarum* (PHIL).

96. BARTENOVAE (B), *Commentarii in Misnam* (SCT).

97. BOOECIUS (B), *De testid templo Rabbinorum*, t. I, infólio, Amsterdã (MYS).

98. CAPZOVII (B), Introductio ad Theologiam Judaïcam (PHIL).

99. CHAIIM (B), *Comment. in Siphra Zeunitha et Synodos Cabb, denudatae*, in-4º (SCT).

100. COCH (B), ou COCCEIUS (Johanne), *Duo tituli Thalmudici,* Sanhedrim et Maccoth (SCT).

101. DRUSII (B), *Questiones Hebraïcae* (PHIL).

102. FREY (Ludor) (B), Excepta Aharonis Plrush al Attorah explicationis Pentateuchum, in-4º, Amsterdã, 1705 (PHIL).

103. HOOGT (B), *Prefatio in Biblia hebraïca;* in-8º, 2 vol., Amsterdã, 1705 (SCT).

104. LEUSDEN (B), *Prefatio ad Bibliothecam hebraticam* in-8º, 2 vol., Amsterdã, 1680 (SCT).

105. LORLAE (Isaaci) (B), *Cabbala recentior* (SCT e PHIL).

106. MAIMONIDES (B), *Commentarii in Misnam*, Amsterdã, 1760, infólio (SCT).

107. MISNAH (B), *Sive totius Hebreorum Juris Rituum, Antiquitatum systema cum Maimonides et Bartenovae Commentariis integris, quibus accedunt variorum Auctorum Notae ac Versiones Latine donavit et notis illustravit GILLEMUS SURENHUSIUS,* infólio, 6 vol., Amsterdã, 1700 (SCT).

108. MORI (Henrici) (B), *Fundamenta cabbalae Actopaedomelissae* (PHIL).

109. MOSIS NACHMANIDIS (B), *Disputatio apud Wageniseli Tela ignea Satanae* (MYS).

110. NAPHTALI HIRTZ (B), *Introductio pro meliori intellectu libri Zohar* (*Kabbala denudata*, p. 3) (PHIL).

111. OTHONIS (Johan Henrici) (B), *Historia doctorum misnicorum* (PHIL).

112. PERINGERI (B), *Praefatio ad Tract. Arodah Zarah in Misnae,* t. V (PHIL).

113. RELANDI (Hade) (B), *Analecta Rabbinica*, in-8º, Ultraj, 1702 (SCT).

114. URSINI (Gorgio) (B), *Antiquitates hebraicae Scholasticae Academiae*, in-4º, Hasnia, 1702 (SCT).

115. WAGENSEILII (B), *Tela ingea Satanae*, 2 vol., 1681, in-4º, in Misna, p. 911, editionis Amstel (MYS).

116. PARACELSO (BD), *Isagogé* (PHIL).

117. PETI GASSENDUM (BD), MARC MERSENNUM, *Oeuvres* (PHIL).

118. KHUNRATH (BD), *Amphitheatrum Sapientiae Eternae* (MYS).

119. GAFFAREL (BD), *Codicum Kabbalisticorum manuscriptorum* (MYS).

120. CHENTOPHORI STEBII (BD), *Coelum Sephirothicum Ebreorum per portas intelligentiae Moysi Revelatum*, 1679, infólio (MYS).

121. IUL. SPERBERUS (BD), *Isagogue in veram Dei naturaeque cognitionem* (PHIL).

122. MICHAELIS RITTHALERI (BD), *Hermathena philosophica theologia*, 1684 (PHIL e MYS).

123. FRANCISCUS MERCURIUS HELMONTIS (BD), *Seder olam* (PHIL).

124. IAC. BOHMIUS (BD), *Opera* (MYS).

125. IOACHIMUS HOPPERUS (BD), *Seduardus sive de vera jurisprudentia*, 1656 (PHIL).

126. IONAS CONRADUS SCHRAMMIUS (BD), *Introductio ad dialecticam Kabbalorum*, 1703 (PHIL).

127. JORDANO BRUNO (P), *De Specierum scrutneo; de lampade combinatoria lulliana; de progressu et lampade venatoria logicorum* (PHIL e MYS).

128. VALERIUS DE VALERIIS (G), *Aureum opus in arborem scientiarum et in artem generalem* (MYS).

129. BURGONOVO (Archangelus de) (G), I. – *Apologia pro defensione doctrinae Kabbalae* (PHIL); II. – *Conclusiones Cabalisticae, nº 71, secundum Mirandulam* (PHIL) (essas conclusões são diferentes das que estão em Pistorius, embora do mesmo autor e sob o mesmo título. St. de Guaïta), 1 vol. in-16 carré. Bononiae, 1564.

130. GALATINI (G), *De Arcanis catholicae veritatis*, livro XII, 1 vol. infólio, 1612 (MYS).

131. JOANNES FRANKIUS (G), *Systema ethices divinae* e vários outros tratados do mesmo Brandeburgi-Mecklinburgi, 1724, petit in-4º (MYS).

132. VUOLFGANGUS SIDELIUS (G), *De Templo Salomonis Mystico,* prope Maguntiam, 1548, in-12 (MYS).

133. TRITHÈME (G), *De Septem secundeis,* Colônia, 1567, in-12 (MYS).

134. (G), *Veterum Sophorum Sigilla et Imagines Magicae, cui accessit catalogus Rariorum magico-cabbalisticorum* (MYS e SCT).

135. (Anônimo) (G), *Trinuum magicum, sive secretorum magicorum opus* (MYS).

136. CHRISTOPHORUS WAGENSEILIUS (G), *Tela ignea Satanae,* contendo as obras hebraicas seguintes com tradução latina e comentários (MYS e PHIL).

137. [LIPMANN, *Carmen memoriale.*
    (Anônimo), *Liber nizzachon vetus.*

138. RABBI JECHIEL, *Acta disputationis cum quodam Nicolao.*

139. RABBI MOSES NACHMANIDES, *Acta disputationis cum fratre Paulo Christiani et fratre Raymundi Martini.*

140. RABBI ISAACCI, *Sepher Chissuck Emuna (Munimen fidei).*

141. (Anônimo), *Sepher Toladoth Jeschua (Liber Generationum Jesu).*]

142. RELANDI (Hadrian) (G), *Antiquitates sacrae veterum hebreorum breviter delineatae,* trajecti ad Rhenum, 1741, in-4º (SCT).

143. HEINIUS (J. Philip.) (G), *Dissertationum sacrorum libri duo,* Amsterdã, 1736, in-4º(PHIL).

144. F. BURNETII (G). – I. *Telluris Theoria sacra.* – II. *Doctrina Archeologiae philosophiae* (todo um grande capítulo sobre a Cabala), Amstelodami, apud Ioannem Wolters, 1699, in-4º (Frontispício e figuras) (MYS).

145. ROBERT FLUDD (DV). 1º *Utriusque cosmi metaphysica, physica atque technica historia,* Oppenheim, 1617, infólio.

146. 2º *De supernaturali, naturali, praeternaturali et contranaturali microcosmi historia,* Oppenheim, 1619, 1621.

147. 3º *De natura sinia seu technica macrocosmi historia,* Frankfurt, 1624.

148. 4º *Veritatis procenium seu demonstratio analytica,* Frankfurt, 1621.

149. 5º *Monochordan mundi symphoniacum,* Frankfurt, 1622, in-4º, 1623, infólio (esses dois últimos tratados em resposta a Kepler).

150. 6º *Anatomia theatrum, triplici et effigiae designatum,* Frankfurt, 1623, infólio.

151. 7º *Medicina catholica, seu mysticum artis medicandi sacrarium*, Frankfurt, 1629.

152. 8º *Integrum morborum mysterium*, Frankfurt, 1631.

153. 9º *Pulsus, seu nova et acarnas pulsurum historia*.

154. 10º *Philosophia sacra et vere christiana, seu meteorologia cosmica*, Frankfurt, 1629.

155. 11º *Sophiae cum Moria certamen*, 1629.

156. 12º *Summum bonum, quod est verum magiae, cabalae et alchymiae verae ac fratrum Roseae-Crucis subjectum*, 1629.

157. 13º *Clavis philosophiae et alchymiae Fluddanae*, Frankfurt, 1633.

158. 14º *Philosophia Mosaïca, in qua sapientia et scientia créaturarum explicantur*, Gonda, 1638; Amsterdã, 1940, infólio; traduzido em inglês, Londres, 1659, infólio.

159. 15º *De unguento armario* (discours dans le) *Theatrum sapientiae*, 1662, in-4º.

160. 16º *Responsum ad Hoplocrismaspongum Forsteri*, Londres, 1631, in-4º.

161. 17º *Pathologia daemoniaca*, Gonda, 1640, infólio.

162. 18º *Apologia compendiaria, fraternitatem de Rosea-Cruce suspicionis et infamiae maculis aspersam abluens*, Leída, 1616, in-8º.

163. 19º *Tractatus apologeticus integritatem societatis de Rosea-Cruce defendens*, Leída, 1647; traduzido em alemão, Leipzig, 1782.

164. 20º *Tractatus theologo-philosophicus de vita, morte et resurrectione, fratribus Rosea-Crucis dicatus*, Oppenheim, 1617, in-4º.

165. BUXTORF (DV) (OEuvres), *Manuale hebraicum et chaldaicum*, Basileia, 1658, in-12.

166. *Synagoga Judaica*, Basileia, 1603 (alemão); Hanau, 1604 e 1622, in-8º (latim); Amsterdã, 1650, in-8º (flamengo): Basileia, 1641, latim (revista por seu filho); Basileia, 1603, latim (revista e corrigida por Jacques Buxtorf, sobrinho-neto do autor). Essa obra trata dos dogmas e das cerimônias dos judeus.

167. *Institutio epistolaris hebraica cum epistolarum hebraicarum centuria*, Basileia, 1603, 1616, 1629, in-8º. O autor dá aqui regras e modelos para uma correspondência literária em hebraico.

168. *Epitome grammaticae hebreae,* Leída, 1673, 1701, 1707, in-12.

169. *Epitome radicum hebraicae et chaldaicae,* Basileia, 1607, in-8º.

170. *Thesaurus grammaticus linguae hebreae,* Basileia, 1609, 1663 e 1615, in-8º.

171. *Lexicon hebraicum et chaldaicum cum brevi lexico Rabbinico,* Basileia, 1607, in-8º, e 1678, in-8º.

172. *Grammaticae chaldaicae et syriacae libri tres,* Basileia, 1615, in-8º.

173. *Bibliotheca hebraea Rabbinica,* Basileia, 1618-19, 4 vol. infólio.

174. *Tiberias,* Basileia, 1620, in-4º. Tratado histórico e crítico sobre a Massorá, no qual o autor atribui a invenção dos pontos vogais a Esdras. Ele dá aqui também a história das Academias dos judeus após sua dispersão.

175. *Concordantiae Bibliorum hebraicae,* publicado por seus filhos com as concordâncias caldaicas, Basileia, 1632, infólio, reimpresso em 1636, Basileia, e da qual se tem um resumo por CHRÉTIEN RAVIUS a Frankfurt-sobre-o Oder, 1676; Berlim, 1677, in-8º, sob o título de *Fons Sion*; é uma das melhores obras de Buxtorf.

176. *Lexicon chaldaicum thalmudicum et rabbinicum,* Basileia, 1639, infólio. Essa obra, que ele deixara incompleta após vinte anos de trabalho, custou ainda dez anos a seu filho para a pôr em condições de ser publicada.

177. *Disputatio Judaei cum Christiano,* Hanau, 1604, 1622, in-8º.

178. *Epistolarum hebraic, decas* (hebreu e latim), Basileia, 1603, in-8º.

179. KIRCHER (P), *Plano completo de seu estudo sobre a Cabala dos hebreus no AEdipus AEgyptiacus:*

A CABALA DOS HEBREUS

Saber: Da sabedoria alegórica dos antigos hebreus, paralela com a cabala egípcia e hieroglífica, que mostra novas fontes para a exposição da doutrina hieroglífica e indica as origens dessa doutrina supersticiosa e sua refutação.

CAPÍTULO I. Definição e divisão da Cabala

§ 1. Exemplo da Gematria.

§ 2. Exemplo de Notaria.

§ 3. Exemplo de Temura.

CAPÍTULO II. Da origem da Cabala no dizer dos cabalistas

CAPÍTULO III. Do primeiro fundamento da Cabala:
o alfabeto e a ordem mística dos seus caracteres

CAPÍTULO IV. Dos nomes e sobrenomes de Deus

§ 1. Nome divino tetragramático יהוה ou de 4 letras.

§ 2. Mistérios do Nome יהוה.

§ 3. Do Nome divino de 12 letras ou duodecagramático.

§ 4. Do Nome divino de 22 letras, com o qual, outrora, os sacerdotes se haviam acostumado a abençoar o povo, no dizer dos rabinos.

§ 5. Do Nome divino de 42 letras.

CAPÍTULO V. Da Tábua Ziruph ou das combinações do alfabeto hebraico

§ 1. Como o nome divino de 42 letras é extraído da Tábua Ziruph.

§ 2. Nomes dos 42 anjos, que derivam do nome divino de 42 letras com as interpretações.

CAPÍTULO VI. Do Nome divino de 72 letras e de seu uso

Os 72 versículos extraídos dos Salmos, nos quais estão contidas as palavras de Deus e os nomes dos anjos, coligidos segundo diversas obras rabínicas.

CAPÍTULO VII. O Nome divino de 4 letras não foi desconhecido dos antigos pagãos. O nome IESU contém, em si, tudo o que foi dito do nome dessas letras

CAPÍTULO VIII. Da secretíssima teologia mística dos hebreus: a Cabala das dez Sephiroth.

§ 1. *Ensoph,* essência infinita, oculta, eterna.

§ 2. *Kether,* a coroa suprema, primeira *Sephirah* e outras *Sephiroth*.

CAPÍTULO IX. Das diversas representações dos 10 Nomes divinos de Sephiroth, da sua influência e de seus canais no dizer dos rabinos.

§ 1. Representação das 10 *Sephiroth* pela imagem da figura humana.

§ 2. Sistemas de canais e influência das *Sephiroth*, no dizer dos Cabalistas.

§ 3. Derivação dos canais (ver a figura).

§ 4. Dos 32 caminhos da Sabedoria e de sua interpretação.

§ 5. Das 32 passagens do capítulo 1º do *Gênese*, onde o nome divino ELOIM é citado. Lista dos 32 caminhos da Sabedoria.

§ 6. Das 50 portas da Inteligência.

§ 7. Das 30 potências que emanam da direita em *Gedulah* e das 30 outras que emanam da esquerda em *Geburah*. Do nome de 72 letras e de 32 caminhos da Sabedoria.

§ 8. Dos preceitos negativos e afirmativos anexos aos canais sephiróticos de *Gedulah* e *Geburah* em Netzach e *Hod*, no dizer dos rabinos.

§ 9. Interpretação dos caminhos sephiróticos.

§ 10. Do ternário, setenário ou duodenário das 22 letras que constituem os canais sephiróticos e seus mistérios, na opinião dos hebreus.

CAPÍTULO X. Da Cabala natural chamada "Bereshit".

§ 1. Em que consiste essa Cabala.

§ 2. Cabala astrológica.

§ 3. Da Cabala Bereshit, ou da Natureza, isto é, do conhecimento dos caracteres das coisas da Natureza pela verdadeira e legítima Cabala.

§ 4. Da Magia cabalística, egípcia, pitagórica e de sua comparação.

§ 3. – OBRAS EM LÍNGUA ALEMÃ

180. EPSTEIN (E), *Mikad minot haychondin, Beiträge zur jüdischen, Alterthumskunde,* Viena, 1887 (SCT).

181. KLEUKER (F), *Da natureza e da origem da doutrina da encarnação entre os cabalistas,* Riga, 1786, in-8º (alemão) (PHIL).

182. FREYSTAO (F), *Kabbalismus und Pantheismus,* Köenigsberg, 1832, in-8º (PHIL).

183. WACHTER (F), *Le Spinozisme dans le judaisme,* Amsterdã, 1699, in-8º (alemão) (PHIL).

184. ZUNZ (L), *Gottesdienstliche Vortraege,* Berlim, 1832, caps. IX e XX (SCT).

185. LANDAUER (L), *Literaturblatt de l'Orient de Furst,* 1845, t. VI, p. 178 (SCT).

186. GRAETZ (L), *Geschichte der Juden,* t. V, pp. 201-208, t. VII, mot *Kabbala* (SCT).

187. J. HAMBURGER (L), *Real-Encyclopoedie f. Bibel u. Talmud,* 2ª parte, 1874-83, verbetes *Geheimlehre, Kabbala, Mystik, Religions-philosophie,* e no suplemento, aos artigos *Kleinere Midraschim* e *Sohar* (SCT).

188. STEINSCHENEIDER (L), *Judische Literatur* na *Encydopédie Ersch et Grüber* (SCT).

189. H. JOEL (L), *Die Religions philosophie des Sohar,* Leipzig, 1849 (PHIL).

190. AD. JELLINCK (L), *Moses ben Schemtob de Leon und sein Verhaeltniss zum Sohar,* Leipzig, 1831 (PHIL).

191. ID. (L), *Beitraege zur Geschichte der Kabbala,* Leipzig, 1852 (SCT).

192. GRAETZ (L), *Gnosticismus und Judenthum,* Krotoschin, 1846 (PHIL).

193. M. JOEL (L), *Blicke in die Religionsgeschichte,* Breslau, 1880, 1º vol., pp. l03-170 (SCT).

194. GUDEMANN (L), *Geschichte des Erziehungswesens der Juden,* Leipzig, 1800, t. 1, p.153 (misticismo alemão), p. 67 (misticismo na França no século XIII) (SCT).

195. D. KAUFMANN (L), dans *Jubelschrift zum 90 ten Geburtstag des Dra. L. Zung,* Berlim, 1884, p.143 (SCT).

196. CARL DU PREL (P), *Philosophie der Mystik,* Leipzig, 1887 (PHIL e MYS).

197. (G), Cabala, *Spiegel der Kunst in Kupperstück* (MYS).

§ 4. – PRINCIPAIS TRATADOS EM LÍNGUA HEBRAICA

Massorá

198. MAJER HALEIN (M), *M'sorah sang l'Thorah* (A Massorá, um freio à lei), século XIII.

Mishná e Gemurah

199. (M), *M'sachta sophrim* (vê-se), descrição da forma exterior da Bíblia.

200. NASI JUDA HAKADOSH (M), *Mischnah.*

201. MAIMONIDES (M), *A poderosa mão.*

202. JOSEPH KARO (M), *Mesa coberta,* 4 vol. 1550. O compêndio mais completo da doutrina hebraica.

Cabala

203 ABRAHAM AKIBAH (?) (M), *Sepher Yetzirah* (Livro da criação), Mântua, 1552.

204. MOISE (?) (M), *M'eine Hachochinh* (As Fontes da Sabedoria): *Raja M'chimnab* (O Fiel Pastor).

205. RAB JUDA BEN BETHEIRA (M), *Sepher Habethachun* (O livro da confiança).

206. RAB. N'CHUNIAH (M), 40 av. J.-C. O livro *Ha-Bahir* (a luz nas trevas), Amsterdã, 1651 – Berlim, 1706.

207. (M), *Hamiuchad* (O mistério do nome de Deus).

208. (M), *Iggered Hasovoth* (A Carta sobre os Mistérios) (primeiros séculos de J.-C.).

209. RAB. SAMUEL, filho de Eliseu (M), *Sepher Kanah* (Os fragmentos do templo).

210. Parafraste ONKOLOS (M), diferentes *Midraschim Mei haschiluach* (as águas correndo lentamente) (120 depois de J.-C.).

211. RAB. SIMON, filho de Jochai, discípulo de Akibah (M), *Sohar* (O esplendor da luz). Fragmentos do Sohar.

212. *Sithrei Thorah* (Os mistérios da *Torá*).

213. *I'muka* (A criança).

214. *P'Kuda* (A explicação mística da lei).

215. *Midrasch Hanelam* (A misteriosa procura).

216. *Maimer tha chasi* (Vem e vê).

217. *Idra Rabba* (A grande assembleia).

218. *Idra Suta* (A pequena assembleia).

219. *Siphra D'zeniutha* (O livro dos segredos).

Edições do *Sohar*: Mântua, 1560, in-4º. Dublim, 1623, infólio. Constantinopla, 1736. Amsterdã, 1714 e 1803. A melhor é a de 1714.

Principais publicações desde o Sohar *até o século XII.*

220. RAB. IUDA HANASI, 215 depois de J.-C. (M): 1º O livro dos doces frutos.

221. 2º O livro dos Pontos.

222. 3º Um diamante em Urim e Thumim.

223. 4º O livro do Ornamento.

224. 5º O livro do Paraíso.

225. 6º O livro da Redenção.

226. 7º O livro da Unidade.

227. 8º A aliança do Repouso.

228. 9º O livro da Procura.

229. 10º A voz do Senhor em sua potência.

230. 11º O livro da Agregação com diferentes explicações sobre os números 42 e 72, a lei e a moral etc.

231. 12º A Magnificência.

232. 13º O livro da Recriação.

233. 14º O livro da Vida futura.

234. 15º O mistério da *Torá*.

235. 16º O livro sobre os Santos Nomes.

236. 17º O tesouro da Vida.

237. 18º O Éden do jardim de Deus.

238. 19º O livro da Redenção.

Principais publicações desde 1240 até o século XVI.

239. 20º (M) A ordem da Divindade.

240. 21º O vinho aromatizado.

241. 22º O livro das almas.

242. 23º O mistério do espírito.

243. 24º O livro dos Anjos.

244. 25º O livro da relação das formas.

245. 26º O livro das Coroas.

246. 27º O livro das Santas Vozes.

247. 28º O livro dos Mistérios da Unidade e da Fé.

248. 29º O livro das portas do divino Entendimento.

249. 30º O Mistério da obscuridade.

250. 31º O livro da Unidade da Divindade.

251. 32º O Jardim interior.

252. 33º O Santo dos Santos.

253. 34º O Tesouro da Glória.

254. 35º A Porta dos Mistérios.

255. 36º O livro da Fé.

256. 37º A Fonte de água viva.

257. 38º A Casa do Senhor.

258. 39º Urim e Thumim.

259. 40º A Morada da Paz.

260. 41º As Asas da Pomba.

261. 42º A Fonte do jardim.

262. 43º O Sumo da romã.

263. 44º O que ilumina os olhos.
264. 45º O Tabernáculo.
265. 46º O livro da Fé.
266. 47º O livro das Dez.
267. 48º O livro da intuição.
268. 49º O livro dos mistérios do Senhor.
269. 50º O sentido do Comando.
270. 51º Tratado sobre as dez *Sephiroth*.
271. 52º Explicação da *Torá*.
272. 53º O pó de arómata.
273. 54º A luz de Deus.
274. 55º O Altar de Ouro.
275. 56º O Tabernáculo.
276. 57º O livro da Medida.
277. 58º A luz da Razão.
278. 59º O mistério da *Torá*.
279. 60º O livro da Angústia.
280. 61º A Porta da luz.
281. 62º A Árvore de Vida.
282. 63º O Ramo da Árvore de Vida.
283. 64º O Caminho para chegar à Árvore de Vida.
284. 65º Os Tesouros da Vida.
285. 66º O livro da Piedade.

§ 5. – OBRAS EM LÍNGUA INGLESA

286. H.-P. BLAVATSKY (P), *Isis Unveiled*, Nova York, 1875, 3 vol. in-8º (MYS). Indigesta compilação para tudo o que se refere à Cabala. Nenhum método. [*Ísis sem Véu*. São Paulo: Pensamento, 1990.]

287. (P), *The Secret Doctrine*, Londres, 1889, 2 vol. gr. in-8º (MYS). [*A Doutrina Secreta*. São Paulo: Pensamento, 1980.]

A mesma observação que para a precedente.

288. Dr. C. DU PREL (P), *Philosophy of Mysticism,* trad. p. C.-C. Massey (PHIL e MYS).

289. A.-EDW. WAITE (P), *Lives of Alchemystical Philosophers* (MYS).

290. S. LIDDELL MACGREGOR MATHERS (P), *The key of Solomon the King* (*clavicula Salomonis*).

291. *The Kabbalah, Unveiled* (SCT).

292. FRANZ HARTMANN (P), *Magic, White and Black* (MYS). [*Magia Branca e Magia Negra*. São Paulo: Pensamento, 2003.]

293. *The Literature of Occultism and Archaeology* (MYS).

294. A.-E. WAITE (P), *The Mysteries of Magic* (MYS).

295. (DV), *Supernatural; religion a inquiry into the reality of divine revelation*, 3 vol., Londres, 1875 (PHIL).

296. HENRY MORUS (WT), *A conjectural essay of interpreting the mind of Moses, according to a threefold Cabala,* Londres, in-8º, 1654 (PHIL e MYS).

297. SMITH (DV), *Dictionary of Christian Biography* (Verbete Cabbalah) (PHIL).

298. GINSBURG (DV), *The Kabbalah, its Doctrines Development and Literature* (PHIL).

299. AZARIEL (DV), *Commentary and the Doctrine of the Sephiroth,* Varsóvia, 1798; Berlim, 1850 (PHIL).

300. (DV), *Commentary on the Song of Songs,* Altonn., 1763 (MYS).

301. MACKAY (P), *Memory of extraordinary populars delusions,* Londres, 1842, in-8º (Retratos de J. Dée, de Paracelso e de Cagliostro) (PHIL).

302. BARRETT (P), *Magus a celestial intelligence,* Londres, 1801, in-4º, fig. (MYS).

303. AINSWORTH (Henry) (B), *Annotations upon the five books of Moses,* in-fólio, Londres, 1639 (PHIL).

304. CUDWORTH (B), *The true intellectual system of the Universe*, infólio, Londres, 1678 (MYS).

304. Bis. ANNA KINSFORT (D), *The perfect Way,* Londres, in-8º, 1887.

§ 6. – OBRAS EM LÍNGUA ESPANHOLA

305. CASTILLO (P), *Historia y magia natural*, Madri, 1692, in-4º (MYS).

306. ABENDANA (P), *Cuzari, libro de grande sciencia y mucha doctrina*, traduzido por Abendana, Amsterdã, 5423 (Bib. Nat. A 2954) (PHIL e MYS).

307. CARDOSO (B), *Las Excellencias de los Hebreos, y las Calonias de los hebreos*, in-4º, Amsterdã, 1679 (PHIL).

308. Dr. JOSÉ A. ALVAREZ DE PERALTA (P), *Iconografia Simbolica de los Alfabetos Fenicio y Hebraico*, Madri, Baillère, 1898 (PHIL).

CAPÍTULO III

CLASSIFICAÇÃO POR ORDEM DAS MATÉRIAS

§ 1. – TRATADOS CONCERNENTES À MISHNÁ
(Bibliothèque Nationale)

310. R. MOSES MAIMONIDES, e R. ORADIA BARTENOVAE, *Mischnat, traditiones*, Sabionetx, 1563, 2 vol., in-4º (A. 828).
R. JUDAE SANCTI. Venitiis, 1606, in-folio (A.829).
Ver também nºˢ 830 a 834. Todas essas obras são em hebraico.

311. GUILLIEMUS SURENHUSIUS, *Mischna, sive totius hebraeorum juris, rituum antiquitatum ac legum oratium systema, cum Rabbinorum MAIMONIDIS ET BARTENOVAE commentariis integris; quibus accedent variorum auctorum notae ac versiones in eos quos ediderunt codices: omnia a Guilielmo Surenhusio latinitate donata, digesta et notis illustrata Hebraicè et latinè,* Amstelodami, Girard et Jacobus Borstius, 1698, 6 vol. in-folio (A. 834).
Ver mais nºˢ 833 a 840.

Mishná (melhores comentários)

312. MOISE MAIMONIDES E OBADIA BARTENOVE, *Bib. Nat.* A. 673, fól. Impresso em Nápoles, 1490-92, texto latino publicado por SURENHUSIUS, 6 vol., Amsterdã, 1698-1703 (A. 674).

313. MISHNÁ *em espanhol*, Veneza, 1606.

314. *Em alemão*, por Rabe, Onolzbach, 1761.

315. *Em hebraico,* Berlim, 1834.

§ 2. – TRATADOS CONCERNENTES AO TARGUM
(Bibliothèque Nationale)

316. PAULUS FAGIUS e ONKELUS, *Thargum,* 1546, in-fol. (A 824).

317. UZIEL, *Targum,* Basileia, 1607, in-fol. (A 825).

318. UZIEL ou lend. de FRANCISCUS TAYLERUS, Londres, 1649, in-4º (A 826).

319. R. JACOB, F. BUNAM, Basileia, in-4º (A 827).

320. Ver mais nºs A 435, A 786, A 2-332.

TRATADOS CONCERNENTES À MASSORÁ
(Bibliothèque Nationale)

321. BUXTORF, *Tiberias* (A 822, 823).

§ 3. – TRATADOS CONCERNENTES AO TALMUDE
(Bibliothèque Nationale)

322. 1º *Talmud de Jérusalem,* R. JOCHANAN, *Talmud Hierosoly, mitanum, divisum in quatuor ordines,* Venetiis, Daniel Bomberg – in-folio, s. data (A

840); outra edição, Cracóvia, Isaac, Aron, 1607-1609, infólio, 2º *Talmud de Babylone*.

323. RAB. ASCHE, *Talmud Babylonicum integrum, ex sapientum scriptis et responsis compositum a Rab. Asche, centum circiter annis post confectum Talmud Hierosolymitanum, additis commentariis, R. Salomonis Jarchi, et. R. Mosis Maimonidis*, Venetiis, Daniel Bomberger, 1520, 1521, 1522, 1523; 15 vol. in-fol. (A. 842).
Ver mais nº A 843 a 857.

324. Para os resumos do *Talmude*, nºs 857 a 879.

325. Para os comentários do *Talmude*, nºs 879 a 914.

326. Para os tratados sobre o *Talmude*, nºs 915 a 917.

Em resumo, a Bibliothèque Nationale possui, em seu catálogo antigo, 124 obras sobre o *Talmude*, a maioria delas muito importantes.

§ 4. – TRATADOS CONCERNENTES À CABALA EM GERAL
(*Bibliothèque Nationale, Wolf*)

1º *Introdução à Cabala*.

327. R. JOSEPH CORNITOLIS, *Schaace Hedek portae perlicia* (hebreu), Ruca, 1461, in-4º (A 964).

328. R. JOSEPH GECATILIA, *Gan egiz, hortus lucis, sive introductio in artem cabalisticam* (hebraico), Hanovriae, 1615, in-fol. (A 965).

2º *Tratados gerais sobre a Cabala*.

329. R. AKIBA, *Sepher Yetzirah* (hebraico), Mântua, 1562, in-4º (A 966).

330. RITTANGELIUS, *Sepher Yetzirah* (hebraico), Amstelodami, 1642, in-4º (hebraico e latim) (A 957).

331. R. SCHABTAI SCHEPHTEL HORWITZ, *Schepha Tal* sobre *Sephantal* (hebraico), Hanovre, 1612, in-fol. (A 968).

332. KNORR DE ROSENROTH, *Kabbala denudata* (A 969) (latim).

333. PISTORIUS, *Artis cabalisticae scriptores* (latim), Basileia, 1587, infólio (A 970).

334. Ver mais os tratados em língua hebraica, nᵒˢ 970 a 978.

335. JOSEPH DE VOYSIN. Trad. do hebraico para o latim.
R. ISRAEL FILII R. MOSIS, *disputatio cabalistica de anima, et opus rhythmicum*. R. ABRAHAM ABBEN EZRAE, *De modis quibus Hebraei legem solent interpretari, adjectis commentariis ex Zohar, aliisque rabbinorum libris, cum iis quae ex doctrina Platonis convenere*, Parisiis, Tussanus du Bray, 1658, in-8º (A 978).

336. AGGRIPA (Hen.-Com.) *Phil. Occulta*, (Liv. III); *De Vanitate Scientiarum* (cap. LXVII).

337. ALBERTI (Frid.-Christian), *OEuvres*.

338. ALTINGIUS (Jacob), *In Dissertat, de Cabbale Scripturaria*.

339. ANDREAE (Samuel), *In Examine generali Cabballae philosophicae*, Henri Mari, Herborn, 1670, in-4º.

340. BARTOLOCCIUS (Julius), *Rabbinica Bibliotheca (passim),* 1694, 5 vol.; Roma, 1675-93, 4 vol. *in-folio*.

341. BASHNYSEN (Hen.-Jac. Van), *Disputationes II de Cabbala vera et falsa*, Hanov., 1710.

342. BASNAGE (Jacob), *Historia Judaica*, lib. III, cap. X e ss.

343. BERGER (Paul.), *In Cabbalismo Judaico Christiano*, Vitemberg, 1707, in-4º.

344. BUSCHERUS (Frédéric-Christianus), *In Mensibus Pietisticis* (mense IV).

345. BUDDEUS (Jo. Franc), *In observationibus Halensibus salutis*, t. I, observat. 1 et 16 e *in Introductio in philosop. Haebreorum*.

346. DE BURGONOVO (Archangelus), *Ordinis minorum, Pro defensione doctrinae Cabbalae*, Basil., 1600, in-8º (pp. 53 e 54).

347. EJUSDEM, *Cabbalistarum selectiora obscurioraque dogmata illustrata*, Venitiis, 1569, in-8º; Basil. 1587, in-folio.

348. CARPYIORIUS (Joh.-Benedictus), *Introductio in Theologiam Judaicam*, c. VI.

349. COLBERG (Ehregott, Daniel), *In Christianismo Hermetica Platonica*.

350. COLLANGEL (Gabriel), *In Dissert. de Cabbala, cum ejusdem polygraphia Galliae edita*, Paris, 1561.

351. DICKINSON (Demond), *In physica vetere et vera,* cap. IV e XIX.

353. DISENBACH (Martinus), *In Judaeo convertendo,* p. 94, *et converso,* pp. 145 ss.

354. DURETUS (Claudius), *Dans l'histoire de l'origine des langues,* c. VII.

355. FLUDD (Robertus), *in Philosophia mosaica, et alibi, passim.*

356. GAFFARELLUS (Jac.), *Abdita divinae Cabbalae mysteria contra Sophistarum Logomanchiam defensa,* Paris, 1623, 4 *teste Leone Allatio de Apibut Urbanis. Ejusdem tractatum de Cabbala, et in eum Mersenni notes M. S. S. in Biblioth. Peirescii memora, Colomesius in Galia Orientali,* p. 154. *Promisit et Cribrum Cabbalisticum.*

357. GALATINUS (Pet.). lib. I, *De Arcanis Cathol. Veritat.,* c. VI.

358. GARZIA (Pet.), *Vide supra Archangelus Burgonosensis.*

359. GASTALDUS (Thom.) *In libris de Angelica potestate passim de Cabbala Judaica egit, eamque confutavit, teste Kirchero in Edipo Egyptiaco,* t. II, parte I, *qui passim ad eum provocat.*

360. GERSON (Christian), *In Compendio Talmudis,* part. I, c. XXXI.

361. GLASSIUS (Salomon), *In Philologia Sacra,* lib. II, part. I, p. 302.

362. HACKSPANIUS (Theodoricus), *In Brevi Expositione Cabbalae Judaicae, Miscellaneis ejus Sacris subjuncta,* pp. 282 ss., *qui speciatim,* pp. 341 ss. *Fuse de usu Cabbalae in Theologio differit.*

363. HEBENSTREITIUS (Jo.-Bat), *In dissertat. de Cabbala Log. Arithmo--Geometro-Mantica spargi nuper coepta,* Ulm, 1619, in-4º.

364. HENNINGIUS (Jo.) *In Cabbalologia sive Brevi Institutione de Cabbala cum veterum Rabbinorum Judaica, tum Poetarum Paragrammatica,* Lipsi, 1683, in-8º.

365. HOORNBECKIUS (Jo.), *In libris VIII pro convincendis et convertendis Judaeis,* lib. I, c. II, pp. 89 ss.

366. HOTTINGERUS (Jo. Hen.), *In Thesauro Philolog.,* lib. I, c. III. sect. V

367. HOTTINGERUS (Jo. Henres.), Nepos, *In notis ad discursum Gemariecum de Incestu Creatione et opere Currus,* pp. 41 ss.

368. KIRCHERUS (Alhanas), *In AEdipo AEgyptiaco,* t. II, p. 1.

369. KNORR (Christianus), A. ROSENROTH, *in Cabbala denudata*, t. I, Solisbac, 1677 e 1678; t. II, Francof. Ad Moen, 1684, in-4º. *Vide Buddei Introduct.*, pp. 281 ss.

370. LANGIUS (Joach.), *In Medicina Medicina Mentis*, pp. 151 ss.

371. LANGIUS (Jo. Mich.), *In Dissert. De Charactere primaevo Bibliorum Hebr. et in Comment. de Genealogiis Judaicis.*

372. LENSDENIUS (Jo.), *In: philolog. Hebr. Dissert. XXVI.*

373. LOESCHAR (Valent. Ernestus), In *Praenotionibus Theologicis*, pp. 288 ss.

374. LOBKOVITZ (Jo. Caramuel a), *Cabbalae Theologicae Excidium, qua stante in tota S. Scriptura ne unum quidem verbum esset de Deo, Vide Imbonati Biblioth. Lat. Heb.*, p.96.

375. EJUSDEN, *Specimen Cabbalae Grammaticae*, Bruxellis, 1642, in-12.

376. MIRANDULANUS (*Vid. Picus*).

377. MORESTELLIS (Pet.), *Academia Artis Cabbalist.*, Paris, 1621, in-8º, *edita prorsus huc non pertinet, quippe quae tantum de Arte Lulliana exponit.*

378. MORUS (Henr.), *In scriptis variis, de quibus diligenter exponit Ver. Jo. Franc. Buddeus in Introduct. in Philos Hebraeorum.*

379. MULLERUS (Jo.), *In Judaismo Prolegom. VI.*

380. NEANDER (Michael), *In calce Erotematum L. Hebr.*, pp. 514 ss.

381. PASTRITIUS (Jo.), *Cujus tractatum M. S. de Cabbala ejusque divisione et auctoritate laudat Imbonatus in Biblioth. Hebraeo, Latina*, p. 126.

382. PICUS (Jo.) MIRANDULANUS, LXXII, *Conclusiones Cabbalisticae et alia in Operibus ejus legenda. Conclusiones illae integrae exstant in Ver. Budder Introduct.*, pp. 230 ss. Conf. Archangelus Burgonov.

383. PISTORIUS (Jo.), *Nidanus*, in tomo I. *Scriptorum Artis kabbalist.*, Basileia, 1587, infólio, *quo continentur Pauli Ricii, lib. IV, de coelesti Agricultura, et opuscula nonnulla ejus alia: R. Josephi Castiliensis Porta lucis, Leonis Ebrai de amore Dei dialogi tres: Jo. Reuchlini lib. III de Arte kabbalistica; item lib. III de verbo mirifico: Archangeli Burgonoviensis Interpretationes in selectiora obscurioraque Cabbalistarum dogmata; et Abrahami liber Jezira. Lege de hac collectione Buddeum in Introduct. ad Histor. Philos. Hebr.*, p. 221. Rich Samaneni in Bibliotheca Selecta, t. I, pp. 322 ss. Et Pet. *Baelium in Dictionario edit. recentiss.*, t. III, pp. 2315 ss.

384. REIMMANNUS (Jac. Frider.), *In Conata introduct. in Historiam Theolog. Judaicae*, lib. I, c. XV.

385. REUCHLINUS (Jo.), *In libris III de Arte Cabbalist*. Hagenoae, 1517, in-4º. Basile, 1550, *et-cum Galatino*. Francof., 1672, in-folio, *item in Pistoris Scriptoribus Cabbalist.*, Basil., 1587.

386. RICCIUS (Paulus), *In libris IV de coelesti Agricultura et alias: vide* part. I, nº 1817. Conf. Pistorius.

387. RITTANGELIUS (Jo. Steph.), *In notis ad lib. Jezira, et libro de "Veritate Religionis Christianae"*.

388. ROSENROTH (V. Christianus Knorr).

389. SCHERZER (J. Adamus), *In Trifolio Orientali*, pp. 109 ss.

389. Bis. SCHICKARDUS (Guilielmus), *In Bechinath Happeruschim*, Diss. IV.

390. SCHOTTUS (Casp.), *In Technica curiosa*, lib. XII, *de Mirabilibus Cabbalae*.

391. SCHUDT (Jo. Jac.), *In Memorabilibus Judaicis*, part. II, lib. VI, capo XXXI, pp. 188 ss.

392. SENNERTUS (Andr.), *Dissert. peculiari de Cabbala*, Vitembe., 1635, in-4º, *quae recusa est in Heptade 11. Exercitatt. Pilolog.num III*.

393. SPERBERUS (Julius), *Isagoge in veram triunius Dei et naturae cognitionem, concinnata na 1608, nunc vero primum publici juris facta, in qua multa quoque praeclara de materia lapidis Philosophici ejusque mirabilissimo continentur*, Hamburgi 1674. *Hunc puto esse tractatum, in quo probasse sibi videtur, artem kabbalisticam omnium artium esse nobilissimam. Vide praefationem ejus ad Preces Cabbalisticas*.

393. Bis. EJUSDEM, *Kabbalisticae Precationes*, Latine, Amstelod., 1675, in-8º, *et German eodem anno Amstelod., et Francofurti. Conf. Godefredi Arnoldi Histor. Haeresiologic.*, part. III, pp. 16 ss.

394. VOISINIUS (Jos.), *In notis ad prooem, in Raym. Martini Pugionem Fidei, et ad R. Israël, fil. Mosis, Disputat, Cabbalist*.

395. WACHTER (Jo. Georg.), *In Spinosismo Judaismi*, Amstelod., 1799, in-8º, *et Elucidario Cabbalistico*, Rostoch., 1706, in-8º.

396. WALTHER (Jo.), *In Officina Biblica*, pp. 523 ss.

397. WALTONUS (Brianus), *In Prolegom. VII ad Biblia Poliglotta*, § 30, 38.

398. ZIEROLDUS (Joh. Wilhelmus), *In Introduct. ad Histor. Ecclesiast,* cap. III. *Ex Judaeis, qui historice de Cabbala praeceperunt, potiores sunt Elias Levita in Tisbi voce, R. Moses Corduero in R. Nephthali in praefat. et Menasse bem Israël in Conciliatione super Exodum,* quaest CXXV, pp. 149 ss., *edit Hispanicae.*

§ 5. – TRATADOS CONCERNENTES ÀS *SEPHIROTH*
(Wolf)

399. AEVOLUS (César) (*le Napolitain*), no livro das *Dix Sephiroth,* Veneza, 1589, in-4º.

400. AQUINAS (Philippe), *l'Interprétation de l'arbre kabbalistique,* com a figura dessa árvore, Paris, 1625, in-8º, francês (Bib. Nat. A 7.730) seguido dos *codices manuscripti cab.* Gaffarel.

401. BASNAGE (Jacob), *Histoire juive,* liv. II, cap. XIV

402. BUDDEUS (Jean-Francisque), *Introduction à l'Histoire de la Philosophie hébraïque,* pp. 277 ss., 336 ss., última edição.

403. BURNEUS (Thomas), *Archéologie philosophique,* liv. 1, cap. VII.

404. CARPZOVIUS (Jean-Bened.), *Introduction à la théologie juive* (int., p. 82, e *Dissertatio de Vacca Rusa.* Part II., pp. 56 ss., 1706, pp. 161 ss., 170-177.

405. GUNDLINGIUS (Nicolas Hieron.), *Histoire de la philosophie morale,* primeira parte, cap. VII, p. 95.

406. HEUMANNUS (Christophe-Auguste), *Acta philosophica,* t. II, nº 2.

407. HINCKELMANNUS (Abraham), *Detectio fundamenti Boehmiani,* pp. 20 ss.

408. KIRCHERUS (Athanas), *OEdipus AEgyptiacus,* t. II, primeira parte, pp. 214 ss., 290 ss.

409. LOSIUS (Jean-Juste), *Bega dissertationum Gressae,* 1706, in-4º.

410. MEYERUS (Johan), *Dissert. theologica de mysterio SS. Trinitatis ex foliis V. T. libris demonstrato,* Harderonii, 1712, in-4º.

411. MORUS (Henricus), *In operibus philosophiae,* pp. 429 ss.

412. OLEARIUS (Gottfrid), *In observationibus sacris super Matth.,* VI, pp. 221 ss.

413. PFEIFER (August), *In Critica sacra,* pp. 214 ss.

414. RITTANGELIUS (Jean-Stephanus), *In notis ab lib. Iezirah et in lib. de Veritate religionis christianae.*

415. DE ROSENROTH (Christianus Knorr), *In Cabbala denudata, passim.*

416. STENDNERUS, *De mysterio Dei triunius,* pp. 294 ss.

417. VITRINGA (Campegnis), *Liber I observat, sacrarum,* caps. X e XI.

418. VOISINIUS (Joseph), *In notis ad praemium Pugunis fidei,* pp. 71 ss.

419. WACHTERUS (Jean-Georges), *In Elucidario cabbalistico,* cap. III.

§ 6. – TRATADOS CONCERNENTES AO *SEPHER YETZIRAH*
(Bibliothèque Nationale)

422. *Sepher Yetzirah* (em hebraico), Mântua, 1562, in-4º (A 996).

423. *Artis cabalisticae scriptores ex biblioth. Pistorii,* 1587, in-folio (A 970).

424. *Abrahami patriarchae liber Yetzirah ex hebraeo versus et commentariis illustratus a Guillemo Postello* (1552) (A. Réserve, 6590).

425. *Cuzari, libro de grande ciencia y mucha doctrina, traducido por Abendana,* Amsterdã, 5423 (A 1100).

426. *Liber Yetzirah qui Abrahamo patriarchae adscribitur, una cum commentario Rabbi Abraham,* Amstelodami, 1662 (A 967).

427. MAYER LAMBERT, *Commentaire sur le Sefer Jesira,* Paris, 1891, in-8º.

§ 7. – TRATADOS CONCERNENTES À CABALA PRÁTICA
(Bibliothèque Nationale)

428. SCHEMAMPHORAS, Mss. 14.785, 14.786, 14.787.

429. SCEAU DE SALOMON, Mss. 25.314.

430. CLAVICULE DE SALOMON, Mss. 24.244-24.245.

APÊNDICE

PERIÓDICOS

que geralmente se ocupam ou se ocuparam da Cabala

França (língua francesa)

L'Initiation, diretor Papus, revista mensal de 100 p., aparecendo regularmente desde 15 de outubro de 1888, Paris, 5, rue de Savoie.

Rosa Alchemica, 43, Quai des Grands Augustins, Paris.

Bulletin de la Societé d'Etudes Psychiques à Nancy, 25, Faubourg Saint-Jean, Nancy.

Bulletin du Centre d'Etudes Psychiques de Marseille, 41, rue de Rome, Marselha.

La Résurrection, em Saint-Raphaël (Var).

Língua inglesa

Light, 110, Saint-Martin, S. Lane, W. C. Londres.

Star of the Magi, 617, La Salle avenue, Chicago (EUA).

Psychic and Occult Views and Reviews, 239, Superior Street, Toledo, Ohio (EUA).

The Progressive Thinker, Chicago, 111 (EUA).

Língua alemã

Psychische Studien, Lidenstrasse, 4, Leipzig.

Die Uebersinnliche Welt, Ebersivalder, str., 16, Berlim.

Língua espanhola

Revista International de Ciencias hiperfisicas, plaza de Santo Domingo, 12, 2, Madri.

Língua holandesa

Het Toekomstig Leven, Utrecht, Holanda.

ÍNDICE ALFABÉTICO DOS AUTORES CITADOS NA BIBLIOGRAFIA

(Os números remetem aos números de ordem diante de cada obra.)

ABENDANA 306, 425
ABRAHAM (judeu) 49
ADAM (Paul) 7
AEVOLUS 399
AGRIPPA 24, 75, 336
AINSWORTH 303
AKIBA 203, 329
ALBALI 337
ALTINGIUS 338
AMARAVELLA 8
AMELINEAU (E.) 6
ANDREAE (Samuel) 339
AQUINAS (Philippe) 400
ARIUS (Montanus) 95
ASCHE (Rab.) 323
AUCLERC (Quintius) 56
AZARIEL 299

BARLET 9
BASNAGE 5, 343, 401
BARRET 302
BARTENOVAE 96
BARTOLOCCI 93, 40
BACHUYSEN 341
BERGER 342
BERTET (Ad.) 65
BERTHELOT 10
BETHEIRA (Juda-Ben.) 205
BLAVATSKY (H.-P.) 286
BORCIUS 97
BOEHM (Jacob) 91, 124
BRIÈRE (de) 11
BRUCKER 85
BRUNO (Jordano) 127
BUCHERUS 344

BUDDEUS 94, 345, 402	FREYSTAD 182
BUNAM 319	GAFFAREL 50, 119, 356
BURNET 3, 144, 403	GALATINI 130, 357
BURGONOVUS 129, 346	GARZIA 358
BUXTORF .... 165, a 179, 321	GASTALDUS 359
CAILLIÉ (René) 12	GECATILIA 329
CARDAN (Jérôme) 51	GERSON (Christian) 360
CARDOSO 307	GIBIER (Dr. Paul) 19
CARNITOLIS 327	GINSBURG 298
CARPZOVIUS 98, 348, 404	GLASSIUS 361
CASTILLO 305	GOULIANOF 62
CHABOSEAU (Augustin) 13	GRAETZ 186
CHAUM 99	GRASSOT 57
CHRISTIAN (P.) 14	GUAÏTA (Stanislas de) 20
CHENTOPHORI 120	GUDEMANN 194
COLLANGEL (Gabriel) 350	GUDLINCIUS 405
COCH 100	HATSPANIUS 362
COLBERG 349	HALEIR 198
COURT DE GÉBELIN 16	HAMBURGER 187
CUDWORTH 304	HANASI (Iuda) 220
DELAGE 17	HARTMANN (Franz) 292
DICKENSON 351	HEBENSTREITIUS 363
DISENBACH 353	HEINIUS 143
DRACK 60	HENNINGIUS 364
DRUSH 101	HERZOG 69
DURETUS 354	HEUMANNUS 406
D'ECKARTHAUSEN 53	HENCKELMANUS 407
ÉLIPHAS LÉVI 21	HIRTZ 110
EPSTEIN 180	HOOGT 163
FABRE D'OLIVET 2l	HOPPERUS 125
FAGIUS 316	HOTTINGER 4, 366, 367
FIGUIER (L.) 18	HOORNBECKIUS 305
FLUDD (Robert) ..... 88, 145 à 165, 356	HOWITZ 331
FOURNIÉ (Pierre) 59	ISAACCI (Rabb.) 140
FRANCK (Ad.) 1	JECHIEL (Rabb.) 138
FRANCKIUS (J.) 131	JELLINEK 190
FREY (L.) 102	JHOUNEY (Albert) 23

JOCHANAN 322	MEYERUS (Johan) 410
JOEL 189, 193	MICHELET (Emile) 31
KARO	MIRANDULANUS (Picus) 376
KAUFFMAN 195	MOLITOR 32
KELEPH BEN NATHAN 55	MONTIÈRE 33
KIMSFORT .... 304 *bis*	MORESTELLI (Pit) 377
KIRCHER (R. P.) 78, 179, 368, 408	MORUS (Henri) . 87, 108, 296, 378, 411
KLENKER 181	M. P. G. DE G. 54
KNORR DE ROSENROTH	MOSIS BACHMANIDES 109, 139
(Veja Rosenroth Knorr de)	MULLER 379
KUNRATH 118	MUNCK 68
LACOUR 25	NASI JUDA HAKADOSH 200
LACURIA 26	N'CHUMIA (Rab.) 206
LAGNEAU 48	NEANDER (Michael) 580
LARMANDIE 27	NUS (E.) .... 70 ter
LAMBERT (Mayer) 427	OLEARIUS (Gotfrid) 412
LANDAUER 185	ONKOLOS 210, 316
LANGIUS (J.) 370, 371	OROBIO (Isaac) 44
LEJAY (Julien) 28	OTHONIS 111
LE GENDRE (Marquis) 70	PAPUS 34
LENAIN 29	PARACELSE 86, 116
LERMINA (Jules) 30	PARTUTIUS 381
LEUSDEN 164	PELADAN 35
LIPMANN 137	PERALTA 308
LOBKOVITZ 374	PERINGERI 112
LODOIK 66	PFEIFER (August) 413
LOESCHER 273	PIC DE LA MIRANDOLE . 72, 376, 382
LAPOUKINE 67	PISTORIUS 77, 333, 383
LORIA (Isaac) 105	POISSON 36
LOSIUS 409	POMAR (Duquesa de) 37
LULLE (Raymond) 71	POSTEL 76, 424
LUSDENIUS 372	PREL (CARL DU) 196, 288
MAIMONIDES 106, 201, 310, 312	REIMANNUS 384
MALFATTI DE MONTEREGGIO . 70 *bis*	RELANDI 113, 142
MACKEY 301	REUCHLIN 73, 385
MATHERS (Macgregor) 290	RICCIUS 80, 386
MERSENNUM 117	RITTALERI 122

RITTANGELIUS 330, 387, 414
ROCA.. 38
ROSENROTH (Knorr de) 79, 332, 415, 369
SABATHIER (R. P.) 39
SAINT-MARTIN (L. Claude de) 40
SAINT-YVES D'ALVEYDRE 42
SAMUEL (Filho de Elieu).............. 209
SCHURÉ (Ed.) 41
SCHERGER 389
SCHRAMMIUS 126
SCHICKARDUS .... 389 bis
SCHOTT 390
SCHUDT 391
SEDELIUS 132
SENNERTUS 392
SIMON (Richard) 2
SIMON (Rabb.), discípulo d'Akiba 211
SMITH 297
SPERBERUS 121, 393
STEINSCHENEIDER 188
STENDNERUS 416

SURENHUSIUS 311
THOLUK 84
TRITHÈME 133
URSINI 114
UZIEL 317
VAILLANT (J.-A) 43
VALERIUS DE ALERES 128
VAN HELMONT (François) 89
VAN HELMONT (Mercure) 90, 123
VIDAL (Comnène) 58
VITOUX 44
VITRINGA 417
VOYSIN (Joseph) 81, 333, 394, 418
WACHTER (Georges) . 82, 183, 395, 419
WAGENSEILIS 115, 123
WAITE (A.) 289, 294
WALTER 396
WALTONUS 397
WEIL (Alexandre) 65
WRONSKI (Héne) 45
ZIÉROLDAS 398
ZUNZ 184

ÍNDICE ALFABÉTICO DAS OBRAS CITADAS NA BIBLIOGRAFIA

(*Os números remetem aos números de ordem diante de cada obra.*)

Abdita divinae cabalae mysteria 356
A Brûler 30
Academiae artis cabbalist 377
Acta disputationis cum Nicolao 138
Acta disputationis cum fratre Paulo 139
Acta philosophica 406
Les ailes de la colombe 260
L'Alliance du repos 227
L'Alchimie et les alchimistes 18
Alphabeti delineatio 90
Amphitheatrum sapientiae aeternae 118
Analecta rabbinica 113
De Angelica potestate 359
Analyse des choses 19
Anatomiae theatrum 150
Antiquitatum jud 95
Antiquit. Hebr. 114

Antiquit. Sacrae 142
Apocalypse du bienheureux Jean 61
Apologia pro defensione Kabbalae 129
Apologia compendiaria fraternitatum de Rosea Cruce 162
L'Arbre de vie 281
De arcanis catholicae veritatis 130
De arcanis catholicis 357
Archéologie philos 3, 144, 403
De arte cabbalistica 73, 385
Artis cabbalisticae scriptores 77, 333, 383, 423
Aureum opus 128
Au seuil du mystère 22
Aurora 91
L'Autel d'or 274
Bechinath Happeruschim 289
Beitraege zur Geschichte der Kabbala 191
Biblia hebraea rabbinica 173
Bibliotheca magna rabbinica 340
Biga dissertationum 409
Blicke in die Religionsgeschichte 193
Brevis expositio Kabbalae judaicae 362
Cabbala 381, 382
Cabbala magica 63
Cabala Spiegel 197
Cabbalogia 364
Cabbala recentior 105
Carmen memoriale 137
Cabbalismo judaico christiano 343
Cabbalistarum dogmata 327
De celesti agricultura 80, 386
Ce que nous avons été 59
Ce qui illumine les yeux 263
Chute d'Adam 33
Christianismus hermeticus platonicus 349
Clavicule de Salomon 430
Coelum Sephirothicum 120
Clavis philosophiae et alchymiae 157

Clavis 76
Codicum manuscriptorum 119
Clef des grands mystères 20
Compendium talmudum 360
Commentaria in Misnam 96, 106
Comment. in sinuihra Dzepta 99
Concordia rationis et fidei 82
Concordantia bibliorum hebraicae 175
Conclusiones cabbalisticae 72, 129, 382
Constitution du microcosme 8
Conjectural essay 296
Constitutions upon the books of Moses 303
Critica sacra 413
Crocodile 40
Curiosités inouïes 50
Cuzari 306, 425
Defensio doctrinae cabbalae 346
Décadence latine 35
Delectio fundamenti Boehmiani 407
La demeure de la paix 259
Des Dix Sephiroth 399
Un diamant dans Urim et Thumim 222
Dictionary of christian biography 297
Disputatio judaei cum christiano 117
Disputatio cabalistica 81, 335, 341
Disputatio apud Wagenseil 109
Dissertationum sacrorum 149
Dissertatio de Kabbala 338, 350
Dissertatio de charactere bibliorum hebr. 371, 338, 350, 363, 392
Dogme et rituel de haute magie 20
Duo tituli Talmudii 100
L'Eden du jardin de Dieu 237
AEdipus AEgyptiacus 78, 368, 408
Les Eloim ou dieux de Moïse 25
Elucidarius cabalisticus 82, 419
Encyclopédies diverses 185, 187, 188, 195
Encyclopédie d'Herzog 69

Eoraka 27
Epitome hebraicae 168, 169
Epistolarum hebraea decas 178
L'ésotérisme dans l'art 31
Essai sur les hiéroglyphes d'Horapollon 62
Essai sur l'évolution de l'Idée 9
Essai sur le symbolisme d'Orient 11
Essai sur la philosophie bouddhique 13
Essai sur le gnosticisme égyptien 6
L'Étoile 12
Être 7
Examine generali cabbalae 339
Las excellencias de los Hebreos 307
Excerpta aronis 102
Explication de la Thorah 271
Fables et symboles 20
Fidèle Pasteur 204
La Fontaine d'Eau vive 256
Fragments du Temple 205
Fundamenta cabbalae 108
Gan egoz 328
La Géomancie 52
Geschichte der Juden 186
Geschichte des Erziehungswesen 194
Gottesdienstliche Vortraege 184
Grammaticae chaldaicae libri tres 172
Grands initiés 41
Ha' miuchad 207
Harmonies de l'Etre exprimées par les nombres 26
Harmonie mystique 48
Harmonie du monde 58
Harmonie de l'Eglise et de la Synagogue 60
Hermatena philosophica 122
Histoire critique du vieux Testament 2
Histoire des Juifs 5, 342, 401
Histoire de la magie 20
Histoire de l'origine des langues 354

Historia philosoph. Hebr. 94
Historia doctorum misnicorum 111
Historia y magia natural 305
Histoire de la philosophie morale 405
L'Homme rouge des Tuileries 14
Idra Rabba 217
Idra Suta 218
I'muka (l'enfant) 213
Institutio epistolaris hebraica 167
Institutiones philosophiae 85
Integrum morborum mysterium 152
Introductio ad theol. Judaicam 98, 348, 384, 404
Introductio pro intellectu Zohar 110
Introductio ad dialectica kabbalorum 216
Introductio ad hist. Ecclesiast. 398
Isagogue in veram Dei naturam 121, 393
Isagogue 116
Isis unveiled 286
Israël Vengé 64
Le Jardin intérieur 251
Judaismi prolegom 379
Judaeus convertendus 353
La Kabbale 1
Kabbala denudata 79, 332, 369, 413
Kabbalismus und Pantheismus 182
Kabbalisticae precationes .... 393 bis
Kabbala unveiled 291
Th. Kabbalah 297
Kabbala theologica 374
The Key of Salomon the King 290
Langue hébraïque restituée 21
La Lettre sur les mystères 208
Lexicon hebraicum 171
Lexicon chaldaicum 176
Litterature of occultism 293
Lives of alch. Philosophers 289
Le Livre des Anges 243

Le Livre des Rapports des formes 244
– des Couronnes 245
– des saintes Voix 246
– du Mystère de l'unité et de la foi 247
– des Portes du divin entendement 248
– de l'Unité de la divinité 250
– de la Foi 255, 265
– de l'Intuition 267
– des Mystères du Seigneur 268
– de la Mesure 276
– des Dix 266
– de l'Angoisse 279
– de la Piété 284
– de la confiance 205
– Há Bahir 206
– des Secrets 219
– des doux Fruits 220
– des Points 221
– de l'Ornement 223
– du Paradis 224
– de la Rédemption 225, 238
– de l'Unité 226
– de In Recherche 228
– de l'Agrégation 230
– de la récréation 232
– de la Vie future 233
– sur les Saints Noms 235
– des Ames 240
Lois et mystères de l'amour 65
La Lumière de Dieu 273
La Lumière de la raison 277
Magna Bib. Rabb. 93
La Magnificence 231
Magie transcendante 292
Maimer tha chasi 216
Magus 320
Manual hebraicum 165

Massorah	321
La Mathese	70 bis
Medicina medicina	370
Medicina catholica	151
Mensibus pietistius	344
Messianisme	45
Méthode de guérison dans le Talmud	46
Midrashim	210
Mikadononiot	180
Misna	107, 200, 310, 311, 312, 313, 314, 315
Mission des Juifs	42
Memorabilia judaica	391
Monochordon mundi	149
Moses Ben Schemtob	190
M'sachta sophrim	199
M'sora	198
Les Mystères de l'esprit	242
Les Mystères de la Thorah	234, 278
la Mystèrieuse recherche	215
Mysteries of magic	294
De Mysteriis Dei	416
De Natura simiae	147
De la nature et de l'origine de la doctrine de l'émanation chez les kabbalistes	181
Notis et discursum	367
Notis ad praemium	418
Nouveaux cieux, nouvelle terre	38
La Nuée sur le sanctuaire	33
Observationes sacrae	412, 417
Occultisme scientifique	44
Officina biblica	396
Ombre idéale de la sagesse universelle	39
L'ordre de la divinité	239
Origines de l'alchimie	10
De Ortu cabbalae	84
Ortus medicinae	89
Pathologia daemoniaca	161
Perfect way	304 *bis*

Philologia sacra 361
Philologia hebraïca 372
Philosophia sacra 154
Philosophia mosaica 158
Philosophie céleste 57
Philosophie divine 55
Philosophie der Mystik 196, 288
Philosophi occulti 24, 75, 336
Philosophie de la Tradition 32
Philosophie juive et arabe 68
La physique de l'Écriture 54
Physica vetere et vera 351
P'Kuda 214
La Porte de la lumière 280
La Porte du mystère 254
La Poudre d'aromate 272
Prefatio in Biblia hebraica 103, 104
Prefatio in tract. Arodah 112
Pro convincendis Judaeis 365
Praenotiones 373
Prolegomen ad biblia 397
Psycho-Zoia 87
Pulsus 153
Quelques traits de l'Eglise intérieure 67
Questiones hebraicae 101
Le Rameau de l'Arbre de vie 282
A la recherche des Destinées .... 70 ter
Des Religions philosophie des Sohar 189
Responsum ad Hoplocrismas unduod Forsteri 160
Royaume de Dieu 23
Les Romes 43
Sagesse divine 49
Le Saint des saints 252
Schaaer hedik 328
Schepher Tal 331
Schemaamphoras 428
Seau de Salomon 429

Science du vrai	17
Science secrète	28
Science cabalistique	29
Scripta varia Buddei	377
Secret. Doctrine	286
Seduardus, sive de vera jurisprudentia	125
Le sens du commandement	269
De septem secundeis	133
Sepher chessuk Emuna	140
Sepher Toladoth Jeschua	141
Sepher Yetzirah	203, 329, 422, 427
Sephiroth	300
Sephra Dzeniutha	219
Silhrei Thorah	212
Sohar	211
Song of songs	300
Sophiae cum Moria certamen	155
La source du jardin	261
Sources de la sagesse	204
De specierum scrutinio	127
Specimen kabbalae grammaticae	375
Le Spinozisme dans le judaïsme	183, 393
De la subtilité	51
Le suc de la grenade	262
Summum bonum	156
De supernaturali	146
Supernatural religion	295
Synagogue judaica	166
Systema thiees divinae	131
Le Tabernacle	264, 275
Table couverte	202
Tarot des Bohémiens	34
Talmud	322 a 327
Technica curiosa	390
Tela ignea Satanae	215
De Templo Salomonis	132
Temple de Satan	22

De teste templo rabbinorum	97
Thargum	316 a 321
Théorie philol	4
Théories et symboles des alchimistes	3
Théosophie sémitique	37
Thesaurus grammaticus linguae hebreae	170
Threicie	56
Thesaurus philol.	366
Tiberias	174, 321
Tractatus theologicus philosophicus	164
Tractatus apologeticus	163
Traité élémentaire de science occulte	34
– méthodique	34
– sur les dix Sephiroth	270
Le Trésor de la vie	236, 284
Le Trésor de la gloire	353
De tribus principiis	92
Trigolius orientalis	389
Trinuum magicum	133
The true intellectual system of universe	304
De Unguento amario	159
Urim et Thumim	258
Utriusque cosmi mataphysica	145
Verge de Jacob	47
Veritatis proscenium	148
Veterum sophorum sigilla et imagines magicae	134
De veritatis religionis christianae	386
Le vin aromatise	240
La voie pour arriver à l'Arbre de vie	283
Voie de la Science divine	66
Voix du Seigneur dans sa puissance	229
Zohar	211, 219

BIBLIOGRAFIA

Das Obras Concernentes à Cabala
Pelo dr. MARC HAVEN

PREFÁCIO

A bibliografia que aqui oferecemos aos estudantes e aos pesquisadores necessita ser precedida por uma breve nota explicativa. Quem deseja estudar proveitosamente a Cabala deve aprender, antes de qualquer coisa, o hebraico, conhecer os usos, os costumes, a religião do povo judaico, sua história e as das seitas religiosas que se sucederam nesse povo de teólogos, sacerdotes e filósofos. Muitíssimos livros foram escritos sobre essas matérias, em todas as línguas e em todas as épocas, para que, materialmente, os pudéssemos indicar aqui; e, de resto, consideramos esses estudos como preliminares. Não nos parece que uma bibliografia da Cabala se deva estender à nomenclatura das obras relativas a essas questões, por isso omitimos deliberadamente em nosso repertório tudo o que se relaciona à linguística (*gramáticas, dicionários...*), à história, à etnografia, ao direito, à religião exotérica judaica (*rituais e comentários*) e mesmo a toda a vaga da literatura talmúdica, em que, por vezes, sobrenadam luminosos ensinamentos; indicamos tão somente obras que podem iniciar o leitor nas teorias mesmas da Cabala.

Poderemos ser censurados pelo fato de não havermos classificado os livros citados pela ordem de data, ou por não os termos reunido de acordo com a língua em que foram escritos, ou segundo o assunto de que tratam; porém, nosso objetivo era apenas indicar aos que procuram se instruir os títulos de obras que poderão obter com um pouco de paciência e de trabalho e cuja transcrição poderão fiscalizar nos diferentes catálogos, razão por que estabelecemos nossa classificação de acordo com o uso mais comum entre os livreiros: o da ordem alfabética, segundo os nomes dos autores.

Para cada livro, indicamos tão somente uma edição, a primeira publicada. Se alguns bibliófilos desejarem informações mais completas (*edições princeps*) ou mesmo estimativas sobre o valor comercial costumeiro de tal ou tal obra, colocamo-nos à disposição para lhes fornecer – na medida em que o pudermos – esses pormenores complementares. As notas bibliográficas de que extraímos algumas dessas páginas são assaz completas para nos permitirem fazê-lo mais frequentemente. Do mesmo modo, no que concerne a certas obras raras que nós mesmos solicitamos à Biblioteca Nacional de Paris, podemos igualmente indicar as letras e os números de referência; e exortamos os pesquisadores que tiverem a oportunidade de trabalhar na Nacional a fazerem o mesmo e a guardarem com cuidado os números e os índices dos livros da Cabala que puderem obter: será fazer, para os que os sucederem, um trabalho útil e que poderia se generalizar.

Uma última palavra sobre os manuscritos: os inúmeros manuscritos hebraicos, rolos ou livros, os manuscritos raros de Cabala cujos exemplares únicos se encontram isolados nas bibliotecas públicas ou em algumas raras bibliotecas particulares, como a maravilhosa coleção de nosso irmão Stanislas de Guaita, não havia por que indicá-los numa bibliografia destinada a estudantes que nem poderiam obtê-los, nem mesmo, com frequência, percorrê-los. Deles, portanto, não falamos.

Dr. M. H.

BIBLIOGRAFIA

Archangelus de Burgonovo. – Apologia pro defensione Cabalae. – Bosson, Al. Benaceius, 1564, in-16.

– Dechiaratione sopra il nome di Giesu secundo gli hebrei cabalisti. – Ferrara. Rossi, 1557, in-8.

– Cabalistarum selectiora Dogmata. – Venet, 1569, in-8.

Agrippa H-C. – De Incertitudine et Vanitate scientiarum. – Antw., 1530, in-4 (trad. francesa de Jean Durand, Genebra, 1582, in-8).

– De Occulta Philosophia. – Libri tres, Lugd., Bernigos, 2 vol. in-8 (trad. franc. e trad. ingl.).

– De la Noblesse et Précellence du sexe féminin. – Trad. franc. de Gueudeville, Leida, 1726, in-12.

J.-H. Alsted. – Physica harmonica. – Herbornae, Nassor, 1616, in-12.

Azariel. – Commentary on the doctrine of *Sephiroth*, – Varsch, 1798. – Commentary on the Song of Songs. – Attona, 1763. Andreas S. – Examen generale Caballae Henrici Mori. – Herbonn, 1670, 1 vol., in-4.

AEvolus Caesar. – De decem Sephirothis. – Veneza, 1589, in-4.

Abraham Akibah. – Sepher Yetzirah. – Mântua, 1552, 1 vol. in-4.

Ph. D'Aquin, – Interprétation de l'arbre de la Cabale. – Paris, 1623, in-8.

– Explanatio verborum primi psalmi.

Isaac Abrabanel. – Rosch Emana. – Constant., 1505, in-4.

– Mirhcbet Mamischne. – Sabbionella, 1551, in-fol.

– Pirusch na torah. – Veneza, 1579, in-fol.

– Zerah Pesach. – Constant., 1505, in-4.

– Pirusch al nebüm. – S. L., 1641 e 1646, in-fol.

Asulaï Ch. – Schem Hagadolim. – Viena, 1852.

Alcazar (R. P. L.) – Vestigatio arcani sensus Apocalypsis. – Lugd. 1618, in-fol.

Ahron de Karitene. – Comment cabalistique de Simon Ostropoli. – Amst., 1765, in-4.

Ange Pechmeja. – L'OEuf de Kneph. – Bucareste, 1804, in-8.

Amelineau. – Essai sur le Gnosticisme égyptien. – 1887, in-4.

Abraham Aben Daoud. – Sepher hakabalah. – Amst., 1697, in-12.

Akiba Beer. – Maasse haschem. – Amst. in-4.

Ahron ben Elia. – Kether Thora. – Goslow, 1867, 5 vol. in-8.

Jacob Abendana. – Leket Schoch. – Amst., 1685, in-fol.

Ad. Bertet, – Apocalypse du bienheureux Jean dévoilée. – P. 1861, in-8.

Buxtorf, J. – Dissertationes philologuo-theologicae. – Basileia, 1662, in-4.

– Synagoga judaïca. – Basileia, 1603.

– Exercitationes ad historiam arcae Foederis. – Basileia, 1659, in-4.

Buddens. – Introductio ad historiam philosophiae Ebraeorum. – Halle, 1702.

Beer P. – Geschichte aller Sekten der Juden und der Cabbalah. – Brunn, 1822, in-8.

Bachimius. – Pansophia enchiretica. – Norib, 1682, in-16.

Berger. – Cabbalismus judaico-christianus. – Witemb., 1707, in-4.

Bashuysen. – Disputationes II de Cabbala. – Hanov., 1710.

Bechoü ben Asher. – Seplier Semlhan arba. – Veneza, 1546, in-fol.

S.-J. Baird. – The Elohim revealed in the Creation. – Philad., 1860, in-8.

Bungus. – Numerorum mysteria. – Ber., 1585, in-4.

Beroaldus. – Symbola Pythagore. – Bonon, 1502, in-4.

Jord. Bruni. – Opera omnia. – Fiorentino, Nápoles, 1879 ss.

Campanella. – De Sensu rerum et magia. – 1620, in-4.

– De Monarchia Messiae. – Aesü, 1633.

– Prodromus philosophiae instaurandae. – Frankf., 1617, in-4.

– Atheismus rriornpharus. – Rome, 1631, in-4.

Cudworth, – The true intellectual System of the Universe. – Lond., 1678, in-fol.

G. de Collanges. – Clavicule sur les 5 livres de Polygraphie. – in-4, 156l.

Jo. Craig. – Theologiae mysticae principia mathematica. – Lond., 1699, in-4.

Giacconius. – De Vi trium verborum: Mane, Thecel, Phares. – Medial, 1814, in-8.

Moïse de Cordoue. – Or Neherav. – Veneza, 1554, in-4.

Chaüun N. Ch. – Dibre Nechemja. – Berlim, 1713, in-4.

Chiquivilla J. – Schaare Tsedek. – Korerz, 1785, in-4.

Drach (Chevalier). – De l'harmonie de l'Eglise et de la Synagogue. – Paris, 1844, 2 vol. in-8.

– Lettres d'un rabbin converti aux Israélites ses frères – P. 1825, in-8.

– La Cabale des Hébreux. – Roma, 1846, in-12.

– Le Livre Yaschar. – Paris, 1858.

– L'Inscription hébraïque de la sainte croix. – Roma, 1831, in-8.

Didvmi. – De Pronunciatione divini nominis quatuor litterarum. – Parma, 1799, in-4.

A. Dillmann. – Das Buch Henoch. – Leipzig, 1853.

Eisenmenger. – Entdecktes Judenthum. – S. I. 1700, in-4.

Elias (Pandochaeus). – Cf. O. Postel.

Eleutherii Aug. – De Arbore mali et boni. – Mathusii, 1561, in-8.

Eleasar bem Jehnda. – Sepher Rasiel. – Amst., 1701, in-4.

Emden Jacob. – Migdal Os. – Warschau, 1886.

Freystadt. – Philosophia cabalistica. – Regim., 1832, in-8.

Marsile Ficin. – Opera Bas. H. Petri, 1561, in-fol.

R. Fludd. – (De Fluctibus) (Todas suas obras.) Em particular:

– Tractatus theologico-philosophicus. – Oppenh., 1607, in-16.

– Summum Bonum. – Francf., 1629, in-fol.

– Philosophia moysaïca. – Gondae, 1638, in-fol.

Franck. – Etudes orientales. – Paris, 1861, in-8.

– La Kabbale. – Paris, 1843, in-8.

Foucher de Careil. – Leibnitz et la Kabbale. – Paris, 1861, in-8.

Rabbi Gedaliah. – Schol seheleth haquabalah. – Amst., in-16.

Rabbi Jose Gekatiliah. – Schaare aoura. – (Trad. dans la coll. de Pistorius).

– Ganoth Egoz. – Hanau, 1615, in-fol.

– Schaare Tsedek. – 1461, in-4.

Rabbi Oriel Goronensis. – Sepher Sodoth.

De Goulianof. – Essai sur les hiéroglyphes d'Horapollon et quelques mots sur la Cabale. – Paris, 1827, in-8.

Gaffarel J. – Abdita divinae cabalae mysteria. – Chez Jérôme Blageart. – Paris, 1623, in-4, 77 pp.

– Curiosités inouïes sur la sculpture talismanique. – S. I., 1650, in-12.

– Codicum kabbalisticorum manuscriptorum. – Chez Jérôme Blageart. – Paris, 1602, 50 pp.

Galatinus. – De Arcanis catholicae veritatis contra Judeos (avec le De Cabale de Reuchlin). – Frankf., 1612, in-fol.

L. Grassot. – La Philosophie céleste. – Bordeaux, an. IV, in-16.

Georgius Venetus. – De Harmonia mundi. – Venet, B. de Vitalibus, 1525, in-fol.

Ginsburg. – The Kabalah.

Gastaldus. – De Angelica Potestate.

Geiger Abr. – Etudes biographiques sur quelques rabbins kabbalistes. – Breslau, 1856 a 1864.

Rabbi Gersonides (Levi ben Gerson). – Milchemot haschem. – Rio di Trento, 1561, in-fol.

Groetz. – Gnosticismus und Judenthum. – Berlin, 1846. – Franck und die Frankisten. – Breslau, 1868.

Gaffarel J. – Tom Adonoi. – De fine mundi de R. Elcha ben Daoud. – Paris, 1629, in-16 de 39 + 24 pp.

– Mariales Gemitus. – Paris, 1638, in-4.

– Nihil, fere nihil, minus nihilo. – Venet., 1634, in-8.

– Les Tristes Pensées de la fille de Sion. – Paris, 1624, in-12.

Gerondi Jona ha Hassid. – Schaare Teschubah. – Fano, Soncino (circa 1505), in-4.

Meïr ibn Gabbaï. – Tolaat Jacob. – Cracóvia, 1616, in-4.

– Awodat Nakodesch. – Cracóvia, 1578, in-fol.

Gerson ben Salomo. – Schaare haschamaïn. – Veneza, 1547, in-4.

Ghazzati Nath. – Chemdath Hajamim. – 4 vol. in-4, Veneza, 1763.

Stanislas de Guaïta. – Au seuil du Mystère. – In-8, Paris, Carré, 1890.

– Le Temple de Satan. – In-8, Chamuel, 1891.

– La Clef de la magie noire. – In-8, Chamuel, 1897.

Habermann J. – Magia und Weissheit der seehsten Buch Mosis. – S. I., 1460, in-16.

Hackespan. – Exercitatio de Cabala judaica. – Altdorf, 1660.

F. M. Van Helmont. – Seder Olam. – 1693, S. I., in-16, 108 pp.

– Alphabeti hebraïci delineatio – Salzb., 1667, in-12.

Hebenstreitius J.-B. – De Cabala. – Ulm. 1619, in-4.

Henningius. – Caballologia. – Lipsi, 1683, in-8.

Hottingerus. – Discursus gemaricus de Incestu creationis et opere currus. – 1660, in-4.

Sam. Hirsch. – Religions-philosophie d. Juden. – Lpz., 1842.

Abr. Herrera. – Schaare baschamaïm. – Beth. Elohim. – In-4, Amst., 1665.

H. Hoschke. – Jalkut Reubein. – In-fol, Amst., 1780.

Horowitz S. – Megillath Sedarim. – Prag., 1793, in-8.

H. Joël, – Religions-philosophie des Sohar. – Lpz. 1849.

Jellnick. – Beitrage zur Geschiche der Kabbalah. – Lpz., 1852.

– Moses ben Schemtob de Léon. – Lpz., 1851.

– Moses ben Norchman. – Lpz., 1853.

R. Isaac Luriah. – Etz Chaïm. – 1572, in-4.

Jamblichus. – De Mysteriis. – Oxon. 1678, in-fol.

– De Vita pythagorica. – Lpz., 1815, in-8.

Jacob ben Ascher. – Hoschen hamischpath, 1559, in-fol.

Joseph de Tvani. – Tsaphenoth phaneath. – Veneza, 1648, in-fol.

Isaac Israëli. – Iesod Olam – Berl., 1848, in-4.

Iedaja ben Abraham. Rechinat Olam. – Soncino, 1484, in-8.

Ichudah ha Levi. – Kuzari. – Trad. hebraica de Juda ben Tibbon. – Fano-Soncino, 1506, in-4.

– Nomb. trad. alemã, latina, francesa, espanhola.

Isaac bar Elia. – Meah Schaarim. – Veneza, Soncino, 1539, in-4.

De Ianduno. – Questiones de physico auditu Helie Hebrei Cretensis. – Venet, 1591, 1 vol. in-fol.

R. Issachar Baer. – Commentaire au Schir haschirim (in Sepher mequor Hochmah). – Praga, 1610. – Trad. da Bibliothèque rosicrucienne, Paris, 1897.

Jaquelot. – Dissertation sur le Messie. – La Haye, 1699, in-8.

Joseph ben Chalefta. – Seder Olam rabba vezuta. – Basileia, 1578, in-4.

R. Iachjia ibn Gedaliah. – Schelscheleth hakabbalah. – Amst., 1697, in-4.

Israël Iafé. – Aor Israël. – Frif., 1702, in-fol.

Iungendres. – Specimen... theologiae rnythicae Judeorum. – 1728, in-4.

Alber Jhouney. – Le royaume de Dieu. – Gr. in-8. Paris, comptoir d'édition.

H. Khunrath. – Amphitheatrum sapientiae verae. – Hanau, 1609, in-fol.

– De igne magorum. – 1783, in-16, 109 pp.

– Wahraftiger Bericht von philosophischen Athanor. – Leipz., 1783, 58 pp.

Kurtz. – Das mosaïsche opfer. – Mitau, 1842, in-8.

Kircher. – OEuvres. – Em particular:

– OEdipus AEgyptiacus. – 3 vol. in-fol., Roma, 1652-54.

– Arithmologia seu de abditis numerorum mysteriis. – Roma, 1663, in-4.

Knorr de Rosenroth. – Kaballa denudata. – 3 vol., Salzb. e Frankf., in-4, 1677 e 1684.

Is Karo. – Commentarium in Pentateuchum. – Riva di Trento, 1558, in-4, 118 pp.

Kleuker. – De la Nature et de l'Origine de l'incarnation chez les Cabalistes. – Riga, 1786 (em alemão).

Moïse Kimchi. – Maalach Schebité Hadaath. – Veneza, Bornberg, 1546, in-8.

A. Kohut. – Ueber die judische angelologie und Demonologie. – Leipz., 1866.

Lévi ben Gerson. – Milchamoth haschem. – Rive de Trente, 1560, in-fol., 75 pp.

– Commentaire sur Job. – Ferrare, 1477, in-4, 119 pp.

Isidore Loëb. – Article Cabale in Grande Encyclopédie.

– Le taxo de l'Assomption de Moïse. – Paris, 1879, in-8.

Raymundi Lulli. – Arbor scientiae. – In-4, 1636.

– De Auditu kabalistico. – Venet. Paul de Vitalibu, 1518, in-12.

Lacour. – AElohim ou les Dieux de Moïse. – Bordeaux, 1839, 2 vol. in-8.

Léon l'Hébreu (Aharbanel), – Dialoghi de amore. – Roma, 1535, in-4.

– Trad. franc. du Sieur du Parc. – Paris, 1556, in-16.

Lopackine. – Quelques traits de l'église intérieure. – Moscou, 1801, in-8.

Lodolk (Conde de Divonne). – La Voie de la science divine. – Paris, 1805, in-8.

Lacuria. – Harmonies de l'être exprimées par les nombres. – Paris, 1853, 2 vol. in-8.

Lenain. – La Science cabalistique. – 1 vol. in-8, Amiens, 1823.

Éliphas Lévy. – OEuvres.

Lobkowitz. – Specimen Caballae grammaticae. – Bruxelas, 1642, in-16.

Le Feure. – Le Secret et mystère des Juifs jusques à présent caché. – Paris, in-8, 1562.

Phil. A Limborch. – De Veritate religionis christianae amica collatio cum erudito judeo. – Gondae, 1627, in-4.

Liharzik Fr. – Das Quadrat, in der Natur, 57 Tafeln der Tetragramme. – 1 vol. in-4, Viena, 1865.

Leon. – Rabbinische Legenden. – Viena, 1821.

Leusden. – Questiones hebraicae. – Basileia, 1739, in-4.

Lornei Michel Angelo. – La sacra scrittura illustrata. – Roma, 2 vol. in-4, 1827.

D. Luria. – Kadmoth sepher hazoar. – Warsch, 1884.

M. Ch. Luzzatto. – Chokar ve Mikubal. – Leipzig, in-16, 1840.

– 138 Regeln über die Kabbala. – Krakau, 1880.

Laudauer. – Jehovah und Elohim. – Stuttg., 1866.

Latif Is. – Zurat ha Olam. – Viena, 1860.

– Kebuzat Chachamin. – (Dict. des mots difficiles à interpréter dans le Sohar), Viena, 1860.

Levinsohn. – Schorsche Lebanon. – (Le supplément a trait au Sohar), Wilna, 1841.

Is. Loeb. – La chaîne de la tradition dans le Pirke Aboth. – Paris, 1889.

– La vie des métaphores dans la Bible. – Paris, 1891, OEuvres en particulier.

R. Moses ben Maïmon. – More Nevouchim. – Trad. latina Buxtorf. Basileia, 1629, in-4. – Trad. franc. Munh. P. 1856-66, 3 vol.

Porta Mosis. – Ed. Pockok. – Oxoniae, 1655, in-4.

R. Moses de Cordoue. – Pardes Rimonim, et Thamar Deborah. – Mântus, 1623, in-fol.

R. Moses ben Nachman. – Pirusch al hathorah. – Pesaro Soncico, 1513, in-4 (Avel le Zeror hamor).

– Ozar Nechmad. – Pressburg, 1837, in-4.

– Wiknach Ramban. – (Ed. Steinschneider), Berlim, 1860.

H. Mordatham. – Aureum speculum redivivum. – In-fol., 1785.

Henri Morus. – Psychozoïa. – In-8, 1640-47 (Cf. opera varia in Knou de Rosenroth.)

– A conjectural essay. – Londres, 1654, in-8.

Molitor. – Philosophie de la tradition. – Trad. Franc. Paris, 1834, in-8.

Siméon de Muis. – In psalmum XIX, trium rabbinorum commentarii. – Paris, Lébert, 1620, in-8.

Malfatti de Montengio. – La Mathèse. – Paris, 1839, in-8.

S. Munk. – Mélanges de philosophie juive et arabe, 1859, in-8.

Montecuccoli. – De Cabala. – Mutinae, 1612, in-4.

Meïr ben Gabaï. – Meoroth Ehohim. – Veneza, Juan Grifo, 1567, in-fol.

– Mishaïoth. – Amst., 1633, pet. In-8.

– De Creatione problemata XXX. – De Resurrectione mortuorum. – Amst., 1635 e 1636, in-16.

– Nischmath Chaijm. – Amst., 1652, in-4.

A. Margaritha. – Der ganz Judische glaub... Leipz., 1531, in-4.

Misurachi. – Della Venuta del Messia. – Módena, Cassiani, 1826, 1 vol., in-4.

J.-Fr. Meyer. – Edition, commentaire et glossaire du Sepher Jezira (em alemão). – Leipzig, 1830, in-4.

Michel Spacherus St. – Cabala speculum artis naturae in alchymia Augustae. – Schmidt, 1667, in-4.

– Voarchadumia. – Venetiis, avril 1530, in-4.

J. O. Müller. – Des Juden Philo Buch von der Weltschopfung. – Berlim, Reimer, 1841, 1 vol. in-8.

Mises Fab. – Kabbala und Chassidismus. – Breslau, 1866.

Molcho Sal. – Sepher Hamphoar. – Amst., 1709, in-4.

Mordechoü ben Loew. – Eschel Abraham. – Furth, 1701, in-fol.

R. N'Chuniah. – Sepher Habahir. – Amst., 1651, in-4.

– Soa haschem. – Amst.

– Lettre sur les mystères. Traduite en latin par Paul Heredia.

Nieremberg (J. E.). – Curiosa y occulta philosophia. – Madri, 1643, in-4.

Otto T. C. – Vali Razia. – Stettin, 1613, in-4.

Le P. Olivier. – Alphabet de Cadmus. – Paris, 1755, gr. in-4.

Pistorius. – Artis cabalisticae... Scriptorum tomus unus. – Basileia, 1587, in-fol. Chez Henricus Petrus, 26 ff., 979 pp.

Pfeiffer. – Antiquitates ebraicae. – Leipz., 1685, in-12.

– Critica sacra. – Leipz., 1688, in-16.

Picus Mirandula J. Fr. – OEuvres, e em particular:

– Cabalistarum selectiora dogmata... – Veneza, 1569, in-4.

– Conclusiones 900. – S. L., 1532, in-8.

Guill. Postel. – OEuvres, e em particular:

– Clavis absconditorum... – Basileia, 1547, in-4.

– De rationibus Spiritus Sancti, II. II. – Paris, 1543, in-8.

– Liber de nativitate mediatoris ultima. – (Vers 1547, sem lugar de origem), in-4.

– Liber Yetzirah seu de formatione. – Paris, 1552, in-16.

Papus. – OEuvres, e em particular:

– Le Tarot. – Paris, 1 vol., in-4, 1893, carré.

Patricius. – Magia philosophica. – 1 vol. in-16, 1640?

Philo Judaeus. – Opera. – Ed. Grecque, Turnebus, 1552, in-fol. (várias traduções).

Reuchlin. – De Arte cabalistica II. III. – Hagen, 1517, in-fol.

– De Verbo mirifico II. III. – Coeln-1632, in-12.

(*Se trouvent dans la collection de Pistorius.*)

P. Riccius. – Isagoge in-Cabalistarum eruditionem 1515, in-4.

– Philosophica, prophetica ac talmudica disputatio. – 1514, in-fol.

– Compendium... apostolicae veritatis... – Papiae, 1507, in-8.

– Sol foederis contra Judaeos. – Papiae, 1507, in-4.

P. Riccuis. – De coelesti Agricultura, II, III. – Augustae. Staymer, 1541, in-fol.

– De mosaïcis Edictis.

– De tertrino doctrinarum ordine. – 1510, in-4.

(*Ces trois ouvrages se trouvent seuls dans la collection de Pistorius.*)

Riederer. – Die Bedenkliche und geheimnin-reiche Zahl Drey in Theologicis, Historicis und Politicis. – Frankf., 1732.

Roccha (Ant della). – Libro della pace e armonia. – Veneza, 1536.

Relandi. – Analecta rabbinica. – Ultraj., in-8, 1702.

– Antiquitates sacrae. – Traj. Bat., 1708, in-8.

Reggio J.-I. – Bechinath hakabbala. – Breslau, 1856.

– Torat Eloïm. – Viena, 1818.

R. Schabtaï Scheptel. – Schepha-Tal. – Hanau, 1612, 1 vol., in-fol.

R. Simeon ben jochaï. – Le Zohar (attribué), contenant: Midrach Hanelam; – Maïmer tha Chasi; – Idra Rabba et Idra Suta; – Siphra Dzinoutha; – Sithreï Thorah; l'Mukah; – P'Kudah.

Salomon ben Melek. – Michlof Tofi. – Amst., 1685, in-fol.

Salwigt. – Opus magokabalisticum. – Frankf., 1719.

R.-P. Esprit Sabathier. – Ombre idéale de la sagesse universelle. – In-16, 1679 (Une réédition dans la Bibliothèque Rosicrucienne, Paris, 1897).

Steebus J.-Chr. – Coelum *Sephirothicum*. – Mogunt, 1679, in-fol.

Jul. Sperberus. – Isagoge in veram Dei naturaeque cognitionem. – Hamb. 1674.

– Kabbalisticae precationes. – Amst., 1675, in-8.

J.-C. Schrammius. – Introductio ad dialecticam Kabbalorum. – 1703.

W Sidelius. – De templo Salomonis mystico – Mogúncia, 1548, in-12.

Smith. – Article *Caballah,* in Dict. of Christian Biography.

Scherzer. – Trifolium orientale. – Leipz., 1663, in-4.

Schott. – Technica curiosa. – 1 vol. in-4, Herbip., 1659.

Sennertus, – Dissertatio de Caballa. – Vitemb., 1655, in-4.

Schickardus. – Mischpath hamelek. – In-4. Tüb., 1628.

– Bechinath hapiruschim. – In-4.

R. Samuel be Abraham. – Keli hemda. – Veneza, 1594-96, in-fol.

Strozae, – De dogmatibus Chaldaeorum. – Roma, 1617, in-4.

Sonnenburg. – Arithmonomia naturalis. – Dresde, 1838.

Schultetus, – Imago Tetrametallos Danielitica. – Witteb., 1670, in-4.

Saadia Gaon. – Comm. Au *Sepher Yetzirah*. – Warsch., 1873 (Traduct. franco par M. Lambert, Paris, 1893).

R. Salomon ibn Gebirol. – Mibchar hapeninim. – Soncino, 1484, in-4.

R. Salomon b. Abraham b. Adred. – Arasba Teschuvoth. – S. A., in-4 (Roma).

R. Samuelis. – Epistola de adventu Messiae. – Nurimb., 1498, in-4.

R. Salomon Pariel. – Or Aïnim. – Soncino, 1516-1518, in-8.

Sommer. – Specimen theologiae Soharicae. – Gotha, in-4, 1734.

Sohar. – 3 vol. in-4, Lublin, 1883. – Amst., 1805 (ben Jochaï), cf. Siméon.

Steudner J. - Jüdische ABC Schul von Geheimniss des dreien Gottes. Spruch Rabi Botril über d. Buch Yetzirah. – Augspurg, 1665.

Trirthemius J. – OEuvres, e em particular: De septem secundeis. – Colônia, 1567, in-12.

– Trad. franco dans la collection rosicrucienne. Paris, 1897.

– Quaestiones VIII ad Maximilianum. – Oppenheim, 1515, in-4.

Tholuck. – De Ortu Cabalae. – Hamb., 1837, in-8.

– Peufismus seu Theosophia Persarum. – Berlim, 1821, in-12.

– Die speculative Trinitätslehre des spateren Orients. – Berlim, in-8, 1826.

Thubjana Abr. – Eschel Abraham. – Livourne, in-fol., 1683.

Vanim J.-C. – Amphitheatrum aeternae provindentiae. – Lugd., 1615, in-8.

– De admirandis naturae ... Arcanis. – Lutet, 1616, in-8.

Vincent P.-E. – Rapport des notions antrhopologiques basar, rouach, nephesch, sebh, dans l'ancien testament. – Paris, 1884.

Joseph Voisin. – Disputatio cabalistica. – Paris, 1658, in-8.

Veneti Fra.-Gr. – De Harmonia mundi totius cantica tria. – Veneza, 1525, in-fol.

R. David-Vidal. – Kether Thorah. – Constantin. Soncino, 1536, in-4.

Vital Ch. – Hagilgulim. – Wilna, 1886, in-8.

– Hagoralot. – Edit. J. Sapir, Jerusalem, 1863.

Virgulri (L.-Ph.). – La vera idea del Messia. – Roma, 1730, in-8.

Valverdii (Barch). – In Salomonis Alphabetum mysticae et spiritualis expositiones. – Roma, 1589, in-4.

Wagenseil. – Tela ignea Satanae. – Altdorf 1681, in-4.

Wachter G. – Concordia rationis et fidei. – Amst., 1692, in-8.

– Le Spinozisme dans le Judaïsme, – Amst., 1699, in-8.

Elnudarium cabalisticum. – Rostoch, 1706, in-8.

Witsii. – AEgyptiaca... – Amst., 1683, in-4.

O. Weil. – Lois et mystères de l'amour. – Paris, 1880, in-16.

Zeller. – Vacca rufa. – Amst., in-18.

Anônimo. – Somnia Salomonis regis filii David. – Veneza, chez J.-B. Sessa, 1501, in-4.

Dr. MARC HAVEN

A CABALA DOS HEBREUS
Pelo Rabino DRACH

Carta do
R. P. PERRONE ao AUTOR

"Sig. Cavalière,

E stato per me di vera soddisfazione il leggere i preziosi fogli che a Lei piacque comunicarmi. Non solo in essi vi ho trovato una piena confutazione dell'impugnatore delle sane dottrine sotto il velo della recondita *Cabbala,* non ben conosciuta daI volgo de' lettori, ma inoltre una feconda e non comune erudizione in pruova della verità. Gliene faccio, Sig. Cavalière, le mie più sincere congratulazioni, e mi auguro il piacere di poter altra volta godere di um simile favore. Mi dico com sincera stima,

di V. S.
Umo devmo affmo

G. Perrone d. C. d. C.
Collegio Romano 30 Gen. 1864."

TRADUÇÃO

"Sr. Rabino,

Li com verdadeira satisfação as preciosas folhas que vos aprouve me enviar. Nelas encontrei não apenas plena refutação do impugnador das sãs doutrinas que se ocultam sob o véu da *Cabala,* pouco conhecida do comum dos leitores, mas também a verdade provada por fecunda e rara erudição. Cumprimento-vos sinceramente, Senhor Rabino, e espero, mais uma vez, ter o prazer de desfrutar de um favor semelhante. Com sincera estima, sou

de V. S.
o muito humilde, muito devotado e muito afeiçoado

G. Perrone d. C. d. C.
Colégio Romano, 30 de janeiro de 1864."

À SUA EXCELÊNCIA REVERENDÍSSIMA

MONSENHOR PIERRE LACROIX

PROTONOTÁRIO APOSTÓLICO

CAMAREIRO SECRETO DE SUA SANTIDADE PIO IX.

CLÉRIGO NACIONAL DA FRANÇA JUNTO À SANTA SÉ

CAVALEIRO DA LEGIÃO DE HONRA

MEMBRO DE DIVERSAS ACADEMIAS E SOCIEDADES ERUDITAS.

HOMENAGEM

ÀS VIRTUDES SACERDOTAIS E CIVIS

À CIÊNCIA VARIADA E MODESTA

OFERECIDO POR

Seu penhorado e mui reconhecido servidor
O AUTOR

O QUE OS HEBREUS ENSINAM A RESPEITO DE SUA CABALA E DE SUA ANTIGUIDADE. PRINCIPAIS DOUTORES DESSA CIÊNCIA ESOTÉRICA. A CABALA, QUE SE TRANSMITIA, NO INÍCIO, ORALMENTE, TRANSMITIDA POR ESCRITO NOS TEMPOS POSTERIORES. LIVROS QUE NOS RESTAM DESSA REDAÇÃO. OS INCRÉDULOS PROCURAM DESNATURALIZAR-LHE O SENTIDO.

§ 1. - A LEI ESCRITA E AS DUAS LEIS ORAIS, UMA LEGAL, OUTRA MÍSTICA OU CABALÍSTICA

O termo *cabala*, que em hebraico quer dizer *tradição recebida*, קבלה, do verbo קבל, indica, pelo próprio nome, que essa ciência é vista pelos rabinos como um ensinamento tradicional. Ela consiste, segundo esses doutores, em tradições que remontam aos tempos mais antigos; e, em essência, até Moisés, e mesmo até Adão. O legislador do povo hebreu – dizem eles – recebeu de Deus não apenas a lei escrita, mas também a lei oral, isto é, sua interpretação tanto *legal* ou talmúdica quanto *mística* ou cabalística. Na verdade, jamais foi permitido aos hebreus explicar a palavra de Deus de outro modo que não de acordo com a tradição ensinada pelos antigos e, em última instância, nos casos duvidosos, senão segundo a decisão do supremo pontífice de cada época. Vede Deuteronômio XVII, 8 ss.

Essas duas partes da lei oral não se compõem senão de tradições e de deduções lógicas a que deram lugar para determinar-lhe o sentido. É indubitável que nela foi introduzido, por assim dizer, muito dessas tradições apócrifas, ou desnaturadas, pelas quais os fariseus falseavam o sentido da lei santa, e que Nosso Senhor condenou nos termos mais severos. Mas aqui é o lugar de recordar a regra que dei em diversos pontos de minhas obras. Ei-la: toda tradição que ostenta o selo da verdadeira religião, a qual – como tão bem o diz Santo Agostinho – remonta ao berço do gênero humano,[1] é indubitavelmente autêntica. Por certo, não são da invenção dos rabinos as tradições que representam, na Divindade, *três esplendores*[2] *supremos*, distintos e, não obstante, uni-

---

[1] *Res ipsa quae nunc christiana religio nuncupatur; erat et apud antiquos, nec defuit ab initio generis humani quousque ipse Christus veniret in carne. Unde vera religio, quae jam erat, coepit appellari christiana.* Retract. I, XIII, 3.

[2] Traduz-se *Sephirah*, ספירה, por numeração e por esplendor. Os resumos que apresento mais adiante provam que o último sentido é o único verdadeiro.

Vede os resumos que se seguem. Lembro aqui que em minha obra *Harmonia* cito autoridades segundo as quais o grande mistério da Trindade deveria permanecer como

dos inseparavelmente numa essência única da unidade mais absoluta: as que estabelecem que o Redentor de Israel devia ser, ao mesmo tempo, verdadeiro Deus e verdadeiro homem;³ as que ensinam que o Messias se oferecera para *tomar sobre si* a expiação de todos os pecados dos homens;⁴ a que nos ensina que *Schîlo*, סילה, prometido pelo patriarca Jacó, é realmente o Messias⁵ – tudo isso que os doutores da Sinagoga moderna negam obstinadamente. Não é um rabino moderno que ousaria atribuir ao *Zohar* a explicação seguinte, confirmativa da do Evangelho, Mat. XXI, 4, 5: *O pobre*⁶ *montado sobre um asno,* predito pelo profeta Zacarias, IX, 9, é o Messias filho de Davi.⁷

---

    segredo de apenas algumas personagens privilegiadas, סגולה ליחידי, e só ser divulgado depois do advento do Messias.

³ Vede minha *Harmonia*, t. I, p. 70 a 107; t. II, p. 387 a 485.

⁴ *Zohar*, 2ª parte, colunas 379, 380: "O Messias se apresenta e brada: Que todos os sofrimentos, todas as doenças (espirituais) de Israel caiam sobre mim! Todas, então, caem sobre ele. E, se ele não houvesse descarregado Israel para as tomar sobre si mesmo, não teria havido nenhum homem capaz de suportar as penas que Israel merecia pela transgressão da lei santa. É o que diz o profeta (Isaías, LIII, 5): Ele, na verdade, carregou as nossas doenças e suportou as nossas dores".

    Nova prova contra os rabinos de que esse capítulo trata do Messias.

    O Medrasch-Yalkur sobre o cap. LX de Isaías, no 359, transcreve longa passagem do livro antigo Peciqta-Rabba, que narra a conversa do Messias com Deus Pai. O Messias aceita com coração jubiloso a expiação dos pecados de todos os filhos de Adão, passados, presentes e por nascerem; e isso apesar do quadro apavorante que Deus lhe apresenta dessa dolorosa expiação. Não é esse o Messias esperado pelos judeus. Ele deve rejuntá-los de sua dispersão, devolver-lhes Jerusalém e aí reerguer o templo, depois de lhes haver submetido o restante das nações da terra. Digo o restante, pois elas serão, em grande parte, exterminadas. Há, atualmente, grande número de judeus que não têm muita fé no advento do filho de Davi e, dado o caso, não se preocuparia de o seguir na Palestina. Encontrando-me na maravilhosa quinta de um ricaço dessa nação, eu disse ao meu hospedeiro: Se o Messias chegasse, abandonarias com desgosto essa bela propriedade. – Quando ele vier, disse ele, suplicar-lhe-emos que conduza à terra santa os goyim (os cristãos) e que nos deixe tranquilos na França, onde nos encontramos perfeitamente bem.

⁵ *Zohar*, 1ª parte, col. 504: "O nome *schîlo*, como é aqui ortografado, סילה, Gênese, XLIX, 10, indica que o nome santo supremo da Divindade estará nele. Tal é o mistério aqui anunciado".

    Rabi Salomon Yarhhi explica igualmente esse nome por Messias, conforme as três paráfrases caldaicas: de Onkelos, de Jonathan-ben-Uziel e de Jerusalém.

    Talmude tratado Sanedrim, fol. 98 verso: "Schîlo é o nome do *Messias*, pois é assim chamado na profecia de Jacó".

⁶ O hebraico e a vulgata de Zacarias trazem *pauper*, e não *mansuetus*. São Justino cita o versículo, certamente de memória, como se ali fossem lidos os dois: χαί πραύς χαί πτωχός.

⁷ *Zohar*, 1ª parte, col. 505; 2ª parte, col. 171, e o *Talmude*, tratado Sanedrim, fol. 98 rosto citam o versículo de Zacarias como designando o Messias.

§ 2. – PRINCIPAIS DOUTORES DA CABALA. O *ZOHAR*

Aquele que ensinou a cabala mais brilhantemente e formou grande número de discípulos ilustres é o famoso Simeon-ben-Yohhai, rabino do início do século II da nossa era. O dialeto em que se expressava é exatamente o dos judeus daquela época, o siro-hierosolimita, ao qual já se misturavam termos gregos e latinos. Ele ensinava, conforme ele mesmo nos informa, a tradição e a doutrina de mestres mais antigos que ele e atribui grande número, entre elas, ao profeta Elias, a Moisés, chamado no *Zohar* o *pastor fiel*, רעיא מהימנא, e ao anjo Metatron. Seus discípulos e os discípulos destes se ocuparam, mais tarde, de escrever suas lições e de formar com elas um só corpo, que recebeu o nome de *Zohar* זהר, isto é, *claridade*. Essa redação, evidentemente, que durou vários séculos, pelo menos recebeu, durante grande lapso de tempo, novas adições, uma vez que ali se encontram mencionadas as duas partes do Talmude, a Mishná e a Guemara, muito posteriores,[8] e se fala,

---

[8] O autor de *Kabbala denudata*, Knorr Barão de Rosenroth, diz no tomo II, p. 5 do prefácio: "*Quod nec gemara, nec ullius libri talmudici, ullibi faciat* (isto é, Zohar) *mentionem*". Isso é um erro evidente. O Zohar menciona o *Talmude* e suas diversas divisões em vários lugares. Vede, entre outros, 1ª parte, col. 347; 2ª parte, col. 357; 3ª parte, col. 45, 49, 290, 540, 541. O próprio Knorr, no tomo I da versão latina do livro סערי הודה do rabi Joseph Ghicatilia, refere uma passagem do Zohar em que se fala dos três tratados do *Talmude* intitulados *Baba-qamma, Baba-metzia, Baba-batra*. Vede *Kabbala denudata*, t. I, p. 184 da 1ª parte.

Mais adiante, p. 7, Knorr escreve: "*Adde quod etiam contra Christum in toto libro* (isto é, do Zohar) *ne minimum quidem effutiatur, prout in recentioribus Judaeorum scriptis plerumque fieri solet*". Outro erro. No Zohar, 3ª parte, col. 546, Jesus, nomeado com todas as letras, é qualificado da maneira mais blasfema. Citei essa passagem conforme uma edição de Amsterdã em minha *Harmonia*, t. II, p. 27 da *Notice sur la cabale des Hébreux*.

Em algumas edições, sobretudo nas submetidas à censura cristã, o lugar dessa passagem é deixado em branco, ou marcado por uma estrela, para advertir o leitor de que há palavras a completar.

Franck, que parece não ter estudado o Zohar senão na versão bastante suspeita de Rosenroth, repete esse erro deixando crer inteiramente que se certificou do fato. Às páginas 106 e 107 de sua *Kabbala*, ele diz: "... e não se encontra aí (no Zohar) uma única vez o nome do cristianismo ou o do seu fundador".

Como a obra do Barão alemão, *Kabbala denudata*, é o grande reservatório onde vão beber todos os que não podem ler o texto mesmo dos rabinos, acho necessário assinalar seus defeitos: 1º) Nos dois volumes, os textos em caracteres hebraicos estão estranhamente desfigurados por inúmeros erros tipográficos. 2º) A versão latina desses textos é, com frequência, inexata. 3º) As remissões ao Zohar são, na maior parte, mal indicadas. 4º) Não é raro encontrar

inclusive, do falso profeta Maomé.⁹ Os historiadores judeus asseguram que só chegou até nós uma pequena parte dessa compilação. Rabi Ghedalia, na crônica intitulada שלשלת הקכלה, *corrente da tradição,* fol. Mihi 23 páginas de rosto, edição de Solkwo, escreve: "Fiquei sabendo, por uma tradição oral, que essa composição é de tal forma volumosa que, se fosse encontrada na totalidade, formaria a carga de um camelo".

§ 3. – TRATADOS E LIVROS COMPLEMENTARES DO *ZOHAR*

O texto do *Zohar*, conforme o temos hoje, encerra diversos tratados aí inseridos sucessivamente em diferentes épocas. Entre eles, distinguem-se o הכהיר ספר, *o livro ilustre*. É anterior ao nascimento de R. Simeon-ben-Yohhai, pois é de autoria de R. Nehhunia-ben-Haqqané, que floresceu trinta ou quarenta anos antes da Encarnação do Verbo. Em seguida, foram editados separadamente, para completar a compilação cabalística, 1º os תקוגי הוהר; *os complementos do Zohar*; 2º והר הרש, *o Zohar novo*; 3º o *Zohar* do Cântico dos Cânticos, o de Ruth, o das Lamentações. Entre os livros cabalísticos, não podemos deixar de mencionar o ספר יצירה, *o livro da criação,* e diversos outros livros antigos, parte dos quais não é mais encontrada ou se oculta em meio aos manuscritos de algumas bibliotecas. O comentário cabalístico do Pentateuco ילקומ ראוכני fornece resumos de muitos desses livros atualmente perdidos. Inclui-se ainda no número dos principais livros cabalísticos o ספר רויאל, *o livro de Raziel*; mas este é preferentemente um tratado de teurgia.

§ 4. – REGRA PARA CITAR O *ZOHAR*

Antes de prosseguir, penso que vem a propósito consignar aqui uma regra concernente à maneira de citar o *Zohar*. Esse livro, em todas as edições, divide-se em três partes mais ou menos iguais. A primeira, sobre o Gênese, a segunda, sobre o Êxodo; a terceira, sobre o Levítico e os dois livros seguintes do Pentateuco. Distingue-se, em seguida, segundo as diversas edições, em *grande Zohar,* הגדול

---

aí o sentido dos textos alegados interrompido por alíneas que parecem dar início a uma nova frase, enquanto são apenas a continuação da frase começada na alínea precedente.
⁹ *Zohar,* 3ª parte, col. 546.

זהר, e em *pequeno Zohar,* זהר הקטן. A edição de Cremona, infólio, serve de modelo ao grande *Zohar* para a paginação. Ela é marcada pelos números das folhas e das colunas, à razão de duas por página. A edição de Lublin segue-a exatamente. O pequeno *Zohar* tem por modelo a edição de Mântua in-4º. Indicam-se tão somente as folhas, pois as páginas não são divididas em colunas. As três reimpressões de Amsterdã in-8º têm a paginação igual à desta última. Assim, a remissão às colunas, que facilita singularmente as pesquisas, se refere sempre ao grande *Zohar*. A edição de Sultzbach tem à margem a indicação das folhas e das colunas do grande e do pequeno *Zohar*.

IDEIA VERDADEIRA DA CABALA. SEU USO NA SINAGOGA

Vou expor o que é, de fato, a cabala judaica e submeto, sem temor, minhas provas à apreciação de todo homem de boa-fé e de bom senso. Será possível ver que, segundo a doutrina fundamental da Cabala, o universo é uma criação *ex nihilo* do poder infinito de Deus.

Na realidade, toda ciência deve ter um fim prático. Ora, qual é o da Cabala? O *Zohar*, principal código da Cabala, parte 2ª, col. 362, e depois dele todos os cabalistas respondem que seu fim é ensinar como devemos dirigir nossas intenções rogando a Deus; a qual *esplendor* e a qual *atributo* de Deus devemos recorrer principalmente em tal ou tal necessidade;[10] quais anjos podemos invocar para obter sua intercessão em determinadas circunstâncias; por quais meios nos devemos premunir contra a malignidade dos espíritos malfazejos, de que o ar está repleto. É precisamente para indicar com exatidão essas intenções, essas preces e essas fórmulas que o rabino Isaías Hurwitz, um dos mais eruditos cabalistas do século XVII, compôs um volumoso comentário cabalístico das orações usuais da sinagoga, sob o título שער השמים, *a porta do céu*. A consequência deriva disso naturalmente. A Cabala fala de um Deus pessoal a quem devemos

---

[10] É assim que, segundo o objeto de nossas preces, nós, cristãos, as endereçamos a uma das adoráveis Pessoas da Santíssima Trindade.

endereçar nossas preces, enquanto os panteístas se fazem Deus eles mesmos. Dizem com um filósofo coroado do Egito: *Meus est fluvius meus, et ego feci memetipsum* (Ezeq. XXIX, 3).

Vi rabinos que, ouvindo pela primeira vez que a Cabala continha os princípios do ateísmo, ficaram estupefatos. Acontece, muitas vezes, que, atacados de improviso por uma proposição estranha, despropositada, ficamos atônitos. Uma multidão de respostas apresenta-se confusamente, cada qual tão pressurosa de se manifestar primeiro que não sabemos por onde começar. Esses rabinos não podem deixar de exclamar: "Mas isso não é possível! É um contrassenso, uma loucura. Como assim?! Nossos piedosos cabalistas de todos os séculos negando a existência de Deus! כופרים בעיקר!".

Da difusão da ciência cabalística, os doutores da sinagoga moderna receiam um perigo de natureza totalmente contrária. Vários dentre eles excomungam os que publicam livros de Cabala. Rabi Jehuda Arié, conhecido como *Leão de Módena*, escreve, numa de suas obras intitulada חלי גהס, *o Leão Rugidor*: "E eu conjeturo que Deus jamais perdoa os que fizeram imprimir semelhantes livros". Na realidade, israelitas, ilustres tanto pela ciência quanto pela posição social, têm abraçado a fé católica levados tão somente pela leitura dos livros da Cabala. Citei diversos deles em minha *Harmonia*, t. II, páginas XXXII-XXXV. Um discípulo do mesmo rabi Arié, *Samuel ben Nahhmias*, de rica família judia de Veneza, recebeu o batismo na cidade natal em 22 de novembro de 1649, sob o nome Giuglio Morosini. Esse Morosini é autor de uma volumosa e erudita obra em italiano intitulada *Caminho da Fé mostrado aos Hebreus*, Roma, imprensa da Propaganda, 1683, 2 vols. in-4º.

§ 1. – A EMANAÇÃO DA CABALA E AS DEZ *SEPHIROTH*, OU ESPLENDORES. OS TRÊS ESPLENDORES SUPREMOS

Os fautores do panteísmo imaginaram chamar em seu auxílio a Cabala porque nela se fala, com frequência, de *emanação*. Abusando dessa expressão, enganaram grande número de pessoas incapazes de verificar as peças do processo. Pois bem! É precisamente essa doutrina de emanação que dá à Cabala o caráter eminentemente cristão que nenhum homem de boa-fé pode recusar reconhecê-lo aí. Nada mais fácil de mostrar.

A Cabala distingue *tudo o que é* em quatro mundos, subordinados um ao outro: 1º) o mundo *atzilútico* (emanativo); 2º) o mundo *briático* (criativo); 3º) o mundo *yetzirático* (formativo); 4º) o mundo *assiático* (factivo, *factivus*). Os três últimos, a partir do mundo criativo, são, conforme já o faz saber a denominação deste, criações *ex nihilo* da potência divina e, de modo nenhum, emanações da Essência de Deus. Os textos que acrescento mais adiante são formais a esse respeito.

A emanação para, portanto, no primeiro mundo, que é o único *incriado*; ela aí permanece concentrada. Importa descrever, segundo a Cabala, esse primeiro mundo. O mundo atzilútico compreende dez *Sephiroth* ספירות, isto é, *esplendores*. A primeira é a *coroa suprema* כתרעליון, também chamada o *Infinito* אין סוף. Desta emana o segundo esplendor, chamado a *Sabedoria* חכמה. Ela é *Adão primitivo* אדם קדמון, assim denominado para ser diferençado do *primeiro homem*. Observamos, de imediato, que São Paulo chama esse esplendor encarnado *novissimus Adam,* 1. Cor. XV, 45. Dele, com o concurso do esplendor supremo, cuja cooperação é necessária, emana o terceiro esplendor, chamado a *Inteligência* בינה.

Tais são, conforme ensinam os cabalistas, os três Esplendores superiores, ou, melhor dizendo, *supremos* עילאין, os únicos chamados *Esplendores intelectuais* ספידות שכליות. Embora distintos, não são senão uma *coroa única* אהת עמדה; são *um, um absoluto, unum absolutum* יחיד המיוחד. Eis por que são representados por esses três círculos *concêntricos* e por que se figura Deus *santo, santo, santo* קדש קדש קדש por três *yods* dispostos em triângulo equilateral e encerrados num círculo.

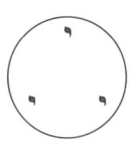

Vede meu trabalho *Harmonia,* t. I, p. 309.

É preciso ser completamente cego para não se aperceber, ou de todo obstinado para não confessar, que esses três esplendores são as Pessoas da indivisível e santíssima Trindade na Essência Divina, *uma da unidade mais absoluta.* A Cabala enuncia essa verdade em termos idênticos aos da teologia católica,[11] como o veremos nos resumos fornecidos por mim mais adiante. Mas trarei aqui um texto interessante. Não o extraio de um cabalista judeu, mas do tratado *De natura Deorum,* de Cícero, livro I, § 21 (nº 28 na edição de Leipzig, in-4º): "Parmênides imaginou algo que tem a figura de uma *coroa.* Ele chama *stephane* (X, Coroa) a um círculo contínuo, brilhante, de luz, que encerra o *céu;* é assim que chama Deus".[12] Não estão aqui os três esplendores supremos que formam uma única *coroa*? E, observemo-lo, o primeiro esplendor encerra o todo em seu círculo contínuo sem solução. Cícero, nada compreendendo da sublime lição que o metafísico de Eleia repetia, provavelmente segundo uma tradição, acrescenta com a suficiência muito digna de um filósofo: "Não poderia vir ao pensamento de ninguém que um círculo seja a figura da Divindade nem que tenha sentimento".[13] Cícero não podia, porém, ignorar que os egípcios e outros povos antigos, famosos pela sabedoria, representavam o Deus supremo, eterno, infinito, por uma serpente *enrolada em círculo,* com a cauda na garganta; em termos de cabala, אין סוף, *absque fine.*

Os sete outros esplendores, emanados cada qual de tudo que os precede, são:

O quarto, a *Grandeza* (גדולה), também chamada *Benignidade* (חסד).
O quinto, a *Força* (גבורה), também chamado *Rigor, estrita justiça* (מידת הדין).
O sexto, a *Beleza* (תפהרת).
O sétimo, a *Vitória,* ou a *Eternidade* (נוה).
O oitavo, a *Glória* (הוד).
O nono, o *Fundamento,* ou a *Base* (יסוד).
O décimo, a *Realeza* (מלבות).

Os sete esplendores formam uma classe à parte, sob a denominação genérica de *Conhecimento* X. O *Conhecimento,* diz R. Joseph Ghicatilia, no tratado

---

[11] Em meus escritos, tive, várias vezes, ocasião de fazer observar que quando a sinagoga concorda com a Igreja é sempre no sentido católico. Vemos aqui o *Filioque* contra o cisma *Photien.*
[12] *Stephanen appellat continentem ardores lucis orbem, qui cingit coelum, quem appellat Deum.*
[13] *In quo* (isto é, orbe) *neque figuram divinam neque sensum quisque suspicari potest.*

שערי הורה (as portas da luz), é a maneira de ser das representações divinas que vêm após o ביגה (o Esplendor *Inteligência*), sem, todavia, formarem, por si mesmas, um *esplendor*, ספירה, à parte.

§ 2. – OS SETE ESPLENDORES COMPREENDIDOS SOB A DENOMINAÇÃO CONHECIMENTO OU OS ATRIBUTOS DIVINOS

É evidente, para todo espírito honesto, que, se os três primeiros esplendores, ספידות, são Deus em três pessoas na ordem de procissão que nos ensina a fé católica, os sete Esplendores que se seguem são, conforme o declaram expressamente os cabalistas, os *atributos* de Deus,[14] e, mais exatamente, Deus *em seus atributos*. Na realidade, eles compreendem todas as perfeições divinas. Esses Esplendores são também *emanações*, pois os atributos divinos são inseparáveis da Divindade e constituem uma *unidade perfeita* entre eles e em Deus.

---

[14] Distinguem-se os atributos divinos em *relativos* e *absolutos*. Os primeiros são as relações das Divinas Pessoas entre elas pela ação imanente da geração e da procissão. A qualificação *relativos* não caracteriza suficientemente os atributos *não absolutos*. Os teólogos católicos aqui compreendem o que chamam as *propriedades* (proprietates), as *relações* (relaciones) e as *noções* (notiones), a saber: a inascibilidade, a paternidade, a filiação, a espiração (spiratio) ativa e a espiração passiva. Há, portanto, quatro *propriedades*, a inascibilidade, a paternidade, a filiação e a procissão. As três últimas são propriedades pessoais (personales). Se acrescentardes a estas a espiração ativa, tereis quatro relações.

Seria supérfluo mostrar aqui como essas formalidades (formalitates), e até os termos que as exprimem na teologia cristã, se encontram na cabala e nos livros dos rabinos. Os resumos que se seguem provam isso. Reconhecer-se-á aqui o *Pater ingenitus* sob a qualificação de *primeiro esplendor*; o *Infinito* (הין סוף, absque fine), sob o sentido *não conduzindo a nenhuma origem*; a *causa procatárquica*, sob a qualificação de *causa de todas as causas* עלה כל העלות etc.

Compreende-se pela denominação *atributos absolutos* todas as perfeições próprias da Divindade. Aquelas que os teólogos distinguem em *positivas, negativas* (em aparência), *quiescentes ou imanentes operativas ou transitivas, primitivas, derivadas, metafísicas, morais, comunicáveis, incomunicáveis, próprias, metafóricas* etc.

Os sete últimos *esplendores* compreendem todos esses atributos absolutos: aqui se encontram todos, do mesmo modo que se reconhecem claramente, nos três esplendores supremos, os *atributos relativos*, ou melhor, as *cinco noções*.

Que os dez Esplendores – *Sephiroth* em hebraico – não são senão o conjunto – se é permitido empregar essa expressão – do Ser Supremo é o que prova ainda o nome divino atribuído a cada um deles, a saber:

O primeiro é chamado אהוה, *eu sou aquele que é.*
O segundo י׳ (abreviação do nome Jehovah).
O terceiro יהוה, pontuado das vogais do nome divino *Elohim*, אדהיס.
O quarto אלוה e, segundo outros, אל, Deus.
O quinto, אלהיס, Deus.
O sexto, יהוה, Jehovah.
O sétimo, יהוה צבאות, Jehovah das potências.
O oitavo, אלהיס צבאות, Deus das potências.
O nono, אל הי, Deus vivo.
O décimo, אדני, Adonai.

Eu disse que os atributos divinos são *inerentes* a Deus; é o que a filosofia e a teologia cristã ensinam. Eis, em primeiro lugar, como se expressa o corifeu dos teólogos modernos, o R. P. Peronné: "Admitti nequit ulla realis distinctio inter Deum ejusque attributa, sive absoluta sive relativa, neque inter attributa absoluta ipsa. Si enim ejusmodi daretur distinctio, admitti in Deo deberet realis compositio atqui haec compositio in Deum cadere non potest, qui est omnino simplex; excludi igitur a Deo debet omnis realis distinctio, sive inter Divinitatem ejusque attributa absoluta ac relativa, sive inter attributa absoluta ipsa". *Praelect. Theol., De Dei simplicitate*, Prop. IV.

E, para que não se diga que essa filosofia de um Religioso se arrasta na trilha da Teologia, citarei a de um filósofo de todo insuspeito de excesso de zelo pelas ideias cristãs. "Hoc primum tene", diz Bayle, "nihil esse in Deo quod non sit Deus atque adeo attributa divina non esse qualitates seu perfectiones ab Essentia divina distinctas, nisi secundum nostrum concipiendi modum". *Systema totius philosophiae. Metaphysicae specialis*, cap. III, art. 3.

Ao Evangelista, não lhe foi preciso mais que uma palavra para exprimir essa verdade, a saber, que os atributos de Deus estão essencialmente em Deus. *Deus charitas est,* disse ele, João, I, Ep. IV, 16.

§ 3. – OS SETE ESPÍRITOS DO APOCALIPSE I, 4

O discípulo bem-amado, assaz ditoso para repousar a cabeça sobre o sagrado coração de Jesus, *recumbens in sinu Jesu*, esgotou, nessa fonte divina, o conhecimento dos mistérios mais profundos e mais temíveis. Não receio afirmar que vejo os dez *esplendores* claramente enunciados no célebre versículo de seu Apocalipse I, 4. "Gratia vobis et pax ab eo qui est et qui erat et qui venturus est, et a *septem Spiritus qui in conspectu throni ejus sunt.*" Não repetirei que esses três tempos do verbo *ser,* pois *venturus est*, X, equivalem, segundo o hebraico, a *erit,* são, se ouso me exprimir assim, a moeda do nome divino *Jehovah,* יהוה, que, pelos elementos, denota admiravelmente o mistério da Santíssima Trindade. Comentaristas sérios já demonstraram que o santo Apóstolo designa, por excelência, por esses três tempos do verbo, as três adoráveis Pessoas do Deus *um*; e eu mesmo desenvolvi prolixamente, em minha obra *Harmonia*, essa significação do Tetragrammaton. Eis aí, em primeiro lugar, os três *Esplendores supremos*. Mas o que quero, sobretudo, estabelecer aqui é que os *septem Spiritus* desse versículo são, na realidade, os sete últimos esplendores, isto é, Deus em seus atributos absolutos.

A diversos comentaristas parece inadmissível a opinião dos que tomam esses sete espíritos por anjos. Pois só Deus, com exclusão de toda criatura, por elevada que seja, inclusive na hierarquia celeste, tem o direito e o poder de conceder esse estado de graça espiritual chamado *gratia et pax,* tradução verbal do hebraico חן ושלום. Esses dois termos bíblicos exprimem, com nitidez, a feliz união da alma com Deus, a graça, vaso precioso que, ai de nós!, é tão frágil nas mãos dos frágeis humanos.

O capítulo quinto distingue os *sete espíritos* dos anjos de tal modo que não seria possível os confundir. Vede os versículos 6 e 11. Em nenhum lugar do Apocalipse, veem-se os anjos chamados de *espíritos*. Essa saudação *gratia et pax* São Paulo apraz-se em repeti-la à testa de quase todas as suas epístolas,[15] tesouro da teologia cristã. Ora, o grande Apóstolo, como é de razão, não atribui esse dom celeste senão a Deus: *Gratia et pax a Deo Patre nostro et Domino nostro Jesu Christo.* Deve-se, pois, concluir que em nosso versículo do Apocalipse São João deseja às sete igrejas da Ásia *a graça e a paz da alma* da parte de tudo o que está em Deus, suas hipóstases e seus atributos.

---

[15] A única exceção é a Epístola aos Hebreus.

A preposição *et*, χαί, antes de *a septem* Spiritus, não distingue esses espíritos do que precede. Grotius, com sua visão tão justa, já observou que há aqui a figura, tão comum entre os hebreus e os gregos, chamada ῾ν διὰ δνοῖν, palavra por palavra, uma mesma coisa expressa de duas maneiras. Ele explica em seu comentário que os *sete espíritos* são a Providência Divina, que se manifesta em diversas formas, chamada, mais adiante, cap. V, 6, *os olhos de Deus*. "Et *oculos* septem, qui sunt *septem spiritus Dei,* missi in omnem terram", diz São João. Grotius acrescenta: "Et sic erit ῾ν διὰ δνοῖν; optatur enin pax *a Deo et septem Spiritibus,* id est, a Deo per hos septem modos operante". O Apóstolo do Verbo (*In principio erat Verbum*) declara, ao mesmo tempo, em seu Apocalipse, que o Verbo é Deus, e que, consequentemente, os sete espíritos lhe são inerentes, bem como o são a seu pai. Ele se exprime, nesse sentido, na quinta carta escrita por ordem de N. S. J. C.: "Haec dicit qui habet septem spiritus Deis".

Um sábio jesuíta, o Padre Alcaçar, autor de volumoso comentário do Apocalipse,[16] reconheceu perfeitamente que esses sete espíritos nada mais são, mesmo no sentido literal, que os atributos divinos absolutos. Eis aqui como Cornelius a Lapide resume sua exposição: "Alcaçar per hosce septem spiritus accepit septem Dei virtutes, sive *attributa* in quibus consistit integra Providentiae perfectio. Porro haec dotes sunt *in Deo,* suntque reipsa *ipse Deus:* unde *ab iis* pacem et gratiam suis precatur Johannes. Haec ergo virtutes in Deo sunt immensae, nec ullum habent finem, nec limitem; ideoque vocantur *spiritus* cum angelos Johannes in Apocalypsi *angelos* vocet, non *spiritus*".

§ 4. – AS SETE LUZES RESPLANDECENTES NO APOCALIPSE IV, 5, E OS SETE OLHOS DE JEHOVAH, EM ZACARIAS, IV, 10

Agora, o texto do cap. IV, versículo 5, torna incontestável que os sete espíritos são precisamente os sete últimos *esplendores* dos cabalistas. É dito aí, positivamente, que os sete espíritos são *luzes resplandecentes* e ressonantes dos *focos* que resplendem diante do trono celeste. *Et de throno procedebant fulgura et voces et tonitrua, et septem lampades ardentes, ante thronum, qui sunt septem spiritus Dei.* Todo esse versículo trata de uma única e mesma coisa, como foi dito anteriormente.

---

[16] É desse comentário que Bossuet extraiu quase toda sua exposição do livro do Apocalipse.

Essas *luzes, atributos, modos,* da Providência de Deus são chamadas em Zacarias, IV, 10, *os sete olhos de Jehovah, que passeiam por toda a terra. Septem ist oculi sunt Domini* (hebraico, *Jehovae,* do Deus *trin*), *Qui discurrunt in universum terram.* O Apóstolo São João, por sua vez, declara que esses *olhos* são os *espíritos* de Deus. *Et oculos septem* (scil. *Agni tamquam occisi), qui sunt septem spiritus Dei, missi in omnem terram.* Os cabalistas não deixam de dizer, segundo o texto citado de Zacarias, que os sete esplendores eram representados pelas sete luminárias do candelabro de ouro do templo; que essas luminárias representavam, do mesmo modo, os sete planetas, pela influência dos quais, segundo a crença dos rabinos, a divina Providência se manifesta nesse mundo inferior (עולם התחתון). Enfim, o que acaba de confirmar que é esse o sentido dos sete espíritos de São João é o fato de o Apóstolo, no capítulo V do Apocalipse, depois de os ter atribuído ao Cordeiro, para nos repetir o *Deus erat Verbum* de seu Evangelho, fazer do versículo 12 a precisa enumeração dos sete esplendores: 1. *Virtus;* 2. *Divinitas;* 3. *Sapientia;* 4. *Fortitudo;* 5. *Honor;* 6. *Gloria;* 7. *Benedictio.*

Vê-se pelo que precede que comentadores de grande autoridade quase acertaram no alvo, pois que reconheceram nesses espíritos os atributos divinos. Eichhorn, que, no século XVIII, se tornou ilustre pelos grandes trabalhos sobre a Bíblia, transpôs o último obstáculo em sua *Introduction au N. T.* No tomo I, p. 347, ele não hesita em declarar que os sete espíritos do Apocalipse pertencem ao sistema *sephirótico* (isto é, das *Sephiroth, esplendores*) da Cabala. "Cabbalistisch sind", diz ele, "die sieben Geister Gottes."

Tal é, pois, o mundo atzilútico dos cabalistas, o único mundo *incriado,* isto é, Deus com seus atributos relativos (na qualidade de três Pessoas) e seus atributos absolutos (suas perfeições, na qualidade de Deus *um*). Essas primeiras dez *Sephiroth* são, por conseguinte, um todo indivisível. "Mistério dos mistérios do Antigo dos dias, diz o *Zohar,* que não foi sequer confiado aos anjos das alturas." (*Zohar,* parte 3ª, col. 243). É o *Deum nemo vidit unquam,* de São João, cap. I, versículo 18. Nem sequer aos anjos, dizem os Padres da Igreja; pois que se trata aqui do que os teólogos chamam *a visão compreensiva.*

§ 5. – A ÁRVORE CABALÍSTICA E *NOLITO TANGERE*

A figura mais comum sob a qual são representadas as dez *Sephiroth* é esta aqui (p. 308), conhecida como árvore cabalística.

Os mundos diversos, as hierarquias de anjos, tanto bons quanto maus, esses chamados *cascas* לדיפות, são igualmente diferençados em dez *Sephiroth*. Cada *Sephirah*, por seu turno, tem também suas dez *Sephiroth*. Disso resulta um número ilimitado de árvores cabalísticas. É o que se chama o *pomar*, פרדס. Eis a razão por que os cabalistas ensinam que aquele que se afoita a tirar desse sistema doutrinas errôneas *destrói as plantas*, קוצץ בבטיעות; e que pretender perscrutar esses sublimes mistérios é *introduzir-se no pomar* בס. לפרדסבד.

O Talmude, tratado Ilhaghiga fol. 14 verso, nomeia quatro indivíduos que ousaram se *introduzir no pomar*. O primeiro foi vítima de morte súbita; o segundo, de alienação mental; o terceiro *destruiu as plantas* e, apesar da grande erudição em matéria da santa doutrina, tornou-se ímpio e morreu impenitente; o quarto retirou-se a tempo e não sofreu nenhum acidente.

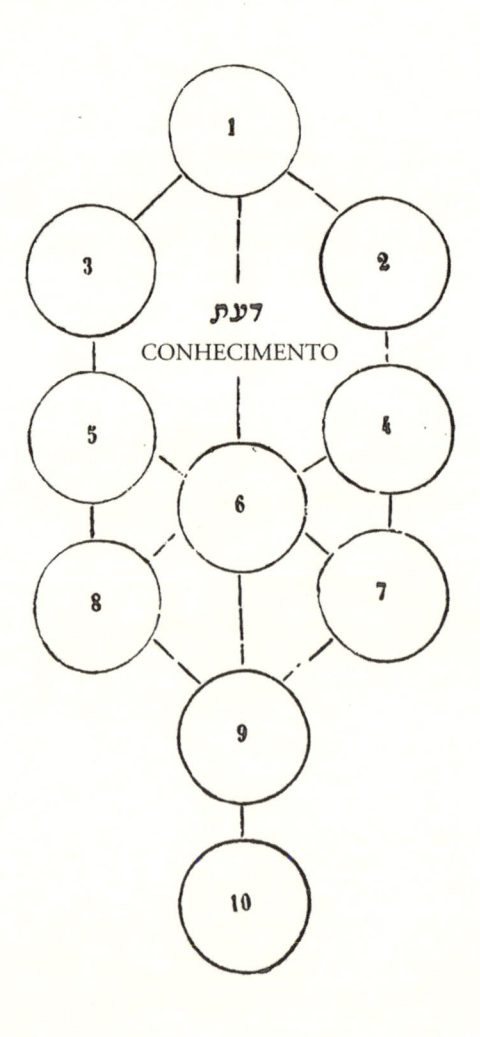

Coloco aqui, de boa vontade, essas palavras do admirável livro da Imitação: "Si non intelligis, nec capis, quae infra te sunt, quomodo comprehendes quae supra te sunt?".

Os rabinos cabalistas da Idade Média não recuavam diante desses exemplos de castigo. Acontecia-lhes agitar questões tão curiosas quanto perigosas. Eles perguntam entre outras coisas: Pois que Deus preenche todo espaço, em que lugar a Coroa suprema, causa das causas, pôde fazer emanar de si outra *Sephirah*, a primeira, por exemplo? É como se se perguntasse: que lugar a imensidade, a ubiquidade do Pai pôde dar ao Verbo engendrado? Eles respondem que *o Infinito* operou sobre si mesmo uma espécie de contração, צמצום; retirou-se em si mesmo, sem que, não obstante, fosse o espaço privado de sua luz. Há que convir que é o mesmo que *se introduzir no pomar* da maneira mais temerária, e que, agitando semelhantes questões, se está bastante perto de *destruir as plantas*. De resto, esses cabalistas eram muitíssimo *rabinos* para compreender que na Essência Divina atzilútica a existência da *causa das causas* e a geração ou procissão das *causas, causatorum*, são coeternas, sem começo nem fim: *nihil prius aut posterius.*

"Gloria sanctissimae eT individuae Trinitati, Patri et Filio et Spiritui Sancto; sicut erat in principio et nunc et semper, et in saecula saeculorum. Amen."

§ 6. – RESUMOS DOS LIVROS CABALÍSTICOS
Advertência ao Leitor

Não extraio esses resumos senão dos livros que desfrutam de autoridade incontestada. Poderia multiplicar seu número a ponto de formar com eles um alentado volume; todavia, esses, aos quais me limito, são suficientes para provar meu tema. Os textos dos cabalistas da Idade Média encerram, por vezes, obscuridades que nem sempre pude remediar em minha tradução, que desejei de escrupulosa exatidão. Entretanto, em certos lugares, permiti-me acrescentar uma ou duas palavras para esclarecimento do sentido. Os mesmos rabinos enunciam-se também, aqui e ali, de maneira a parecer dissonantes aos teólogos católicos: é necessário recordar que, se o fundo pertence à tradição verbal, o estilo pertence aos rabinos que o escreveram.

O primeiro tomo de minha obra, *Harmonia,* contém grande número de textos relacionados ao nosso assunto. Como essa obra está, graças a Deus, bastante difundida, contento-me de remeter o leitor a ela.

I. *Zohar*, 3ª parte, coluna 307: "Há *dois* aos quais se une *um*, e eles são *três*; e sendo *três* não são senão *um*. Esses *dois* são os dois *Jehovah* do versículo, Escuta, ó Israel etc. (Deut. VI, 4). *Eohênu* (*nosso Deus*) aqui está unido. E está aí o sinal do cunho de Deus: VERDADE. E, estando unidos juntos, eles são *um na unidade única*".

É o uníssimo de São Bernardo.

II. O mesmo, 2ª parte, col. 236, sobre o texto do Deuteronômio citado: "*Jehovah, Elohenu, Jehovah* (é) *um*. De uma unidade única, de uma vontade única, sem nenhuma divisão".

III. O mesmo, 2ª parte, col. 286, sobre o mesmo texto do Deuteronômio: "O primeiro *Jehovah* é o ponto supremo, o princípio de todas as coisas. *Elohenu*, mistério do advento do Messias. O cond *Jehovah* une o que está à direita e o que está à esquerda num único conjunto".

IV. O mesmo, 3ª parte, col. 116: "Vem e considera o mistério deste nome de *Jehovah*. Há três *graus*, e cada um deles é distinto, e, no entanto, é um conjunto único, entrelaçado na unidade, graus inseparáveis um do outro".

A Cabala emprega, com frequência, a expressão *graus* para *hipóstases* da nossa teologia. Ela se encontra igualmente nos Padres da Igreja. Tertuliano, por exemplo, escreve: "Tres autem, non statu sed *gradu*; quia unus Deus, ex quo et *gradus* isti, et formae et species, in nomine Patris et Filii et Spiritus Sancti." *Adv. Praxeam*, cap. II.

V. O mesmo, 3ª parte, col. 131. "Os *caminhos* ocultos, as luzes insondáveis, as dez *palavras* saem todas do ponto inferior que está sob o *aleph*, א. As *Sephiroth* emanam da livre vontade de Deus. As *Sephiroth* não são criaturas, *absit!*, mas *noções* e *raios* do *Infinito*, consequentemente, eternas como o próprio Infinito."

É quase supérfluo fazer observar que *caminhos, luzes, palavras*, aqui e algures na Cabala, são a mesma coisa que *Sephiroth*. A letra *aleph* é especialmente o símbolo do *Infinito*. O *Zohar* repete-o com frequência.

VI. O mesmo, 3ª parte, col. 302. "O Santíssimo, louvado seja!, possui três mundos onde se mantém oculto. O primeiro é o mundo supremo (o atzilútico), o mais misterioso, que não poderia nem ser visto nem conhecido senão por aquele mesmo que ali se mantém oculto. O segundo é o que se liga ao mundo supremo (o briático). O terceiro é o que se encontra embaixo dos dois primeiros, e deles separado por determinada distância. E esse é o mundo em que ficam os anjos nas alturas (o ietzirático)."

Um pouco mais adiante, o *Zohar*, tratando do quarto mundo (o assiático), diz: "E vem e considera que, se o homem não houvesse pecado, não teria experimentado a morte nesse mundo inferior no momento de elevar-se aos outros mundos (superiores); mas, por ter pecado, é necessário que prove a morte antes de se elevar até esses mundos. O espírito destaca-se do corpo, que permanece nesse mundo inferior; e o espírito, em seguida, é *purificado* segundo sua culpabilidade. Feito isso, ele se eleva ao paraíso terrestre. Aí é envolvido noutras vestes, estas luminosas, mas na forma e na imagem inteiramente semelhantes às que ele tinha aqui neste mundo".[17]

Vê-se alguma coisa que se assemelha ao *purgatório*. Na 3ª parte, col. 557, o *Zohar* ensina a *eternidade* das penas sofridas pelos ímpios mortos na impenitência. Diz assim: "*Os que baixam no horror* não louvarão a Deus (S. CXV, 2); pois os que baixam no *horror* permanecerão para sempre no inferno, בניחבס ישתאדין. Lit., *in gehenna permanebunt*.

VII. Complementos do *Zohar*! "O artesão admirável e oculto, que é *não*, não ser, אין, compreende em si as Três *Sephiroth* (supremas). O א (desse nome) é a *Coroa*; o י, a *Sabedoria*; o ן, a *Inteligência*."

O cabalista rabi Schabbathi desenvolve essas palavras, como segue: "Pelas explicações dadas por nós nos capítulos precedentes, pode-se formar uma ideia do mistério ensinado pelos mestres da Cabala, a saber: que as três primeiras (*Sephiroth*) são consideradas como apenas uma. E poder-se-ia perguntar: Por que, dizem eles, *são consideradas uma só*, e não *são uma só* absolutamente, uma vez que todas as *Sephiroth*, em conjunto, não são senão uma única unidade? Resposta: Porque as três primeiras, a Coroa, a Sabedoria e a Inteligência, são três *cabeças*, e, embora se manifestem num só ponto, único, simples, não quiseram ser

---

[17] Os elementos constitutivos do corpo se dispersam após sua dissolução e entram no domínio da matéria inorgânica. Segue-se que, no momento da ressurreição, as moléculas de um primeiro corpo poderão ter passado a milhares de outros corpos que o terão sucedido na terra. Como, pois – pergunta a filosofia racionalista –, esses inúmeros organismos poderão se recompor com as parcelas materiais que lhes terão sido comuns? Vê-se, aqui, que a sinagoga antiga já se prevenira contra essa objeção. Ela admitia que as almas serão revestidas de corpos semelhantes, *para a forma e a figura*, aos que as haviam animado nessa vida, mas sem os mesmos elementos constitutivos. Pode-se acreditar que essa opinião não é nada contrária à fé católica. De fato, a Verdade Divina nos ensina que os homens ressuscitados não estarão mais sujeitos, como na vida presente, às necessidades materiais e aos apetites grosseiros, *sed erunt sicut angeli Dei*. Mat. XXII, 30.

Um ilustre orador, o T. R. Padre Felix, da C. de J., em suas conferências na Notre--Dame de Paris, desenvolveu, com admirável eloquência, essa resposta à objeção dos incrédulos contra a ressurreição dos mortos. Segundo a teologia dos Druidas, a alma, imaterial e imortal, vai errar após a morte, nos círculos superiores (*mundos superiores* do Zohar), através dos astros e das grandes estrelas.

confundidas, pois cada uma dessas cabeças é diferente das duas outras. O que está nas sete (últimas) *Sephiroth* se encontra nas três cabeças (as três primeiras *Sephiroth*), e o que está nas três cabeças se encontra na unidade do ponto, e o que está na unidade do ponto se encontra no Infinito, louvado seja ele!; de maneira que não há nenhuma diferença entre as *Sephiroth*".

VIII. Aqui, o rabino, a exemplo do *Zohar*, 1ª parte, col. 27: 3ª parte, col. 376 e *alibi pluries,* compara o mistério das *Sephiroth* às partes integrantes de uma árvore, que, no todo, não é senão um indivíduo único. E continua assim: "A mesma coisa com o sujeito a que nos estamos referindo. A coroa, mistério do ponto, é a raiz oculta; as três cabeças são o tronco: estão unidas ao *ponto,* que é sua raiz. As sete outras *Sephiroth*, que são os ramos, estão unidas ao tronco, que são as três cabeças; e todos juntos estão unidos no *ponto,* que é a raiz. Eis por que todos juntos, o ponto e as três cabeças e as sete *Sephiroth*, são chamados *unidade absoluta, unidade única,* אחדות אחד. É também por esse motivo que os Doutores da Cabala representaram as dez *Sephiroth* por uma árvore, porque elas semelham uma árvore, conforme o explicamos e ainda explicaremos. E, se alguém separasse as *Sephiroth* umas das outras, *quod absit!,* e as cortasse, *quod absit!,* e os mesmos Doutores pronunciaram que esse homem *destruiria as plantas*; pois seria como alguém que dividisse nossa árvore em pedaços, ou a arrancasse do lugar de sua raiz, lugar de onde ela extrai toda sua seiva".

IX. Suplementos do *Zohar*, fol. 17 rosto da edição de Livorno, com o comentário que acompanha o mesmo texto no livro *Yetzirah*.

O que faço imprimir em letras maiúsculas faz parte do discurso atribuído ao profeta; o restante pertence aos comentários.

"Discurso do profeta Elias: ÉS TU, Ó SENHOR DO MUNDO, QUE PRODUZISTE AS DEZ PERFEIÇÕES. Isto é, o *Infinito,* louvado seja ele!, fez emanar, extraindo-as da própria Essência, as dez *Perfeições,* que são as dez *Sephiroth*, instrumentos de suas perfeições para a perfeição dos mundos. Pois por meio delas ele cria, forma e faz tudo o que criou. O mundo *briático* (criativo) forma o mundo *yetzirático* (formativo), e faz o mundo *assiático* (factivo). Isso quer dizer que essas dez *Sephiroth* estão no *Infinito,* louvado seja ele!, como um instrumento na mão do artesão, para completar, em se servindo dele, todas as suas obras.

"E NÓS AS CHAMAMOS SEPHIROTH. Isto é, essas *Perfeições* que ele emanou, louvado seja!, produzidas da própria Essência, nós as chamamos *Sephiroth*. A intenção de Elias, de abençoada memória, é fazer-nos compreender perfeitamente que não nos devemos enganar a tal respeito, *absit!* e *absit!,* pensando e dizendo que as dez perfeições estejam separadas dele, *absit!,* como o instrumento está separado do artesão. Quando o artesão precisa trabalhar, pega desse instrumento e, ao terminar seu trabalho, põe-no e deixa-o no lugar em que o guarda, a fim de aí o retomar quando dele precisar de novo; pois a ferramenta não está inseparavelmente unida à mão do artesão numa união contínua, numa união eterna. Tu poderias, pois, cair no erro de pensar o mesmo em relação às *Sephiroth*, assimilando-as completamente a ferramentas que se guardam à vontade, e dizer que elas são algo à parte do Infinito, louvado seja!, *absit*! e *absit*! Eis por que Elias, de abençoada memória, nos adverte que isso não é, de modo algum, assim. Na verdade, as dez Perfeições de que tratamos são por nós chamadas *Sephiroth*, termo que em hebraico quer dizer, *luzes que brilham*. Brilham da própria Essência do Infinito, louvado seja ele! Nele se conservam e dele são inerentes, como o fogo da brasa ardente. Esse fogo está na brasa, e não poderia subsistir sem ela. Ocorre o mesmo com as *Sephiroth*; elas são as chamas sagradas, luzes que sua fornalha oculta faz brilhar, tesouros santos da Essência do Infinito, louvado seja! São todas atadas, inerentes, ligadas, unidas ao Infinito, louvado seja!, por uma união, por uma conexão, por uma ligação incessante, eterna; e também estão unidas entre elas, inseparáveis por toda a eternidade. Ele (Elias) chama-as *Sephiroth*, o que quer dizer *luzes, esplendores*. A raiz ספר desse nome significa *iluminar, brilhar de um resplendor de luz,* como o revela o texto sagrado no Êxodo, XXIV, 10, e em Jó, IV, 7. É o que Elias nos faz entender por estas palavras: PARA ILUMINAR POR ELAS OS MUNDOS OCULTOS QUE NÃO APARECEM E OS MUNDOS QUE APARECEM. O sentido é: para iluminar pelas próprias *Sephiroth*, e por meio delas, digo, os mundos escondidos e ocultos, que são:

"1º) Os mundos da *Briah* (2º mundo), denominados *o trono de sua glória,* em número de dez tronos, dez mundos briáticos. Sua quididade e seu modo de ser estão acima da nossa compreensão, como o desenvolverei na seção do mistério dos quatro mundos *Atzilah, Briah, Yetzirah* e *Assiah.*

"2º) Os mundos da *Yetzirah* (3º mundo), que formam dez mundos de anjos. São também mundos ocultos, escondidos ao olho material.

"Ora, esses dois mundos, da *Briah* e da *Yetzirah*, chamam-se *mundos que não aparecem*. Estes, por sua vez, servem para iluminar e criar, não apenas por seu intermédio, mas também pela própria substância, os mundos visíveis, perceptíveis aos sentidos e compreensíveis à inteligência dos seres materiais de que se compõem os mundos de *Assiah* (4º mundo); pois o *Assiah* também compreende dez mundos, dez esferas, que são dez céus. E nossos Doutores ensinam que esses dez céus se distanciam uns dos outros pelo espaço de quinhentos anos de marcha;[18] cada um deles faz um mundo à parte e envolve toda a obra dos seis dias da criação, isto é, as esferas e tudo quanto encerram até o fundo da terra, as estrelas, os planetas, as *cascas*, as potências da impureza, o demônio dos maus pensamentos.[19] Eis aqui o que se chama os *mundos visíveis*.

"Mas retornemos às palavras de Elias. E POR ELAS (as *Sephiroth*) TU TE OCULTAS AOS FILHOS DOS HOMENS. Isso quer dizer, como o Infinito, louvado seja ele!, fez todas as ações pela mediação de suas *Sephiroth*, louvadas sejam elas!, e, de certo modo, se encobrindo na ação, a qual somente se revela pelas suas *Sephiroth*, louvadas sejam!, e não por si mesmo, *ele se acoberta e se oculta atrás delas*, do mesmo modo que um homem que se oculta à vista, cobrindo toda sua pessoa com uma vestimenta, de maneira que apenas sua vestimenta é visível. Deus só se dá a conhecer pelos seus atos, e estes são operados pelas suas *Sephiroth*, que são a sua vestimenta.

"Ele diz a seguir: E ÉS TU QUE OS UNES E OS PRENDES JUNTAMENTE. Isso quer dizer que somente as *Sephiroth* se manifestam atuando sobre todos os mundos, porém sua ação não é independente do Infinito. Mas não se deve imaginar e dizer que as *Sephiroth* agem sozinhas e que o Infinito permanece estranho ao que elas fazem. Isso seria uma impiedade, pois elas só agem em virtude de sua todo-poderosa influência, que as ata e as une numa unidade perfeita, absoluta. Elas se conservam nele como o fogo se mantém na brasa. Portanto, ele é a fonte e o impulso de toda a atividade delas.

"E PORQUE TU ÉS NELAS O NÚCLEO E A LAREIRA, QUEM QUER QUE SEPARASSE ESSAS DEZ *SEPHIROTH*, UMA DA OUTRA, SERIA CULPADO, COMO SE TE DILACERASSE E TE DESPEDAÇASSE, Ó SENHOR DO MUNDO! Isso significa: pois que o Infinito está no interior das chamas de que brilham as *Sephiroth*, pois que elas fulguram apenas em razão da grande resplandecência que não tem limites, e porque ele próprio se reveste da força das luzes que ele mesmo emana para operar através delas todas as suas ações, e, sendo isso assim, quem quer que as separasse umas das outras dizendo: a potência de luz que está em tal *Sephirah* não está em tal outra *Sephirah*, que possui potência de luz diferente – que isso dissesse, dividindo, separando e

---

[18] O *Talmude*, tratado Ilhaghiga, fl. 12 verso, dá os nomes hebraicos dos dez céus. A distância entre os dez céus é extraída do livro *Yetzirah*, que marca apenas quinhentos; mas o *Talmude*, mesmo tratado, fl. 13, rosto, aí acrescenta *anos*.

[19] Vimos mais anteriormente que, por *cascas*, os cabalistas designam os anjos decaídos, os maus anjos. É o demônio das más inspirações, יכר הדע, dizem os rabinos, que excita os homens a desprezar e a transgredir a lei de Deus.

disjuntando as *Sephiroth*, cometeria o pecado enorme de cortar, dividir, cindir a Essência única do Infinito, louvado seja! Pois ele é a mais simples unidade, e as *Sephiroth* são emanadas dessa unidade simples. Isso seria a cova, a perdição, a morte e o fogo do inferno do mais profundo abismo para aquele que ousasse se tornar culpado disso".

X. O sistema cabalístico do livro *Yetzirah*, que os rabinos atribuem ao patriarca Abraão, está baseado totalmente no dogma da divina Trindade. Distingue em Deus *três Esplendores, Sephiroth,* que se confundem no *Esplendor supremo* e constituem conjuntamente *uma única essência,* a saber:

1. O *Infinito,* chamado de outro modo *a coroa suprema.*
2. A *Sabedoria.*
3. A *Prudência.*

Nos livros dos cabalistas, esses três Esplendores supremos são chamados, igualmente, *os três caminhos, os três graus, os três ramos superiores* (da árvore cabalística), *as três colunas.*

[O que está em letras maiúsculas pertence ao texto do livro *Yetzirah*.]

O PRIMEIRO CAMINHO CHAMA-SE INTELIGÊNCIA IMPENETRÁVEL, COROA SUPREMA. ELA É A LUZ PRIMORDIAL, INTELECTUAL; A GLÓRIA PRIMEIRA, INCOMPREENSÍVEL PARA TODOS OS HOMENS CRIADOS.

Comentário de R. Abraham-ben-David, comumente chamado *Raabad*:

"O mistério desse *Caminho* é indicado pela letra aleph, א. As letras de que se compõe o nome desse caráter, א, ל, פ, formam, igualmente, a palavra פלא, que significa o *Admirável*. Essa denominação convém ao primeiro Caminho, porque está escrito: E *chamar-se-lhe-á* o ADMIRÁVEL, *o conselheiro, o Deus forte.*" Isaías, IX, 6.

Essa passagem de Raabad é importante. Ele reconhece que o capítulo IX de Isaías deve se referir ao Messias, e que o Messias é realmente Deus, Deus feito homem. *Parvulus enim natus est nobis, et filius datus est nobis; et vocabitur nomen ejus admirabilis.*

O SEGUNDO CAMINHO É A INTELIGÊNCIA ILUMINADORA. É A COROA DA CRIAÇÃO, O ESPLENDOR DA UNIDADE. ESTÁ ACIMA DE TODAS AS COISAS. OS MESTRES DA TRADIÇÃO O QUALIFICAM GLÓRIA SEGUNDA.

Outro rabino, quero dizer, *rabino Saul,* falando desse segundo caminho, exprime-se em termos análogos. *Novissime diebus istis locutus est nobis in Filio, per quem fecit et saecula; qui cum sit splendor gloriae, et figura substantiae eius, sedet ad dexteram majestatis in excelsis.* Rom. I., 1 ss.

O TERCEIRO CAMINHO CHAMA-SE INTELIGÊNCIA SANTA. É O FUNDAMENTO DA SABEDORIA PRIMORDIAL CHAMADA FÉ FIEL INABALÁVEL. AMEN é a raiz da QUALIDADE DESSA FÉ. ESSE CAMINHO É A MÃE[20] DA FÉ, POIS A FÉ EMANA DA VIRTUDE, ISTO É, DA FORÇA QUE ESTÁ NELA.

Nossa Santa Mãe Igreja nos ensina que a fé é um dos *frutos* do *terceiro caminho* de Deus, do Espírito Santo.

Viu-se anteriormente que o termo *grau* não pertence exclusivamente aos rabinos cabalistas. O termo cabalístico *caminho* remonta à alta Antiguidade. É perfeitamente cristão, e eu me prosterno diante do meu Divino Redentor quando Ele se dá a conhecer como sendo ele próprio *O Caminho*. Perguntando-lhe Santo Tomás: Domine, quomodo possumus *viam* scire?, ele responde: Ego sum *Via*. Seis séculos antes, Isaías, o profeta evangélico, no capítulo XXXV, em que prediz o advento do Messias, anunciou que então haverá na terra o *caminho santo*. Et erit ibi semita et via, et *via sancta* vocabitur.

XI. Moisés Nahhmênides, comentário sobre o primeiro versículo do *Gênese*: A doutrina de nossos mestres é que a palavra *Bereshit*, בדאשית (que significa, *no começo*), indica que o universo foi criado por intermédio das dez *Sephiroth*. E ela (essa palavra) designa especialmente a *Sephirah* chamada *a Sabedoria* (a segunda Pessoa da suprema Trindade). Esta é o fundamento de todo o assunto do nosso texto, pois está escrito: *Jehovah criou a terra pela* SABEDORIA. Prov. III, 19. A palavra *Bereshit* designa a Sabedoria. Esta, na verdade, é a segunda na ordem das *Sephiroth*, mas a primeira que se manifestou.[21] Ela é, com efeito, o começo dos começos. Eis por que os targum de Jônatas e a Hierosolimita traduzem em caldeu: *Pela* SABEDORIA *Jehovah criou:* יי בדא בחובמא.[22]

---

[20] O texto diz o pai, porque o termo hebraico ותיב, que significa caminho, é um nome masculino.

[21] Estas últimas palavras se leem no famoso livro *Pardès*, do cabalista Moisés de Córdova. São João diz também que a Sephirah *segunda* na ordem se revelou aos homens e os fez conhecer a Sephirah *primeira*, que nunca se mostrou. *Deum nemo vidit unquam. Unigenitus Filius, qui est in sinu Patris, ipse enarravit*. João, I, 18.

As palavras do rabino recordam exatamente as do mesmo Apóstolo, versículo 3: *Omnia per ipsum facta sunt, et sine ipso factum est nihil, quod factum est.*

[22] Nas Bíblias impressas, só a Hierosolimita traz a versão que Nahhmênides lia num e noutro targum.

XII. Comentário do mesmo Moisés Nahhmênides sobre o começo do *Gênese*, desenvolvido pelo cabalista R. Isaías Hurwitz no livro *Schelah*, fl. 271, verso: "O Santíssimo, louvado seja!, criou todas as criaturas, tirando-as do nada absoluto. E nós não temos na língua santa outro termo senão ברא (*creavit*) para exprimir *fazer sair o ser do nada*. E não há nada sob o sol, ou acima, que não tenha tido um começo de existência. Ele (Deus) tirou do nada mais absoluto um elemento extremamente sutil, impalpável, potência produtora naquilo em que é suscetível de receber formas sensíveis. Esse elemento primitivo os gregos chamam-no *hiulè* X. Após o *hiulè*, Ele nada mais criou; porém, desse elemento Ele tirou, formou e modelou todas as coisas, revestiu-as de formas, de maneira a adequá-las cada qual ao uso a que estão destinadas. E sabe que os céus, com tudo o que contêm, são matéria; a terra também e todas as coisas que a ela pertencem são uma única matéria. O Santíssimo, louvado seja!, criou um e outro do nada. E eles foram criados separadamente; a seguir, deles foram feitas todas as coisas que os acompanham. E essa matéria *hiulè* se denomina em hebraico *thohu*, תהו, e a forma de que essa matéria é revestida se denomina em hebraico *bohu*, בהו. E eis aqui o que nossos doutores ouviam dizer no livro *Yetzirah*: *Ele formou tudo do próprio THOHU, e Ele fez essência o que não era em absoluto*. Desse modo, o texto se explica naturalmente em conformidade com a letra. *No começo Deus criou os céus*. Tirou do nada sua matéria. *E a terra*. Tirou do nada sua matéria. E nessa criação foram criadas todas as criaturas dos céus e da terra".

XIII. R. Menahhem de Recanati: "As três primeiras *Sephiroth* são chamadas שבליות, *intelectuais, noções*, e não דעת, *conhecimento, atributos*" (como as sete seguintes).

XIV. R. Meir, filho de Todros de Toledo: "As três *Sephiroth* supremas que são a *Coroa suprema*, a *Sabedoria* e a *Inteligência* são as *Sephiroth* intelectuais, as noções; e as sete outras *Sephiroth* são as denominadas no livro *Yetzirah* בפיר, *Esplendores atributivos*".

XV. R. Abraham Irira,[23] em seu livro שער השמים, *a porta do céu*: "Deus, em suas dez *Sephiroth*, não comunica sua natureza aos três mundos: *briático, yetzirático* e *assiático*... As *Sephiroth* emanam do primeiro *Infinito*, mas de tal maneira que não são, de nenhum modo, separadas. As *Sephiroth* nada mais são que a *Divindade determinada*. Os mundos briático, yetzirático e assiático são criações *ex nihilo*. Não há mesmo *Sephiroth*. Estas não saíram, de modo algum, do nada, mas

---

[23] É assim que os rabinos pronunciam esse nome, אירדוא; mas o verdadeiro nome do célebre cabalista é *Herrera*. Ele era espanhol, da cidade de Herrera.

emanam eternamente da substância do *primeiro Infinito*; e este, sua causa imediata, não experimenta nenhuma diminuição, assim como uma luz que transmite a claridade a outra luz. As *Sephiroth* são da mesma natureza que o primeiro Infinito, com a única diferença de que o Infinito existe por si mesmo, *est a seipso, causa sine causa*, e as *Sephiroth* emanam dele; numa palavra, são as *causas* da primeira causa. Do Infinito, unidade mais absoluta, produz-se, engendra-se o *mundo celeste,* העולם העליין, isto é, o que em Cabala é chamado o *homem primitivo, Adão primitivo,* אדם קדמין, ser divino que não se deve confundir, *quod absit!*, advertem os cabalistas, com o *primeiro homem, primeiro Adão,* הדאשין אדם, terrestre. O Adão primitivo é *um* e *muitos*, pois todas as coisas são dele e nele, מגיה וכיה.

XVI. No mesmo livro, *Dissertação* III, capítulo IX, Irira desenvolve mais amplamente o que acaba de dizer de forma sucinta e explica, em minúcias, a natureza dos anjos das diversas hierarquias, dos quais não posso me ocupar neste resumo.

Acabamos de ouvir os maiores mestres da Cabala dos hebreus, e eu poderia ter aumentado consideravelmente o número das minhas citações. Julguemos agora se os filósofos incrédulos têm base para a invocação dessa Cabala em favor do panteísmo.

A Grande Árvore Cabalística, segundo Kircher (OEdipus AEgyptiacus).

יהשוה

POSFÁCIO

Papus e a Cabala
(por Daniel BÉRESNIAK)

A Cabala, conjunto de escritos redigidos por Ibn Gabirol e Moisés de Leon no fim do século XIV, segundo uma tradição transmitida oralmente, é um comentário esotérico da Bíblia, cuja originalidade consiste nisto: ela associa a via mística à via gnóstica.[24] Conhecem-se as duas Escolas aparentemente inconciliáveis, que atravessaram os séculos ilustrando-se, as duas, por homens extraordinários. Uma pretende que a santidade pode ser alcançada pelo estudo e pela meditação; a outra, que somente o êxtase provocado pela mortificação ou por outros meios[25] permite atingir os cimos em que a verdade, a sabedoria, os segredos, a divindade aparecem e resplendem. A Cabala Tradicional não privilegia nenhuma dessas vias, mas exige da parte do estudante tanto o trabalho obstinado e paciente quanto o abandono imediato e total, tanto a inteligência racional e crítica quanto o impulso místico.

---

[24] Gnóstico entende-se no sentido etimológico: que privilegia o conhecimento.
[25] Certas drogas, por exemplo.

Precisado isso, é importante distinguir a Cabala cristã da tradição cabalística judaica. Papus não conhece outra coisa senão a Cabala cristã. Ele mesmo indica suas fontes, com muita honestidade, quando aconselha os leitores desejosos de ir além ou se abriga para certa afirmação, sob uma autoridade que acredita indiscutível. Entre os clássicos, ele cita Pico de la Mirandola e Agrippa, e, entre os contemporâneos, afora Éliphas Lévi, cuja influência sobre sua geração é considerável, cita Louis Michel de Figonières, autor de *Clefs de la vie,* Kircher e Lenain. Cita igualmente, com maior frequência, ao nível das notas, o autor da *Langue hébraïque restituée,* Fabre d'Olivet. É permitido imaginar que Papus tenha lido essa obra ou, pelo menos, a tenha percorrido atentamente. Na verdade, a etimologia dada por Papus à palavra Cabala: "o que é recebido" (cf. *La Cabbale,* Édition Dangles, p. 71) se encontra nesse livro de Fabre d'Olivet. Em todos os demais livros acessíveis ao público francês, a Cabala é traduzida ora por "A Revelação", ora por a "Tradição". A interpretação de Fabre d'Olivet é justa. A raiz K B L dá a ideia de receber. Cabala é uma forma substantivada dessa raiz trilítera. A única fonte em que Papus pôde descobri-lo foi a *Langue hébraïque restituée,* de Fabre d'Olivet.

A CABALA CRISTÃ

Para bem situar o pensamento de Papus, é preciso conhecer a história da ideia da Cabala nos meios cristãos espiritualistas. É preciso situar, no contexto histórico e filosófico, o pensamento de Pico de la Mirandola e de Agrippa.

Menos de um século depois da primeira transcrição escrita dos livros da Cabala por Moisés de Leon e Ibn Gabirol, ou seja, por volta do fim do século XV, os meios cristãos cultos se preocuparam em harmonizar as doutrinas cabalísticas com o cristianismo. "Recuperar", para empregar um termo em moda hoje, a Cabala em proveito da justificação dos dogmas cristãos foi o propósito de todos os comentadores cristãos da Cabala.

A Cabala cristã tem duas fontes:

1ª) As especulações cristológicas de certo número de judeus convertidos desde o fim do século XIII até o período da expulsão da Espanha (1492), como as de Abner de Burgos e as de Paul de Heredia.

2ª) A Academia platônica criada e animada pelos Médicis de Florença. Foi no quadro dessa Academia que se ilustrou um homem admirável e prodigioso chamado Giovanni Pico de la Mirandola (1463-1494).

Pico de la Mirandola, retomando as proposições de Abner de Burgos, afirma a origem divina da Cabala. Seu sentido teria sido esquecido, mas é possível reencontrá-lo estudando Pitágoras e Platão, assim como os segredos da fé católica. A originalidade dos meios centrados na Academia platônica de Florença consiste em anexar Pitágoras e Platão, consagrando-lhes um culto particular. A contribuição pessoal de Pico de la Mirandola na elaboração do pensamento cristão sobre a Cabala consiste em associar o pensamento platônico e pitagórico à procura de uma "palavra perdida", que daria a chave da Cabala.

A partir dele, há uma continuidade, uma espécie de filiação que se estabelece até os nossos dias. É sob a influência de Pico de la Mirandola que Reuchlin (1455-1522) escreve *De Arte Cabalistica* (1517), no próprio ano em que, no castelo de Wartburg, Martinho Lutero terminou sua tradução da *Bíblia* em alemão.

É ainda à sombra de Pico de la Mirandola que trabalha Paul Ricius, o químico particular do imperador Maximiliano. Este último divulga o pensamento de Reuchlin e o de Pico. Reuchlin explica o dogma da encarnação por uma série de especulações sobre os nomes de Deus e vê em Jesus a terceira e última Revelação, segundo o Shadai, correspondendo à época dos patriarcas, e o tetragrama sagrado (*Yod, He, Vau, He*), correspondendo à época de Moisés. Jesus tendo 5 letras, o tetragrama 4, e o Shadai 3, a progressão 3, 4, 5 traduz o plano divino. Desse fato, o pensamento pitagórico consegue entrada surpreendente na teologia cristã.

Mas, pouco a pouco, outra preocupação vem à luz entre os cabalistas cristãos: a preocupação mágica. Trata-se de conhecer melhor as leis da vida para aumentar os próprios poderes. Essa preocupação está na origem do que se veio a chamar comumente a "Cabala prática". O lugar de honra nesse domínio retorna ao autor de *De Occulta Philosophia,* Cornelius Agrippa de Nettesheim.

Agrippa é o grande responsável pela confusão que se estabelece no mundo cristão entre a cabala, a numerologia e a feitiçaria.

O desenvolvimento dos estudos sobre a Cabala entre os cristãos coincide com a extensão da Reforma. Os católicos se servem da Cabala como de uma arma contra os reformados. É nessa perspectiva militante que se inscrevem as obras do Cardeal Egidio da Viterbo (1465-1532), autor da *Shekhinah*, e do franciscano Giorgio de Veneza (1460-1540), autor de *De Harmonia Mundi* (1525) e de *Problémata* (1536).

A primeira tradução em latim do *Zohar* e do *Sepher Yetzirah* é devida a Guillaume Postel (1510-1581).

Na mesma época, nos meios judaicos, floresce o renascimento dos estudos cabalísticos, conhecido como "Escola de Safed". Mas os escritos da Escola de Safed não têm, estritamente, nenhuma influência no mundo cristão.

No século XVII, surgem os escritos teosóficos de Jacob Boëhme. Desenvolvem-se as preocupações alquímicas. A Cabala é mais e mais concebida como um sistema geral do mundo que conteria todas as ciências secretas. Essa mistura de elementos diversos aparece na obra de Heinrich Khunrath, *Amphithéatrum Sapientiae Aeternae* (1609), Blaise de Vigenère, *Le traité du feu* (1617), Abraham Von Frankenberg, Robert Fludd e Thomas Vaughan. Essa tendência alquímico-cabalística alcança o apogeu com a *Opus Mago-Cabbalisticum* (1735), de Georges Van Welling, e os escritos de F. C. Octinger (1702-1782), cuja influência sobre filósofos idealistas como Schelling e Hegel é evidente.

Sob forma um pouco diferente, essa confusa mistura ou essa sublime síntese (segundo se é contra ou a favor) reaparece no sistema teosófico em moda entre os franco-maçons da segunda metade do século XVIII. É nesse contexto que se ilustram Martines de Pasqually (1727-1774), com seu *Traité de la Réintégration des Etres,* e seu discípulo Louis-Claude de Saint-Martin (1743-1803). O coroamento da tendência "alquímico-cabalística" é a obra de Franz Joseph Molitor (1779-1861), *Philosophie der Geschite oder Uber die Tradition* (Filosofia da história ou sobre a Tradição), que associa as especulações cabalísticas a uma pesquisa sobre a ideia mesma da Cabala. Desemboca-se, por ele, numa abordagem mais científica da Cabala, na qual se ilustrará o grande filósofo Jung.

Eis aqui, *grosso modo*, como se apresentou a "Cabala cristã", na qual Papus extrairá toda sua ciência. A parte filosófica ou, mais precisamente, cosmológica nos conduz, através das compilações, ao pensamento de Pico de la Mirandola. Para o que diz respeito às "ciências secretas" e, notadamente, à magia, a fieira, através das compilações, nos conduz a Cornelius Agrippa.

DANIEL BERESNIAK
23 de setembro de 1975.

NOTA: Como quase todos os comentadores cristãos da Cabala, Papus designa como *Vau* a letra *Vav*.

Sabe-se que os latinos escreviam de igual modo o *U* e o *V*. Talvez resida nisso a anomalia tantas vezes exprobada por alguns leitores contemporâneos a certos autores antigos.

RESSURGIMENTO DA ORDEM MARTINISTA DE PAPUS

> "Conhece-te a ti mesmo e tu conhecerás
> o Universo e os Deuses."

Fundada em 1888-1891 pelo doutor Gérard ENCAUSSE (PAPUS), a Ordem Martinista moderna conheceu, até a "morte" do pranteado vulgarizador do Ocultismo, ocorrida em outubro de 1916, considerável desenvolvimento. A Ordem Martinista de Papus estava, na realidade, representada tanto na velha Europa quanto na África, nos Estados Unidos e na América do Sul. Sua influência exercia-se também não só entre os humildes como nos degraus de certos tronos, e não dos menores... Graças a ela, as ideias espiritualistas ganharam terreno precioso numa época em que o Materialismo dava a impressão de estar a ponto de vencer.

O Martinismo de Papus constituía uma cavalaria do altruísmo em oposição à liga egoísta dos apetites materiais, uma Escola em que se aprendia a reconduzir o dinheiro ao seu justo valor de condição social, e não a considerá-lo um influxo divino; enfim, um Centro em que se esforçava no sentido de permanecer impassível diante dos turbilhões positivos ou negativos que subvertiam a sociedade.

Seus objetivos são constituir uma cavalaria mística e esotérica a fim de lutar – cada membro em sua esfera – em nome dos princípios que nos dirigem, em favor do Espiritualismo, contra o embrutecimento, e de contribuir para o advento de um mundo em que os valores *espirituais* retomarão seu verdadeiro lugar, com exclusão de toda questão racial e de toda ideologia política.

Ordem iniciática, e não Sociedade secreta, aberta aos homens e às mulheres de boa vontade, a ORDEM MARTINISTA é um agrupamento *cristão* que possui doutrina filosófica e mística, um método de trabalho ao mesmo tempo individual e grupal, uma linha de inspiração sobre a qual cada inteligência deve trabalhar segundo suas possibilidades.

De acordo com as diretivas de Louis-Claude de Saint-Martin, e as ulteriores, de Papus, a mulher é admitida em igualdade absoluta ao homem (uma vez que uma é complemento do outro) na "Ordem Martinista", que "encontrou força e vigor" plenos e completos em 1952, em Paris.

Os sucessores de PAPUS (nascido em 13 de julho de 1865 e falecido em 25 de outubro de 1916) foram seguidamente, na Presidência da Ordem: Charles DÉTRÉ ("Teder"), nascido em 27 de julho de 1855 e falecido em 26 de setembro de 1918; Jean BRICAUD (11 de fevereiro de 1881-21 de fevereiro de 1934); Constant CHEVILLON (26 de outubro de 1880-25 de março de 1944, quando foi assassinado pela milícia a soldo dos invasores hitleristas); Henry-Charles DUPONT (19 de fevereiro de 1877-1º de outubro de 1960); Philippe ENCAUSSE, que nasceu em 2 de janeiro de 1906, em Paris, Irénée SEGURET e, novamente, o dr. Philippe ENCAUSSE.

Em nossos dias, a ORDEM MARTINISTA conta com aderentes (regularmente inscritos) nos seguintes países além da França e seus territórios de ultramar: Argélia, Alemanha Federal, Argentina, Bélgica, Brasil, Bulgária, Camarões, Canadá, África Central, Chile, Congo (Brazzavile), Congo (República Democrática do), Costa do Marfim, Daomé, Egito, Espanha, Estados Unidos da América do Norte, Gabão, Grã-Bretanha, Grécia, Haiti, Iugoslávia, Itália, Líbano, Madagascar, Marrocos, México, Mônaco, Nigéria, Peru, Portugal, Senegal, Suíça, Chade, Tchecoslováquia, Togo, Tunísia e Venezuela.

O Túmulo de Gerard ENCAUSSE "PAPUS" no Père Lachaise

O túmulo de PAPUS está – como o do Mestre PHILIPPE, em Lyon – sempre florido.

A pedido de inúmeros admiradores de PAPUS, fornecemos aqui algumas indicações que permitem encontrar facilmente esse túmulo no imenso cemitério do Père Lachaise:

Descer na estação do metrô "Gambetta" e entrar pela porta "Gambetta" (avenida do Père Lachaise). Uma vez franqueada a porta, virar à esquerda e seguir a grande aleia. Na intersecção da 89ª e 93ª divisões, virar à direita e subir a aleia central, contando 32 túmulos (à esquerda). Passar entre o 32º túmulo (família Aubert) e o 33º (família Beauvais), seguir a pequena aleia e se achará o túmulo de PAPUS, à direita, o 38º túmulo.

Dr. Philippe Encausse

Impresso por :

Graphium
gráfica e editora
Tel.:11 2769-9056